NELSON DACIO TOMAZI

Licenciado em Ciências Sociais pela Universidade Federal do Paraná
Mestre em História pela Universidade Estadual Paulista de Assis
Doutor em História pela Universidade Federal do Paraná
Professor de Sociologia na Universidade Estadual de Londrina (PR) e na Universidade Federal do Paraná
Membro da Comissão de Ensino da Sociedade Brasileira de Sociologia
Consultor e membro da equipe de redação das Orientações Curriculares Nacionais — Sociologia

Ilustração: Marco Aurelio Sismotto
Cartografia: Mario Yoshida

Sociologia para o ensino médio

1ª edição, São Paulo
2007
3ª reimpressão

ATUAL EDITORA

SARAIVA S.A. Livreiros Editores, São Paulo, 2008.
Av. Marquês de São Vicente, 1697 — Barra Funda
01139-904 — São Paulo — SP
Fone: (0xx11) 3613-3000
Fax: (0xx11) 3611-3308 — Fax vendas: (0xx11) 3611-3268
www.editorasaraiva.com.br

Dados Internacionais de Catalogação na Publicação (CIP)
(Câmara Brasileira do Livro, SP, Brasil)

Tomazi, Nelson Dacio
Sociologia para o ensino médio / Nelson Dacio Tomazi. — 1. ed.
— São Paulo : Atual, 2007.

Bibliografia.
ISBN 978-85-357-0798-4 (aluno)
ISBN 978-85-357-0799-1 (professor)

1. Sociologia (Ensino médio) I. Título.

07-5541 CDD-301

Índice para catálogo sistemático:

1. Sociologia : Ensino médio 301

Sociologia para o ensino médio

Editora: Ana Lúcia Lucena
Assistente editorial: Guilherme Maciel/Marcelo Zanon
Revisão de texto: Pedro Cunha Jr. (coord.)/
Juliana Batista/Cid Ferreira/Alexandra Costa/
Elza Gasparotto/Lilian Semenichin/Talita Pousada
Pesquisa iconográfica: Cristina Akisino (coord.)/Angelita Cardoso
Iron Montovanello/Márcia Trindade/Piero Cassa

Gerente de arte: Nair de Medeiros Barbosa
Supervisor de arte: Marco Aurelio Sismotto
Assistente de produção: Grace Alves
Ilustrações e mapas: Marco Aurelio Sismotto/Mario Yoshida
Diagramação: Setup Bureau
Coordenação eletrônica: Silvia Regina E. Almeida

Colaboradores

Edição de texto: Denise Ceron
Projeto gráfico: Regina Casemiro e CN2K
Capa: Homem de Melo & Troia Design
Impressão e acabamento: Prol Editora Gráfica

Visite nosso *site*: www.atualeditora.com.br
Central de atendimento ao professor: (0xx11) 3613-3030

SUMÁRIO

O estudo da Sociologia

Por que estudar a sociedade em que vivemos? Não basta vivê-la? É possível conhecer a sociedade cientificamente? A Sociologia serve para quê? Essas são perguntas que muitos alunos fazem quando encontram essa disciplina na grade curricular. E as perguntas não param aí. Vamos procurar respondê-las no decorrer de nossos estudos.

O que se pode dizer, inicialmente, é que a Sociologia, assim como as demais ciências humanas (História, Ciência Política, Economia, Antropologia, etc.), tem como objetivo compreender e explicar as permanências e as transformações que ocorrem nas sociedades humanas e até indicar algumas pistas sobre os rumos das mudanças.

Através dos tempos, os seres humanos buscam suprir suas necessidades básicas mediante a produção não só de alimentos, abrigo e vestuário, mas também de normas, valores, costumes, propriedades, desigualdades, conflitos, arte e explicações sobre a vida e sobre o mundo.

Viver em sociedade é participar dessa produção. Ao fazê-lo, acabamos produzindo a história das pessoas, dos grupos e das classes sociais. Por isso, a Sociologia tem uma estreita relação com a História. Basta dizer que precisamos de ambas para explicar a existência da própria Sociologia.

Das relações pessoais aos grandes conflitos mundiais, a Sociologia investiga os problemas que afetam o nosso cotidiano, evidenciando a estreita relação entre as questões individuais e as questões sociais. Imagem A: as Torres Gêmeas, em Nova York, momentos antes do segundo ataque de avião, em setembro de 2001. Imagem B: o conflito árabe-israelense suspenso no abraço de dois garotos, um palestino e outro judeu. Israel, 1993. Imagem C: mulher japonesa e seu filho em frente às lanternas do mausoléu de Yasukuni, erguido em 1869 em homenagem aos combatentes mortos em guerra. Tóquio, 2005. Imagem D: campo de refugiados da guerra civil de Ruanda. Tanzânia, 1994.

Mas qual é o campo de estudo específico da Sociologia? Para entender os elementos essenciais da sociedade em que vivemos, os sociólogos procuram dar respostas a questões como estas:

- Por que as pessoas agem e pensam desta forma e não de outra?
- Por que nos relacionamos uns com os outros de determinada maneira, normalmente padronizada?
- Por que existe tanta desigualdade e desemprego em nosso cotidiano?
- Por que existem a política e as relações de poder na sociedade?
- Quais são nossos direitos e o que significa cidadania?
- Por que existem movimentos sociais com interesses tão diversos? Esses movimentos são revolucionários ou apenas reformadores?
- O que é cultura? Qual a relação entre cultura e ideologia? Como elas estão presentes nos meios de comunicação de massa?

A Sociologia nos ajuda a entender melhor essas e outras questões que envolvem nosso cotidiano, sejam elas de caráter pessoal, grupal, ou, ainda, relativas à sociedade à qual pertencemos ou a todas as sociedades. Mas o fundamental da Sociologia é nos fornecer conceitos e outras ferramentas para analisar as questões sociais e individuais de um modo mais sistemático e consistente, indo além do senso comum.

Para Pierre Bourdieu, sociólogo francês contemporâneo, a Sociologia, quando se coloca numa posição crítica, incomoda muito, porque, como outras ciências humanas, revela aspectos da sociedade que certos indivíduos ou grupos se empenham em ocultar. Se esses indivíduos e grupos procuram impedir que determinados atos e fenômenos sejam conhecidos do público, de alguma forma o esclarecimento de tais fatos pode perturbar seus interesses ou mesmo concepções, explicações e convicções.

Ora, uma das preocupações da Sociologia é justamente formar indivíduos autônomos, que se transformem em pensadores independentes, capazes de analisar o noticiário, as novelas da televisão, os programas do dia-a-dia e as entrevistas das autoridades, percebendo o que se oculta nos discursos e formando o próprio pensamento e julgamento sobre os fatos, ou, ainda mais importante, que tenham a capacidade de fazer as próprias perguntas para alcançar um conhecimento mais preciso da sociedade à qual pertencem.

Como bem lembrou o sociólogo estadunidense Charles Wright Mills, a Sociologia contribui também para desenvolver nossa imaginação sociológica, isto é, a capacidade de analisar nossas vivências cotidianas e estabelecer as relações entre elas e as situações mais amplas que nos condicionam e nos limitam, mas que também explicam o que acontece com nossa vida.

Parafraseando Alfred N. Whitehead, podemos dizer que a Sociologia tem por objetivo fazer com que as pessoas possam ver e analisar o bosque e as árvores ao mesmo tempo.

Onde está a autonomia de um indivíduo aprisionado aos meios de comunicação? Como manter a liberdade de pensamento e julgamento em uma sociedade que atua no sentido da massificação? A televisão é uma caixa vazia de conteúdo? Poderia ser diferente? Questionando as situações do dia-a-dia, o pensamento sociológico estimula uma postura crítica em relação às vivências que nos condicionam e limitam.

A produção social do conhecimento

Todo conhecimento se desenvolve socialmente. Se quisermos conhecer e compreender como pensavam as pessoas de determinada época, precisamos saber em que meio social elas viveram, pois o pensamento de um período da história é criado pelos indivíduos em grupos ou classes, reagindo e respondendo a situações históricas de seu tempo.

Se quisermos saber por que os indivíduos, grupos e classes pensam de determinada forma, por que explicam a sociedade deste ou daquele ponto de vista, precisaremos entender como os membros dessas sociedades se organizaram e se organizam para suprir suas necessidades, relacionar-se e discutir as questões que envolvem as relações sociais, as normas, os valores, os costumes, as tradições e a religiosidade. Ou seja, deveremos entender como são criadas as instituições sociais, políticas e econômicas que permitem certa estabilidade social.

Na maioria das sociedades, há indivíduos e grupos que defendem a manutenção da situação existente, o *status quo*, porque este atende a seus interesses. Assim, procuram apoiar e desenvolver formas de explicação da realidade que justifiquem a necessidade de conservar a sociedade tal como está. Há pessoas, entretanto, que querem mudar a situação existente, pois não pensam que a sociedade à qual pertencem seja boa para elas e para os outros. Tais pessoas procuram explicar a realidade social destacando os problemas dela e as possibilidades de mudança para uma forma de organização que assegure mais igualdade entre os indivíduos.

Aqueles que querem manter a situação existente normalmente são os que detêm o poder na sociedade; aqueles que lutam para mudá-la são os que estão em situação subalterna. Além do conflito no campo político e econômico, há um conflito de idéias entre os diferentes grupos sociais. Mas as idéias e formas de conhecimento nunca são radicalmente opostas; elas coincidem em alguns pontos e em outros não, e é isso que mantém aberta a possibilidade de diálogo.

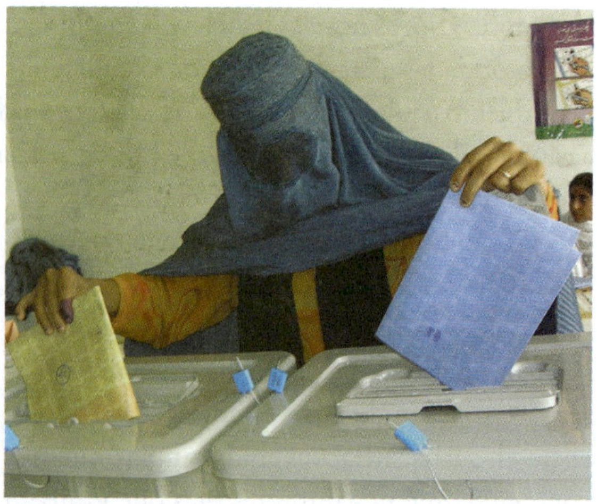

À esquerda, charge inglesa de 1848 satiriza a luta das mulheres pela igualdade de direitos, especialmente o direito ao voto, só conquistado em 1918; à direita, mulher vota nas primeiras eleições parlamentares do Afeganistão em 36 anos, em 2005. Apesar da obtenção do direito ao voto, as afegãs enfrentam uma situação de profunda desigualdade em relação aos homens: são forçadas pela tradição a cobrir o corpo e o rosto com a burca e a casar por determinação e interesse de suas famílias. A quem interessa manter a tradição?

A Sociologia é uma dessas formas de conhecimento, resultado das condições sociais, econômicas e políticas do tempo em que se desenvolveu. Ela nasceu em resposta à necessidade de explicar e entender as transformações que começaram a ocorrer no mundo ocidental entre o final do século XVIII e o início do século XIX, decorrentes da emergência e do desenvolvimento da sociedade capitalista.

Naquela época, a produção de alimentos e de objetos artesanais, que se concentrava no campo, passou a se deslocar para as cidades, onde começavam a se desenvolver as indústrias. Essa mudança desencadeou importantes transformações no modo de vida dos diferentes grupos sociais, afetando as relações familiares e de trabalho, estruturando as normas e valores em novas bases, menos religiosas, e estimulando o desenvolvimento de novas idéias. Grandes transformações políticas também ocorreram, no contexto do que se chama de Revolução Industrial, impulsionadas por movimentos como o da Independência dos Estados Unidos e a Revolução Francesa.

Procurando entender essas transformações e mostrar caminhos para a resolução dos problemas por elas gerados, muitos pensadores escreveram e divulgaram suas teorias sobre a sociedade anterior e sobre a constituição da nova sociedade, que estava vivendo tantas incertezas. Criaram-se assim as bases sobre as quais a Sociologia viria a se desenvolver como uma ciência específica.

Entre o final do século XIX e início do século XX, os estudiosos que mais iriam influenciar o posterior desenvolvimento da Sociologia concentravam-se fundamentalmente em três países: França, Alemanha e Estados Unidos.

Na França, vários autores desenvolveram trabalhos sociológicos importantes; entre eles, Frédéric Le Play (1806-1882), René Worms (1869-1926) e Gabriel Tarde (1843-1904). O mais expressivo deles, porém, foi Émile Durkheim (1858-1917), que procurou sistematicamente definir o caráter científico da Sociologia, inaugurando uma corrente que por muito tempo seria hegemônica entre os sociólogos franceses.

Na Alemanha, destacaram-se os estudos sociológicos de George Simmel (1858-1918), Ferdinand Tönnies (1855-1936), Werner Sombart (1863-1941), Alfred Weber (1868-1958) e Max Weber (1864-1920), este último o mais conhecido deles, pela extensão e influência de sua obra.

Nos Estados Unidos da América, a Sociologia desenvolveu-se desde o final do século XIX e início do XX nas universidades de Chicago, de Colúmbia e de Harvard, principalmente. Muitos foram os sociólogos que se destacaram; entre eles, Robert E. Park (1864-1944) e George H. Mead (1863-1932).

No decorrer do século XX, a Sociologia tornou-se uma disciplina mundialmente reconhecida. Os sociólogos estão presentes não só nas universidades, mas também nos meios de comunicação, discutindo questões específicas ou gerais que envolvem a vida em sociedade. Os mais destacados, independentemente do país de origem, dão cursos e conferências em centros universitários de todos os continentes e têm seus livros traduzidos em muitos idiomas.

No Brasil, a Sociologia tem alcançado uma visibilidade muito grande, seja por causa da presença em todo o território nacional de institutos de pesquisa social ou cursos de graduação e de pós-graduação, seja pela atuação de sociólogos em muitos órgãos públicos e privados ou nos meios de comunicação de massa. Assim, a Sociologia e os sociólogos estão presentes no cotidiano do país.

A produção sociológica no Brasil encontra espaço não só nas escolas e universidades, mas também na mídia, acessível a quem quiser conhecê-la. Vamos começar?

Se você quiser ler mais sobre a história da Sociologia, há no final deste livro uma exposição detalhada.

Leituras e atividades

PARA REFLETIR

A Sociologia e a miséria humana

Levar à consciência os mecanismos que tornam a vida dolorosa, inviável até, não é neutralizá-los; explicar as contradições não é resolvê-las. Mas, por mais cético que se possa ser sobre a eficácia social da mensagem sociológica, não se pode anular o efeito que ela pode exercer ao permitir aos que sofrem que descubram a possibilidade de atribuir seu sofrimento a causas sociais e assim se sentirem desculpados; e fazendo conhecer amplamente a origem social, coletivamente oculta, da infelicidade sob todas as suas formas, inclusive as mais íntimas e as mais secretas.

BOURDIEU, Pierre (coord.). *A miséria do mundo.* Petrópolis: Vozes, 1997. p. 735.

Tarefa da Sociologia

Não há escolha entre maneiras "engajadas" e "neutras" de fazer sociologia. Uma sociologia descomprometida é uma impossibilidade. Buscar uma posição moralmente neutra entre as muitas marcas de sociologia hoje praticadas, marcas que vão da declaradamente libertária à francamente comunitária, é um esforço vão. Os sociólogos só podem negar ou esquecer os efeitos de seu trabalho sobre a "visão de mundo", e o impacto dessa visão sobre as ações humanas singulares ou em conjunto, ao custo de fugir à responsabilidade de escolha que todo ser humano enfrenta diariamente. A tarefa da sociologia é assegurar que essas escolhas sejam verdadeiramente livres e que assim continuem, cada vez mais, enquanto durar a humanidade.

BAUMANN, Zigmunt. *Modernidade líquida.* Rio de Janeiro: Jorge Zahar, 2001. p. 246.

1. A Sociologia é necessária para a compreensão da sociedade em que vivemos? Por quê?

2. No seu entendimento, a Sociologia pode contribuir para que haja mais liberdade de pensamento e de ação?

LIVROS RECOMENDADOS

Introdução ao pensamento sociológico, de Ana Maria de Castro e Edmundo Fernandes Dias (orgs.). Eldorado.
Esse é um livro muito interessante, pois os organizadores procuram, por meio de textos de autores clássicos (Émile Durkheim, Max Weber, Karl Marx, Talcott Parsons) e de alguns de seus comentadores, dar uma visão panorâmica das principais questões do conhecimento sociológico.

O que é Sociologia, de Carlos B. Martins. Brasiliense.

Nesse pequeno livro da coleção "Primeiros passos" pode ser encontrada uma análise do surgimento da Sociologia e das várias correntes sociológicas que se foram constituindo. É uma boa leitura inicial para quem quer aprender um pouco mais de Sociologia, pois tem uma linguagem acessível e muito clara.

Unidade 1

A sociedade dos indivíduos

O que vem primeiro, o indivíduo ou a sociedade? Os indivíduos moldam a sociedade ou a sociedade molda os indivíduos? Em poucas palavras, podemos dizer que indivíduos e sociedade fazem parte da mesma trama, tecida pelas relações sociais. Não há separação entre eles.

Nós, seres humanos, nascemos e passamos nossa existência em sociedade porque necessitamos uns dos outros para viver. O fato de precisarmos uns dos outros significa que não temos autonomia? Até que ponto dispomos de liberdade para decidir e agir? Até que ponto somos condicionados pela sociedade? A sociedade nos obriga a ser o que não queremos? E nós, podemos mudar a sociedade?

Para estudar essas questões, os sociólogos desenvolveram alguns conceitos, como socialização, instituição, hierarquia, poder, e geraram uma diversidade de análises. Algumas das principais serão examinadas nesta unidade.

Capítulo 1

O indivíduo, sua história e a sociedade

O indivíduo nunca teve tanta importância nas sociedades como nos dias de hoje. Quando analisamos as diversas formas de sociedade e como elas se organizaram historicamente, percebemos que só na modernidade a noção de indivíduo ganhou relevância.

Entre os povos antigos, pouco valor se dava à pessoa única. A importância do indivíduo estava inserida no grupo a que pertencia (família, Estado, clã, etc.). Basta analisar as sociedades tribais (indígenas), as da antiguidade (grega e romana) e a medieval: apesar das diferenças naturais entre os indivíduos, não havia sequer a hipótese de pensar em alguém desvinculado de seu grupo.

A idéia de indivíduo começou a ganhar força no século XVI, com a Reforma Protestante. Esse movimento religioso definia o homem como um ser criado à imagem e semelhança de Deus, com quem podia se relacionar sem a necessidade de intermediários — no caso, os clérigos cristãos. Isso significava que o ser humano, individualmente, passava a ter "poder".

Mais tarde, no século XVIII, com o desenvolvimento do capitalismo e do pensamento liberal, a idéia de indivíduo e de individualismo se firmou definitivamente, pois se colocava a felicidade humana no centro das atenções. Não se tratava, entretanto, da felicidade como um todo, mas de sua expressão material. Importava o fato de a pessoa ser proprietária de bens, de dinheiro ou apenas de seu trabalho. No século XIX essa visão estava completamente estabelecida e a sociedade capitalista, consolidada.

Membros da Academia Real de Ciências e seus objetos de trabalho compõem a cena criada pelo pintor Henri Testelin em exaltação a Luís XIV. Até mesmo por tratar-se de total ficção, pois a obra data de 1667 e só em 1682 o rei visitaria a Academia, a composição é representativa da crescente valorização das ciências e, portanto, da autonomia do indivíduo em relação às explicações religiosas do mundo.

Mas como nós, indivíduos, e a sociedade nos tornamos uma só engrenagem? A Sociologia dispõe de um conceito importante para investigar essa questão: socialização. O processo de socialização, que examinaremos com mais detalhes no próximo capítulo, começa pela família, passa pela escola e chega aos meios de comunicação, mas inclui outros caminhos, como o convívio com a comunidade do bairro ou da igreja, com o grupo que freqüenta o clube ou participa das festas populares, etc. Afinal, nosso dia-a-dia é pontuado por relações que não se restringem a um único espaço, nem apenas ao bairro ou à cidade em que nascemos e vivemos.

Nossas escolhas, seus limites e repercussões

Quando nascemos, já encontramos prontos valores, normas, costumes e práticas sociais. Também encontramos uma forma de produção da vida material que segue determinados parâmetros. Muitas vezes, não temos como interferir nem como fugir das regras já estabelecidas.

A vida em sociedade é possível, portanto, porque as pessoas falam a mesma língua, são julgadas por determinadas leis comuns, usam a mesma moeda, além de ter uma história e alguns hábitos comuns, o que lhes dá um sentimento de pertencer a determinado grupo.

O fundamental é entender que o individual — o que é de cada um — e o comum — o que é compartilhado por todos — não estão separados; formam uma relação que se constitui conforme reagimos às situações que enfrentamos no dia-a-dia. Umas pessoas podem ser mais passivas, outras mais ativas; algumas podem reagir e lutar, ao passo que outras se acomodam às circunstâncias. Isso tudo é fruto das relações sociais. E é justamente nesse processo que construímos a sociedade em que vivemos. Se as circunstâncias formam os indivíduos, estes também criam as circunstâncias.

Dia de eleições em Canutama, pequena cidade do Amazonas, 1998. Em quem votar? A decisão é de cada eleitor, mas o processo de escolha passa pela influência da propaganda eleitoral, das conversas com amigos e parentes, das notícias e matérias divulgadas pelos meios de comunicação.

Existem vários níveis de interdependência entre a vida privada — a biografia de cada pessoa — e o contexto social mais amplo. A vida de um indivíduo está, de alguma maneira, condicionada por decisões e escolhas que ocorrem fora de seu alcance. Em uma eleição, por exemplo, o candidato no qual votamos está inscrito num partido, que, por sua vez, é organizado de uma forma previamente determinada pelas leis vigentes naquele momento, em nosso país. Ou seja, votamos em alguém que já foi escolhido pelos membros do partido, os quais se reuniram para decidir quem deveria ser seu candidato.

Quando decidimos votar ou não votar em alguém, prestamos atenção à propaganda política, conversamos com parentes e amigos, participamos de comícios, acompanhamos as notícias nos meios de comunicação. Portanto, as decisões que tomamos, em nossas relações com outras pessoas, têm ligação com decisões que já foram tomadas. As leis que regem os partidos políticos e as eleições foram decididas por pessoas (no caso, deputados e senadores) consideradas representantes da sociedade. Mas, muitas vezes, o cidadão não sabe como essas leis foram feitas, tampouco quais foram os interesses de quem as fez.

Assim o indivíduo está de alguma maneira condicionado por decisões e escolhas que ocorrem fora de seu alcance, em outros níveis da sociedade. Entretanto, as decisões que a pessoa toma a conduzem a diferentes direções na vida. Seja qual for, a direção seguida sempre será resultado das decisões do indivíduo.

As decisões de um indivíduo podem levá-lo a se destacar em certas situações históricas, construindo o que se costuma classificar como uma trajetória de vida notável. No entanto, ao considerarmos as características individuais e sociais, bem como os aspectos históricos da formação de uma pessoa, podemos afirmar que não existem determinismos históricos ou sociais que tornam alguns indivíduos mais "especiais" que outros, pois a história de uma sociedade é feita por todos os que nela vivem, uns de modo obstinado à procura de seus objetivos, outros com menos intensidade, mas todos procurando resolver as questões que se apresentam em seu cotidiano, conforme seus interesses e seu poder de influir nas situações existentes.

De acordo com Norbert Elias, a sociedade não é um baile à fantasia, em que cada um pode mudar a máscara ou a fantasia a qualquer momento. Desde o nascimento, estamos presos às relações que foram estabelecidas antes de nós e que existem e se estruturam durante nossa vida.

Das questões individuais às questões sociais

Podemos chamar de questões sociais alguns problemas que vão além de nosso dia-a-dia como indivíduos, que não dizem respeito somente a nossa vida privada, mas estão ligados à estrutura de uma ou de várias sociedades. É o caso do desemprego, por exemplo, que afeta milhões de pessoas em diversos grupos sociais.

Um bom exemplo desse assunto é dado pelo sociólogo estadunidense C. Wright Mills (1915-1962), que escreveu o livro *A imaginação sociológica* (1959). Mills considera que, se numa cidade de 100 mil habitantes poucos indivíduos estão sem trabalho, há um problema pessoal, que pode ser resolvido tratando as habilidades e potencialidades de cada um. Entretanto, se em um país com 50 milhões de trabalhadores 5 milhões não encontram emprego, a questão passa a ser social e não pode ser resolvida como um problema individual. Nesse caso, a busca de soluções passa por uma análise mais profunda da estrutura econômica e política dessa sociedade.

Existem também situações que afetam o cotidiano das pessoas e que são ocasionadas por acontecimentos que atingem a maioria dos países: por exemplo, a crise de 1929, que levou ao colapso todo o sistema financeiro mundial; a chamada Crise do Petróleo, em 1973, provocada pela elevação súbita dos preços da principal matéria-prima do mundo; o ataque, em 11 de setembro de 2001, às Torres Gêmeas em Nova York, que alterou substancialmente a relação dos Estados Unidos com os outros países e, principalmente, o cotidiano do cidadão estadunidense.

Flagrantes de acontecimentos que afetaram a história mundial e o cotidiano de milhões de indivíduos: acima, trabalhos de resgate na manhã de 11 de setembro de 2001, após o ataque às Torres Gêmeas, em Nova York; acima à direita, fila de desempregados em Chicago, em fevereiro de 1931, uma imagem da depressão financeira desencadeada pela quebra da Bolsa de Nova York; ao lado, nervosismo na Bolsa de Tóquio em 27 de dezembro de 1973, dia seguinte ao anúncio do aumento dos preços do petróleo pelos árabes.

Podemos perceber, assim, que acontecimentos completamente independentes de nossa vontade nos atingem fortemente. No entanto, é importante destacar que, tanto em 1929 como em 1973 e em 2001, os eventos mencionados foram resultado de uma configuração social criada por causa das decisões de algumas pessoas, que provocaram, até mesmo, situações que foram muito além de suas expectativas.

Essas situações, além de afetar as relações políticas, econômicas e financeiras de todos os países, também prejudicaram indivíduos em muitos lugares, até na satisfação de suas necessidades, como o consumo de alimentos e de combustível.

Esses pontos, que estão presentes na biografia individual de cada um de nós, fazem parte da história da sociedade em que vivemos e, muitas vezes, assumem forma ainda mais ampla. Tomar uma decisão é algo individual e social ao mesmo tempo, sendo impossível separar esses planos.

Cenário DA SOCIABILIDADE COTIDIANA

Vizinhos e internautas

Rio de Janeiro — Estudiosos do comportamento humano na vida moderna constatam que um dos males de nossa época é a incomunicabilidade das pessoas. Já foi tempo em que, mesmo nas grandes cidades, nos bairros residenciais, ao cair da tarde era costume os vizinhos se darem boa noite, levarem as cadeiras de vime para as calçadas e ficar falando da vida, da própria e da dos outros.

A densidade demográfica, os apartamentos, a violência urbana, o rádio e mais tarde a TV ilharam cada indivíduo no casulo doméstico. Moro há 18 anos num prédio da Lagoa; tirante os raros e inevitáveis cumprimentos de praxe no elevador ou na garagem, não falo com eles nem eles comigo. Não sou exceção. Nesse lamentável departamento, sou regra.

Daí que não entendo a pressão que volta e meia me fazem para navegar na Internet. Um dos argumentos que me dão é que posso falar com pessoas na Indonésia, saber como vão as colheitas de arroz na China e como estão os melões na Espanha.

Uma de minhas filhas vangloria-se de ser internauta. Tem amigos na Pensilvânia e arranjou um admirador em Dublin, terra do Joyce, do Bernard Shaw e do Oscar Wilde. Para convencê-la de seus méritos, ele mandou uma foto em cor que foi impressa em alta resolução. É um jovem simpático, de bigode, cara honesta. Pode ser que tenha mandado a foto de um outro.

Lembro a correspondência sentimental das velhas revistas de antanho. Havia sempre a promessa: "Troco fotos na primeira carta". Nunca ouvi dizer que uma dessas trocas tenha tido resultado aproveitável. Para vencer a incomunicabilidade, acredito que o internauta deva primeiro aprender a se comunicar com o vizinho de porta, de prédio, de rua. Passamos uns pelos outros com o desdém de nosso silêncio, de nossa cara amarrada. Os suicidas se realizam porque, na hora do desespero, falta o vizinho que lhe deseje sinceramente uma boa noite.

CONY, Carlos Heitor. Vizinhos e internautas. *Folha de S.Paulo*, 26 jun. 1997. Opinião, p. A2.

1. No texto, Carlos Heitor Cony fala de mudanças que ocorreram em sua cidade nos últimos anos. No lugar onde você vive, ocorreram mudanças importantes nos últimos trinta anos? Analise-as e verifique se elas alteraram o modo de vida e as relações entre as pessoas.
2. Você pensa que as mudanças na sociedade podem influir no comportamento das pessoas no espaço da família, da escola ou de outros grupos de convívio? De que forma?
3. A internet nos aproxima de muitas pessoas que com freqüência nem conhecemos, mas parece que nos distancia de quem está perto de nós. O que você pensa disso?

O processo de socialização

Capítulo 2

No capítulo anterior vimos como o indivíduo atua na sociedade e como a sociedade atua na vida do indivíduo. O processo pelo qual os indivíduos formam a sociedade e são formados por ela é chamado de *socialização*. A imagem que melhor descreve esse processo é a de uma rede tecida por relações sociais que vão se entrelaçando e compondo diversas outras relações até formar toda a sociedade.

Cada indivíduo, ao fazer parte de uma sociedade, insere-se em múltiplos grupos e instituições que se entrecruzam, como a família, a escola e a Igreja. E, assim, o fio da meada parece interminável porque forma uma complexa rede de relações que permeia o cotidiano. Ainda que cada sujeito tenha sua individualidade, esta se constrói no contexto das relações sociais com os diferentes grupos e instituições dos quais ele participa, tendo por isso experiências semelhantes ou diferentes das de outras pessoas.

O que nos é comum

Ao nascer, chega-se a um mundo que já está pronto, e essa relação com o "novo" é de total estranheza. A criança vai sentir frio e calor, conforto e desconforto, vai sorrir e chorar; enfim, vai se relacionar e conviver com o mundo externo. Para viver nesse mundo, ela vai aprender a conhecer seu corpo, seja observando e tocando partes dele, seja se olhando no espelho. Nesse momento ainda não se reconhece como pessoa, pois não domina os códigos sociais; é o "nenê", um ser genérico.

Com o tempo, a criança percebe que existem outras coisas a seu redor: o berço (quando o tem), o chão (que pode ser de terra batida, de cimento, de tábuas ou de mármore com tapetes) e os objetos que compõem o ambiente em que vive. Percebe que existem também pessoas — pai, mãe, irmãos, tios, avós — com as quais vai ter de se relacionar. Vê que há outras com nomes como José, Maurício, Solange, Marina, que são chamadas de amigos ou colegas. Passa, então, a diferenciar as pessoas da família das demais. À medida que cresce, vai descobrindo que há coisas que pode fazer e coisas que não pode fazer. Posteriormente saberá que isso é determinado pelas *normas* e *costumes* da sociedade à qual pertence.

No processo de conhecimento do mundo, a criança observa que alguns dias são diferentes dos outros. Há dias em que os pais não saem para trabalhar e ficam em casa mais tempo. São ocasiões em que assiste mais à televisão, vai passear em algum parque ou outro lugar qualquer. Em alguns desses dias nota que vai a um lugar diferente, que mais tarde identificará como igreja (no caso de os pais praticarem uma religião). Nos outros dias da semana vai à escola, onde encontra crianças da mesma idade e também outros adultos.

A criança vai entendendo que, além da casa e do bairro onde reside, existem outros lugares, uns parecidos com o local em que vive e outros bem diferentes; alguns próximos e outros distantes; alguns grandes e outros pequenos; alguns suntuosos e outros humildes ou miseráveis.

De bebês a adultos, em seu caminho de descoberta do mundo, todos os integrantes de uma sociedade passam pelo processo de socialização.

Ao viajar ou assistir à televisão, a criança perceberá que existem cidades enormes e outras bem pequenas, novas e antigas, bem como áreas rurais, com poucas casas, onde se cultivam os alimentos que ela consome. Aos poucos, saberá que cidades, zonas rurais, matas e rios fazem parte do território de um país, que normalmente é dividido em unidades menores (no caso brasileiro elas são chamadas de *estados*). Nessa "viagem" do crescimento, a criança aprenderá que há os continentes, os oceanos e os mares, e que tudo isso, com a atmosfera, constitui o planeta *Terra*, que, por sua vez, está vinculado a um sistema maior, o sistema solar, o qual se integra numa galáxia.

Esse processo de conviver com a família e com os vizinhos, de freqüentar a escola, de ver televisão, de passear e de conhecer novos lugares, coisas e pessoas compõe um universo cheio de faces no qual a criança vai se socializando, isto é, vai aprendendo e interiorizando palavras, significados e idéias, enfim, os valores e o modo de vida da sociedade da qual faz parte.

As diferenças no processo de socialização

Entender a sociedade em que vivemos significa saber que há muitas diferenças e que é preciso olhar para elas. É muito diferente nascer e viver numa favela, num bairro rico, num condomínio fechado ou numa área do sertão nordestino exposta a longos períodos de seca. Essas desigualdades promovem formas diferentes de socialização.

Ao tratar de diferenças, temos também de vê-las no contexto histórico. A socialização dos dias atuais é completamente diferente da dos anos 1950. Naquela época, a maioria da população vivia na zona rural ou em pequenas cidades. As escolas eram pequenas e tinham poucos alunos. A televisão estava iniciando no Brasil e seus programas eram vistos por poucas pessoas. Não havia internet e a telefonia era precária. Ouvir rádio era a principal forma de tomar conhecimento do que acontecia em outros lugares do país e do mundo. As pessoas relacionavam-se quase somente com as que viviam próximas e estabeleciam fortes laços de solidariedade entre si. Escrever cartas era muito comum, pois constituía a forma mais prática de se comunicar a distância.

No decorrer da segunda metade do século XX, os avanços tecnológicos nos setores de comunicação e informação, o aumento da produção industrial e do consumo e o crescimento da população urbana desencadearam grandes transformações no mundo inteiro. Em alguns casos, alterações econômicas e políticas provocaram a deterioração das condições de vida e organização social, gerando situações calamitosas. Em vários países do continente africano, milhares de pessoas morreram de fome ou se destruíram em guerras internas (o que continua a acontecer). Na antiga Iugoslávia, no continente europeu, grupos étnicos entraram em conflitos que mesclavam questões políticas, econômicas e culturais e, apoiados ou não por outros países, mataram-se durante muitos anos numa guerra civil. Nascer e viver nessas condições é completamente diferente de viver no mesmo local com paz e tranqüilidade. A socialização das crianças "em guerra permanente" (quando conseguem sobreviver) é afetada profundamente.

Guerra ou paz, miséria ou abundância: como essas condições podem afetar a socialização das crianças?

Tudo começa na família

Mesmo considerando todas as diferenças, há normalmente um processo de socialização formal, conduzido por instituições, como escola e Igreja, e um processo mais informal e abrangente, que acontece inicialmente na família, na vizinhança, nos grupos de amigos e pela exposição aos meios de comunicação.

O ponto de partida é a família, o espaço privado das relações de intimidade e afeto, em que, geralmente, podemos encontrar alguma compreensão e refúgio, apesar dos conflitos. É o espaço onde aprendemos a obedecer a regras de convivência, a lidar com a diferença e a diversidade.

Os espaços públicos de socialização são todos os outros lugares que freqüentamos em nosso cotidiano. Neles, as relações são diferentes, pois convivemos com pessoas que muitas vezes nem conhecemos. Nesses espaços públicos, não podemos fazer muitas das coisas que em casa são permitidas, e precisamos observar as normas e regras próprias em cada situação. Nos locais de culto religioso, por exemplo, devemos fazer silêncio; na escola, onde ocorre a chamada educação formal, precisamos ser pontuais nos horários de entrada e saída, e assim por diante.

Há, entretanto, agentes de socialização que estão presentes tanto nos espaços públicos como nos privados: são os meios de comunicação — o cinema, a televisão, o rádio, os jornais, as revistas, a internet e o telefone celular. Estes talvez sejam os meios de socialização mais eficazes e persuasivos (sobre eles, falaremos com mais detalhes na unidade 6 — "Ideologia e cultura").

Cenários DA SOCIABILIDADE CONTEMPORÂNEA

Os sonhos dos adolescentes

Ao longo de 30 anos de clínica, encontrei várias gerações de adolescentes (a maioria, mas não todos, de classe média) e, se tivesse que comparar os jovens de hoje com os de dez ou 20 anos atrás, resumiria assim: eles sonham pequeno. É curioso, pois, pelo exemplo de pais, parentes e vizinhos, os jovens de hoje sabem que sua origem não fecha seu destino: sua vida não tem que acontecer necessariamente no lugar onde nasceram, sua profissão não tem que ser a continuação da de seus pais. Pelo acesso a uma proliferação extraordinária de ficções e informações, eles conhecem uma pluralidade inédita de vidas possíveis.

Apesar disso, em regra, os adolescentes e os pré-adolescentes de hoje têm devaneios sobre seu futuro muito parecidos com a vida da gente: eles sonham com um dia-a-dia que, para nós, adultos, não é sonho algum, mas o resultado (mais ou menos resignado) de compromissos e frustrações.

Um exemplo. Todos os jovens sabem que Greenpeace é uma ONG que pratica ações duras e aventurosas em defesa do meio ambiente. Alguns acham muito legal assistir, no noticiário, à intrépida abordagem de um baleeiro por um barco inflável de ativistas. Mas, entre eles, não encontro ninguém (nem de 12 ou 13 anos) que sonhe em ser militante do Greenpeace. Os mais entusiastas se propõem a estudar oceanografia ou veterinária, mas é para ser professor, funcionário ou profissional liberal. Eles são "razoáveis": seu sonho é um ajuste entre suas aspirações heróico-ecológicas e as "necessidades" concretas (segurança do emprego, plano de saúde e aposentadoria). [...]

É possível que, por sua própria presença maciça em nossas telas, as ficções tenham perdido sua função essencial e sejam contempladas não como um repertório arrebatador de vidas possíveis, mas como um caleidoscópio para alegrar os olhos, um simples entretenimento. Os heróis percorrem o mundo matando dragões, defendendo causas e encontrando amores solares, mas eles não nos inspiram: eles nos divertem, enquanto, comportadamente, aspiramos a um churrasco no domingo e a uma cerveja com os amigos.

É também possível (sem contradizer a hipótese anterior) que os adultos não saibam mais sonhar muito além de seu nariz. Ora, a capacidade de os adolescentes inventarem seu futuro depende dos sonhos aos quais nós renunciamos. Pode ser que, quando eles procuram, nas entrelinhas de nossas falas, as aspirações das quais desistimos, eles se deparem apenas com versões melhoradas da mesma vida acomodada que, mal ou bem, conseguimos arrumar. Cada época tem os adolescentes que merece.

CALLIGARIS, Contardo. Os sonhos dos adolescentes. *Folha de S.Paulo*, 11 jan. 2007. Ilustrada, p. E10.

1. Será que o autor tem razão? Os jovens só querem um emprego seguro e bem pago, e nada mais?
2. Onde está a capacidade de reação explosiva às injustiças, à degradação ambiental ou à morte de pessoas cotidianamente, pela violência ou pela falta de assistência médica?
3. Conformismo ou resistência e ação alternativa: qual a bandeira a ser levantada?

Socialização por fragmentos

No primeiro capítulo de seu livro *Visões da tradição sociológica*, o sociólogo estadunidense Donald Levine discute uma das características do nosso tempo: a visão fragmentária do mundo. Seu texto inspira uma reflexão sobre o processo de socialização tal como ocorre hoje.

Cada vez mais, a socialização acontece em pequenos fragmentos. A televisão despeja imagens e as pessoas "zapeiam" de canal em canal. A leitura de livros é substituída pela de resumos ou de resenhas publicadas nos periódicos, quando não apenas por frases e parágrafos soltos destacados em revistas semanais. Os computadores apresentam as notícias e informações como se fossem todas iguais e tivessem a mesma importância. Os pais entregam os filhos para as escolas e acreditam que com isso os estão educando. Os estudantes demonstram uma capacidade reduzida para argumentar com fundamento e quase não têm uma visão histórica ou processual do que está acontecendo, pois, como nos diz Eric Hobsbawm, para eles até a Guerra do Vietnã é pré-histórica, o que evidencia não apenas ignorância do passado, mas também falta de um senso de relação histórica. Os mais velhos são considerados improdutivos e ultrapassados, um peso para os familiares, como se não pudessem mais dizer ou ensinar algo aos mais novos. O que importa é o momento e o novo que aparece a todo instante.

1. O quadro pintado no texto está muito carregado de tintas escuras e de pessimismo, ou a realidade é essa mesmo?
2. Como é possível um processo de socialização que não leve em conta a experiência acumulada?
3. As mudanças atualmente são tão radicais que o que foi escrito e pensado pelos que nos antecederam pouco servem hoje?

Capítulo 3

Indivíduo e sociedade. Que tal discutir essa relação?

Entre os estudiosos que se preocuparam em analisar a relação do indivíduo com a sociedade, destacam-se autores clássicos da Sociologia, como Karl Marx, Émile Durkheim, Max Weber, Nobert Elias e Pierre Bourdieu. Neste capítulo examinaremos as diferentes perspectivas adotadas por esses autores para analisar o processo de constituição da sociedade e a maneira como os indivíduos se relacionam.

Karl Marx, os indivíduos e as classes sociais

Para o alemão Karl Marx (1818-1883), os indivíduos devem ser analisados de acordo com o contexto de suas condições e situações sociais, já que produzem sua existência em grupo. O homem primitivo, segundo ele, diferenciava-se dos outros animais não apenas pelas características biológicas, mas também por aquilo que realizava no espaço e na época em que vivia. Caçando, defendendo-se e criando instrumentos, os indivíduos construíram sua história e sua existência no grupo social.

Ainda segundo Marx, o indivíduo isolado só apareceu efetivamente na sociedade de livre concorrência, ou seja, no momento em que as condições históricas criaram os princípios da sociedade capitalista. Tomemos um exemplo simples dessa sociedade. Quando um operário é aceito numa empresa, assina um contrato do qual consta que deve trabalhar tantas horas por dia e por semana e que tem determinados deveres e direitos, além de um salário mensal. Nesse exemplo, existem dois indivíduos se relacionando: o operário, que vende sua força de trabalho, e o empresário, que compra essa força de trabalho. Aparentemente se trata de um contrato de compra e venda entre iguais. Mas só aparentemente, pois o "vendedor" não escolhe onde nem como vai trabalhar. As condições já estão impostas pelo empresário e pelo meio social.

Essa relação entre os dois, no entanto, não é apenas entre indivíduos, mas também entre classes sociais: a operária e a burguesa. Eles só se relacionam, nesse caso, por causa do trabalho: o empresário precisa da força de trabalho do operário e este precisa do salário. As condições que permitem esse relacionamento são definidas pela luta que se estabelece entre as classes, com a intervenção do Estado, por meio das leis, dos tribunais ou da polícia.

Essa luta vem se desenvolvendo há mais de duzentos anos em muitos países e nas mais diversas situações, pois empresários e trabalhadores têm interesses opostos. O Estado aparece aí para tentar reduzir o conflito, criando leis que, segundo Marx, normalmente são a favor dos capitalistas.

O foco da teoria de Marx está, assim, nas classes sociais, embora a questão do indivíduo também esteja presente. Isso fica claro quando Marx afirma que os seres humanos constroem sua história, mas não da maneira que querem, pois existem situações anteriores que condicionam o modo como ocorre a construção. Para ele, existem condicionantes estruturais que levam o indivíduo, os grupos e as classes para determinados caminhos; mas todos têm capacidade de reagir a esses condicionamentos e até mesmo de transformá-los.

O "homem real" faz a História: populares invadem a Assembléia Constituinte da França em 15 de maio de 1848, para forçá-la a manter suas conquistas democráticas e sociais.

Marx se interessou por estudar as condições de existência de homens reais na sociedade. O ponto central da sua análise está nas relações estabelecidas em determinada classe e entre as diversas classes que compõem a sociedade. Para ele, só é possível entender as relações dos indivíduos com base nos antagonismos, nas contradições e na complementaridade entre as classes sociais. Assim, de acordo com Marx, a chave para compreender a vida social contemporânea está na luta de classes, que se desenvolve à medida que homens e mulheres procuram satisfazer suas necessidades, "oriundas do estômago ou da fantasia".

nas palavras DE MARX

Os indivíduos e a história

A *História* não faz *nada*, "não possui *nenhuma* riqueza imensa", "não luta *nenhum* tipo de luta"! Quem faz tudo isso, quem possui e luta é, muito antes, o *homem*, o homem real, que vive; não é, por certo, a "História", que utiliza o homem como meio para alcançar *seus* fins — como se se tratasse de uma pessoa à parte —, pois a História *não é senão* a atividade do homem que persegue seus objetivos.

MARX, Karl e FRIEDRICH, Engels. *A sagrada família*. São Paulo: Boitempo, 2003. p. 111.

Émile Durkheim, as instituições e o indivíduo

Para o fundador da escola francesa de Sociologia, Émile Durkheim (1858-1917), a sociedade sempre prevalece sobre o indivíduo, dispondo de certas regras, normas, costumes e leis que asseguram sua perpetuação. Essas regras e leis independem do indivíduo e pairam acima de todos, formando uma *consciência coletiva* que dá o sentido de integração entre os membros da sociedade. Elas se solidificam em instituições, que são a base da sociedade e que correspondem, nas palavras de Durkheim, a "toda crença e todo comportamento instituído pela coletividade".

A família, a escola, o sistema judiciário e o Estado são exemplos de instituições que congregam os elementos essenciais da sociedade, dando-lhe sustentação e permanência. Durkheim dava tanta importância às instituições que definia a Sociologia como "a ciência das instituições sociais, de sua gênese e de seu funcionamento". Para não haver conflito ou desestruturação das instituições e, conseqüentemente, da sociedade, a transformação dos costumes e normas nunca é feita individualmente, mas vagarosamente através de gerações e gerações.

A força da sociedade está justamente na herança passada por intermédio da educação às gerações futuras. Essa herança são os costumes, as normas e os valores que nossos pais e antepassados deixaram. Condicionado e controlado pelas instituições, cada membro de uma sociedade sabe como deve agir para não desestabilizar a vida comunitária; sabe também que, se não agir da forma estabelecida, será repreendido ou punido, dependendo da falta cometida.

O sistema penal é um bom exemplo dessa prática. Se algum indivíduo comete determinado crime, deve ser julgado pela instituição competente — o sistema judiciário —, que aplica a penalidade correspondente. O condenado é retirado da sociedade e encerrado em uma prisão, onde deve ser reeducado (na maioria das vezes não é isso o que acontece) para ser reintegrado ao convívio social.

Diferentemente de Marx, que vê a contradição e o conflito como elementos essenciais da sociedade, Durkheim coloca a ênfase na coesão, integração e manutenção da sociedade. Para ele, o conflito existe basicamente pela *anomia*, isto é, pela ausência ou insuficiência da normatização das relações sociais, ou por falta de instituições que regulamentem essas relações. Ele considera o processo de socialização um fato social amplo, que dissemina as normas e valores gerais da sociedade — fundamentais para a socialização das crianças — e assegura a difusão de idéias que formam um conjunto homogêneo, fazendo com que a comunidade permaneça integrada e se perpetue no tempo.

nas palavras
DE DURKHEIM

A sociedade, a educação e os indivíduos

[...] cada sociedade, considerada num momento determinado do seu desenvolvimento, tem um sistema de educação que se impõe aos indivíduos como uma força geralmente irresistível. É inútil pensarmos que podemos criar os nossos filhos como queremos. Há costumes com os quais temos que nos conformar; se os infringimos, eles vingam-se em nossos filhos. Estes, uma vez adultos, não se encontrarão em condições de viver no meio dos seus contemporâneos, com os quais não estão em harmonia. Quer tenham sido criados com idéias muito arcaicas ou muito prematuras, não importa; tanto num caso como noutro, não são do seu tempo e, por conseguinte, não estão em condições de vida normal.

Há pois, em cada momento do tempo, um tipo regulador de educação de que não podemos desligar sem chocar com as vivas resistências que reprimem as veleidades das dissidências.

DURKHEIM, Émile. *Educação e sociologia*. Lisboa: Edições 70, 2001. p. 47.

Max Weber, o indivíduo e a ação social

O alemão Max Weber (1864-1920), diferentemente de Durkheim, tem como preocupação central compreender o indivíduo e suas ações. Por que as pessoas tomam determinadas decisões? Quais são as razões para seus atos? Segundo esse autor, a sociedade existe concretamente, mas não é algo externo e acima das pessoas, e sim o conjunto das ações dos indivíduos relacionando-se reciprocamente. Assim, Weber, partindo do indivíduo e de suas motivações, pretende compreender a sociedade como um todo.

O conceito básico para Weber é o de *ação social*, entendida como o ato de se comunicar, de se relacionar, tendo alguma orientação quanto às ações dos outros. "Outros", no caso, pode significar tanto um indivíduo apenas como vários, indeterminados e até desconhecidos. Como o próprio Weber exemplifica, o dinheiro é um elemento de intercâmbio que alguém aceita no processo de troca de qualquer bem e que outro indivíduo utiliza porque sua ação está orientada pela expectativa de que outros tantos, conhecidos ou não, estejam dispostos a também aceitá-lo como elemento de troca.

Seguindo esse raciocínio, Weber declara que a ação social não é idêntica a uma *ação homogênea* de muitos indivíduos. Ele dá um exemplo: quando estão caminhando na rua e começa a chover, muitas pessoas abrem seus guarda-chuvas ao mesmo tempo. A ação de cada indivíduo não está orientada pela dos demais, mas sim pela necessidade de proteger-se da chuva.

Weber também diz que a ação social não é idêntica a uma *ação influenciada*, que ocorre muito freqüentemente nos chamados fenômenos de massa. Quando há uma grande aglomeração, quando se reúnem muitos indivíduos por alguma razão, estes agem influenciados por comportamentos grupais, isto é, fazem determinadas coisas porque todos estão fazendo.

Max Weber, ao analisar o modo como os indivíduos agem e levando em conta a maneira como eles orientam suas ações, agrupou as ações individuais em quatro grandes tipos, a saber: *ação tradicional*, *ação afetiva*, *ação racional com relação a valores* e *ação racional com relação a fins*.

A ação tradicional tem por base um costume arraigado, a tradição familiar ou um hábito. É um tipo de ação que se adota quase automaticamente, reagindo a estímulos habituais. Expressões como "Eu sempre fiz assim" ou "Lá em casa sempre se faz deste jeito" exemplificam tais ações.

A ação afetiva tem por fundamento os sentimentos de qualquer ordem. O sentido da ação está nela mesma. Age afetivamente quem satisfaz suas necessidades, seus desejos, sejam eles de alegria, de gozo, de vingança, não importa. O que importa é dar vazão às paixões momentâneas. Age assim aquele indivíduo que diz: "Tudo pelo prazer" ou "O principal é viver o momento".

A ação racional com relação a valores fundamenta-se em convicções, tais como o dever, a dignidade, a beleza, a sabedoria, a piedade ou a transcendência de uma causa, qualquer que seja seu gênero, sem levar em conta as conseqüências previsíveis. O indivíduo age baseado naquelas convicções e crê que tem certo "mandado" para fazer aquilo. Se as conseqüências forem boas ou ruins, prejudiciais ou não, isso não importa, pois ele age de acordo com aquilo em que acredita. Age dessa forma o indivíduo que diz: "Eu acredito que a minha missão aqui na Terra é fazer isso" ou "O fundamental é que nossa causa seja vitoriosa".

Em Brasília, no Dia Mundial de Combate à Aids, em 2003, estudantes confeccionam a "colcha da solidariedade". Uma ação social orientada pela expectativa de reduzir o preconceito em relação aos portadores do vírus HIV.

A ação racional com relação a fins fundamenta-se numa avaliação da relação entre meios e fins. Nesse tipo de ação, o indivíduo pensa antes de agir em uma situação dada. Age dessa forma o indivíduo que programa, pesa e mede as conseqüências, e afirma: "se eu fizer isso ou aquilo, pode acontecer tal ou qual coisa; então, vamos ver qual é a melhor alternativa" ou "creio que seja melhor conseguir tais elementos para podermos atingir aquele alvo, pois, do contrário, não conseguiremos nada e só gastaremos energia e recursos".

Para Weber, esses tipos de ação social não existem em estado puro, pois os indivíduos, quando agem no cotidiano, mesclam alguns ou vários tipos de ação social. São "tipos ideais", construções teóricas utilizadas pelo sociólogo para analisar a realidade.

Como se pode perceber, para Weber, ao contrário do que defende Durkheim, as normas, os costumes e as regras sociais não são algo externo ao indivíduo, mas estão internalizados, e, com base no que traz dentro de si, o indivíduo escolhe condutas e comportamentos, dependendo das situações que se lhe apresentam. Assim, as relações sociais consistem na probabilidade de que se aja socialmente com determinado sentido, sempre numa perspectiva de *reciprocidade* por parte dos outros.

nas palavras
DE WEBER

Sobre a ação social

A ação social (incluindo tolerância ou omissão) orienta-se pela ação de outros, que podem ser passadas, presentes ou esperadas como futuras (vingança por ataques anteriores, réplica a ataques presentes, medidas de defesa diante de ataques futuros). Os "outros" podem ser individualizados e conhecidos ou então uma pluralidade de indivíduos indeterminados e completamente desconhecidos (o "dinheiro", por exemplo, significa um *bem* — de troca — que o agente admite no comércio porque sua ação está orientada pela expectativa de que outros muitos, embora indeterminados e desconhecidos, estarão dispostos também a aceitá-lo, por sua vez, numa troca futura).

[...] Nem toda espécie de contato entre os homens é de caráter social; mas somente uma ação, com sentido próprio, dirigida para a ação de outros. Um choque de dois ciclistas, por exemplo, é um simples evento, como um fenômeno natural. Por outro lado, haveria ação social na tentativa dos ciclistas se desviarem, ou na briga ou considerações amistosas subseqüentes ao choque.

WEBER, Max. Ação social e relação social. In: FORACCHI, Marialice Mencarine, MARTINS, J. de Souza. *Sociologia e sociedade*. São Paulo: Livros Técnicos e Científicos, 1977. p. 139.

Norbert Elias e Pierre Bourdieu: a sociedade dos indivíduos

Examinamos até aqui três diferentes perspectivas de análise da relação entre indivíduo e sociedade. Para Marx, o foco recai sobre os indivíduos inseridos nas classes sociais. Para Durkheim, o fundamental é a sociedade e a integração dos indivíduos nela. Para Weber, os indivíduos e suas ações são os elementos constitutivos da sociedade. Apesar das perspectivas diferentes, todos buscaram explicar o processo de constituição da sociedade e a maneira como os indivíduos se relacionam, procurando identificar as ações e instituições fundamentais.

Dois autores contemporâneos analisaram a relação entre indivíduo e sociedade procurando integrar esses pólos: o sociólogo alemão Norbert Elias e o francês Pierre Bourdieu. Vamos conhecer a seguir os conceitos que ambos construíram.

O conceito de configuração. De acordo com o sociólogo alemão Norbert Elias (1897-1990), é comum distanciarmos indivíduo e sociedade quando falamos dessa relação, pois parece que julgamos impossível haver, ao mesmo tempo, bem-estar e felicidade individual e uma sociedade livre de conflitos. De um lado está o pensamento de que as instituições — família, escola e Estado — devem estar a serviço da felicidade e do bem-estar de todos; de outro, a idéia da unidade social acima da vida individual.

As distinções entre indivíduo e sociedade levam a pensar que se trata de duas coisas separadas, como mesas e cadeiras, tachos e panelas. Ora, é somente nas relações e por meio delas que, nas palavras de Elias, "os indivíduos podem possuir características humanas, como falar, pensar e amar". E poderíamos complementar declarando que só é possível trabalhar, estudar e divertir-se em uma sociedade que tenha história, cultura e educação, e não isoladamente.

Para explicar melhor o que afirma e superar a dicotomia entre indivíduo e sociedade, Elias criou o conceito de *configuração* (ou *figuração*). É uma idéia que nos ajuda a pensar nessa relação de forma dinâmica, como acontece na realidade. Tomemos um exemplo: se quatro pessoas sentam em volta da mesa para jogar baralho, formam uma configuração, pois o jogo é uma unidade que não pode ser vista sem os participantes e sem as regras. Sozinho nenhum deles consegue jogar; juntos, cada um tem sua própria estratégia para seguir as regras e vencer.

Vamos citar um exemplo mais brasileiro. Em um jogo de futebol, temos outra configuração, ou seja, há um conjunto de "eus", de "eles", de "nós". Um time de futebol é composto de vários "eus" — os jogadores —, que têm um objetivo único ao disputar com os do outro time. Há também as regras que devem ser levadas em conta e a presença de um juiz e dos bandeirinhas, que lá estão para marcar as possíveis infrações. Além disso, há a torcida, que também faz parte do jogo e congrega vários outros indivíduos com interesses diferentes, mas que, nessa configuração, têm um objetivo único: torcer para que seu time vença.

O jogador brasileiro Ronaldo após a partida entre os times do Brasil e da França na Copa do Mundo de 2006. Ele não está sozinho: a imagem pungente da derrota reflete o intenso fluxo de relações e expectativas que ocorre durante uma partida — dos jogadores de cada time entre si e com os adversários, as torcidas, os técnicos, o juiz, os bandeirinhas. O significado da derrota só pode ser entendido nessa configuração.

Assim, há um fluxo contínuo durante o jogo, que só pode ser entendido nesse contexto, nessa configuração. Essa relação acontece entre os jogadores, entre eles e a torcida, entre eles e o técnico, entre os torcedores, e entre todos e as regras, os juízes, os bandeirinhas, os técnicos e os gandulas. Fora desse contexto, não há jogo de futebol, apenas pessoas, que viverão outra configuração, em outros momentos.

No grupo social é assim: não há separação entre indivíduo e sociedade. Tudo deve ser entendido de acordo com o contexto; caso contrário, perde-se a dinâmica da realidade e o poder de entendimento.

O conceito de configuração pode ser aplicado a pequenos grupos ou a sociedades inteiras, constituídas de pessoas que se relacionam. Esse conceito chama a atenção para a interdependência entre as pessoas. Por isso, Elias utiliza a expressão *sociedade dos indivíduos*, realçando a unidade, e não a divisão.

nas palavras DE ELIAS

Escolhas e repercussão social

Toda sociedade grande e complexa tem, na verdade, as duas qualidades: é muito firme e muito elástica. Em seu interior, constantemente se abre um espaço para as decisões individuais. Apresentam-se oportunidades que podem ser aproveitadas ou perdidas. Aparecem encruzilhadas em que as pessoas têm de fazer escolhas, e de suas escolhas, conforme sua posição social, pode depender seu destino pessoal imediato, ou o de uma família inteira, ou ainda, em certas situações, de nações inteiras ou de grupos dentro delas. Pode depender de suas escolhas que a resolução completa das tensões existentes ocorra na geração atual ou somente na seguinte. Delas pode depender a determinação de qual das pessoas ou grupos em confronto, dentro de um sistema particular de tensões, se tornará o executor das transformações para as quais as tensões estão impelindo, e de que lado e em que lugar se localizarão os centros das novas formas de integração rumo às quais se deslocam as mais antigas, em virtude, sempre, de suas tensões. Mas as oportunidades entre as quais a pessoa assim se vê forçada a optar não são, em si mesmas, criadas por essa pessoa. São prescritas e limitadas pela estrutura específica de sua sociedade e pela natureza das funções que as pessoas exercem dentro dela. E, seja qual for a oportunidade que ela aproveite, seu ato se entremeará com os de outras pessoas; desencadeará outras seqüências de ações, cuja direção e resultado provisório não dependerão desse indivíduo, mas da distribuição do poder e da estrutura das tensões em toda essa rede humana móvel.

ELIAS, Norbert. *A sociedade dos indivíduos*. Rio de Janeiro: Jorge Zahar, 1994. p. 48.

O conceito de *habitus*. *Habitus* é outro conceito utilizado por Norbert Elias. É muito interessante porque, além de esclarecedor, estabelece uma ligação entre o pensamento de Elias e o do francês Pierre Bourdieu (1930-2002). Para Elias, *habitus* é algo como uma segunda natureza, ou melhor, um saber social incorporado durante nossa vida em sociedade. Ele afirma que o destino de uma nação, ao longo dos séculos, fica sedimentado no *habitus* de seus membros. É algo que muda constantemente, mas não rapidamente, e, por isso, há equilíbrio entre continuidade e mudança.

A preocupação de Bourdieu ao retomar o conceito de *habitus* era a mesma de Elias: ligar teoricamente indivíduo e sociedade. Não há diferença entre o que Elias e Bourdieu pensam em termos gerais, apenas na maneira de propor a questão. Para Bourdieu, o *habitus* se apresenta como social e individual ao mesmo tempo, e refere-se tanto a um grupo quanto a uma classe e, obrigatoriamente, também ao indivíduo.

A questão fundamental para ele é mostrar a articulação entre as condições de existência do indivíduo e suas formas de ação e percepção, dentro ou fora dos grupos. Dessa maneira, seu conceito de *habitus* é o que articula práticas cotidianas — a vida concreta dos indivíduos — com as condições de classe de determinada sociedade, ou seja, a conduta dos indivíduos e as estruturas mais amplas. Fundem-se as condições objetivas com as subjetivas.

Para Bourdieu, o *habitus* é estruturado por meio das instituições de socialização dos agentes (a família e a escola, principalmente), e é aí que a ênfase na análise do *habitus* deve ser colocada, pois são essas primeiras categorias e valores que orientam a prática futura dos indivíduos. Esse seria o *habitus* primário, por isso mais duradouro — mas não congelado no tempo.

À medida que se relaciona com pessoas de outros universos de vida, o indivíduo desenvolve um *habitus* secundário não contrário ao anterior, mas indissociável daquele. Assim vai construindo um *habitus* individual conforme agrega experiências continuamente. Isso não significa que será uma pessoa radicalmente diferente da que era antes, pois se modifica sem perder suas marcas de origem, de seu grupo familiar ou da classe na qual nasceu. Os conceitos e valores dos indivíduos (sua subjetividade), segundo Bourdieu, têm uma relação muito intensa com o lugar que ocupam na sociedade. Não há igualdade de posições, pois se vive numa sociedade desigual.

Por exemplo, no Brasil, teoricamente, todos podem ingressar na universidade, mas, de fato, as chances de que isso aconteça são remotas, porque há condições objetivas e subjetivas que criam um impedimento: a falta de vagas, as deficiências do ensino básico, um vestibular que elimina a maioria ou um pensamento como este: "Não adianta nem tentar, pois não vou conseguir". Ou este: "Para que ingressar em um curso superior se depois não terei possibilidade de exercer a profissão?".

nas palavras
DE BOURDIEU

Habitus, o que é isso?

Os *habitus* são princípios geradores de práticas distintas e distintivas — o que o operário come, e, sobretudo, sua maneira de comer, o esporte que pratica e sua maneira de praticá-lo, suas opiniões políticas e sua maneira de expressá-las diferem sistematicamente do consumo ou das atividades correspondentes do empresário industrial; mas são também esquemas classificatórios, princípios de classificação, princípios de visão e de divisão e gostos diferentes. Eles estabelecem as diferenças entre o que é bom e mau, entre o bem e o mal, entre o que é distinto e o que é vulgar etc., mas elas não são as mesmas. Assim, por exemplo, o mesmo comportamento ou o mesmo bem pode parecer distinto para um, pretensioso ou ostentatório para outro e vulgar para um terceiro.

BOURDIEU, Pierre. *Razões práticas*. 4. ed. Campinas: Papirus, 1996. p. 22.

Como se pode perceber, a Sociologia oferece várias possibilidades teóricas para a análise da relação entre indivíduo e sociedade. Esse é apenas um exemplo de como os sociólogos trabalham. Muitos autores analisam as mesmas questões e propõem alternativas a fim de que se possa escolher a perspectiva mais apropriada para examinar a realidade em que se vive e buscar respostas para as perguntas que se faz. A diversidade de análises é um dos elementos essenciais do pensamento sociológico.

Cenário DA SOCIABILIDADE CONTEMPORÂNEA

Regra e exceção não têm mais regras

Desde crianças aprendemos que precisamos seguir regras para viver organizadamente em sociedade. No entanto, nos últimos tempos, as regras parecem ter-se tornado exceções e vice-versa. E o mau exemplo vem de quem deveria dar o bom exemplo.

A corrupção que sempre existiu nas estruturas governamentais expôs-se à luz desde o Governo Collor. Ela está à nossa vista, e isso gera uma situação de libertinagem social que a psicanalista brasileira Maria Rita Kehl muito bem descreveu em um artigo, publicado em um grande jornal nacional.

Disse ela que estava andando em uma calçada de Copacabana, no Rio de Janeiro, quando notou dois rapazes da periferia engraxando os sapatos de um turista. Ao terminar o serviço, taxaram o preço em 50 reais. O turista achou muito e deu uma nota de 10 reais. O engraxate olhou bem para o freguês e arrancou da sua carteira uma nota de 50 reais. Assustado, o estrangeiro resolveu "cair fora".

Maria Rita, que observava tudo, não conseguiu deixar de protestar: "Cara, você vai cobrar 50 reais para engraxar os sapatos do gringo?".

O engraxate simplesmente disse: "Se eu quiser, cobro cem, cobro mil, e a senhora não se meta com a gente".

E o outro remendou:

"Vai buscar seu mensalão, madame, que este aqui é o nosso".

Com base nessa experiência, ela concluiu:

"Não é difícil compreender que a bandidagem escancarada entre representantes dos interesses públicos (os políticos) autoriza definitivamente a delinqüência no resto da sociedade. O termo mensalão já se tornou sinônimo de patifaria generalizada: [...] estamos todos à deriva. É a lei do salve-se quem puder [...]."

E, assim, o exemplo que "vem de cima" mostra ao povo que o melhor é "se dar bem", ou, como dizia o comercial antigo de cigarros que deu origem à famosa Lei de Gerson, "é preciso levar vantagem em tudo, certo?". Isso autoriza os indivíduos a fazer o que quiserem: "Se os poderosos fazem, por que eu não posso fazer também?".

Neste capítulo examinamos conceitos utilizados por diferentes autores na análise da relação entre o indivíduo e a sociedade: configuração (Elias), *habitus* (Bourdieu), classe social (Marx), consciência coletiva e anomia (Durkheim), ação social (Weber). Qual ou quais desses conceitos poderiam ajudar na interpretação do comportamento descrito?

PARA REFLETIR

Eu etiqueta

Em minha calça está grudado um nome
que não é meu de batismo ou de cartório,
um nome... estranho.
Meu blusão traz lembrete de bebida
que jamais pus na boca, nesta vida.
Em minha camiseta, a marca de cigarro
que não fumo, até hoje não fumei.
Minhas meias falam de produto
que nunca experimentei
mas são comunicados a meus pés.
Meu tênis é proclama colorido
de alguma coisa não provada
por este provador de longa idade.
Meu lenço, meu relógio, meu chaveiro,
minha gravata e cinto e escova e pente,
meu copo, minha xícara,
minha toalha de banho e sabonete,
meu isso, meu aquilo,
desde a cabeça ao bico dos sapatos,
são mensagens,
letras falantes,
gritos visuais,
ordens de uso, abuso, reincidência,
costume, hábito, premência,
indispensabilidade,
e fazem de mim homem anúncio itinerante,
escravo da matéria anunciada.
Estou, estou na moda.
É doce estar na moda, ainda que a moda
seja negar minha identidade,
trocá-la por mil, açambarcando
todas as marcas registradas,
todos os logotipos do mercado.
Com que inocência demito-me de ser
eu que antes era e me sabia
tão diverso de outros, tão mim-mesmo,
ser pensante, sentinte e solidário
com outros seres diversos e conscientes
de sua humana, invencível condição.
Agora sou anúncio,
ora vulgar ora bizarro,
em língua nacional ou em qualquer língua
(qualquer, principalmente).
E nisto me comprazo, tiro glória
de minha anulação.
Não sou — vê lá — anúncio contratado.
Eu é que mimosamente pago
para anunciar, para vender
em bares festas praias pérgulas piscinas,
e bem à vista exibo esta etiqueta
global no corpo que desiste
de ser veste e sandália de uma essência
tão viva, independente,
que moda ou suborno algum a compromete.
Onde terei jogado fora
meu gosto e capacidade de escolher,
minhas idiossincrasias tão pessoais,
tão minhas que no rosto se espelhavam,
e cada gesto, cada olhar,
cada vinco da roupa
resumia uma estética?
Hoje sou costurado, sou tecido,
sou gravado de forma universal,
saio da estamparia, não de casa,
da vitrina me tiram, recolocam,
objeto pulsante mas objeto
que se oferece como signo de outros
objetos estáticos, tarifados.
Por me ostentar assim, tão orgulhoso
de ser não eu, mas artigo industrial,
peço que meu nome retifiquem.
Já não me convém o título de homem.
Meu nome novo é coisa.
Eu sou a coisa, coisamente.

ANDRADE, Carlos Drummond de. *O Corpo*. 10. ed. Rio de Janeiro: Record, 1987. p. 85-7.

1. Ao ler esse poema de Drummond, você identifica alguma situação que enfrenta no seu cotidiano, em casa, na escola ou mesmo entre os amigos?

2. Ao comprar uma roupa de grife, isto é, que tem uma etiqueta, ou uma camiseta que vem com a logomarca da empresa que a fabricou, você acharia estranho estar pagando para ser utilizado como um *outdoor* ambulante?

3. O poema realça a capacidade humana de pensar, agir e decidir sobre a própria vida como um valor fundamental. Entretanto, vivemos numa sociedade em que a imagem é uma das coisas mais importantes e, por isso, a roupa e os objetos que usamos são algo que nos identifica como membros de determinado grupo ou classe social. Você acha que se despersonaliza, deixa de ser autêntico, quando escolhe produtos pela marca que ostentam?

PARA ORGANIZAR O CONHECIMENTO

O sociólogo Alberto Tosi Rodrigues (1965-2003), que foi professor da Universidade Federal do Espírito Santo, infelizmente morreu muito jovem, sem poder concluir o que tinha projetado. Mas escreveu vários livros, e de um deles foi extraído o texto a seguir, que poderá ajudá-lo a ordenar as idéias sobre o que leu nesta unidade. Discuta com seus colegas as respostas que daria às perguntas feitas pelo autor.

O homem faz a sociedade ou a sociedade faz o homem?

Num de seus sambas, Paulinho da Viola narra a trajetória de um malandro do morro, Chico Brito. Na canção, ele é malandro, sim, vive no crime e é preso a toda hora. Paulinho, porém, não atribui sua condição a uma falha de caráter. Chico era, em princípio, tão bom como qualquer outra pessoa, mas "o sistema" não lhe deixara outra oportunidade de sobrevivência que não a marginalidade. O último verso diz tudo: "a culpa é da sociedade que o transformou". Já em outra canção, bem mais conhecida, Geraldo Vandré dá um recado com sentido oposto: "quem sabe faz a hora, não espera acontecer".

Somos nós que fazemos a hora? Ou a hora já vem marcada, pela sociedade em que vivemos? O que, afinal, o "sistema" nos obriga a fazer em nossa vida? Qual a nossa margem de manobra? Qual o tamanho da nossa liberdade?

Rodrigues, Alberto Tosi. *Sociologia da educação*. 4. ed. Rio de Janeiro: DPA, 2004. p. 19.

LIVROS RECOMENDADOS

A Imaginação Sociológica, de Charles Wright Mills. Zahar.
Recomenda-se principalmente o capítulo I, "A promessa", no qual a questão da relação entre indivíduo e sociedade está mais presente e se demonstra a preocupação com o modo de pensar sociologicamente a sociedade em que vivemos.

"Contradições de classe", em **Dialética e Capitalismo**, de Octávio Ianni. Vozes.
O texto resume a problemática das classes sociais de acordo com o pensamento de Karl Marx.

O Mito do Herói Nacional, de Paulo Miceli. Contexto.

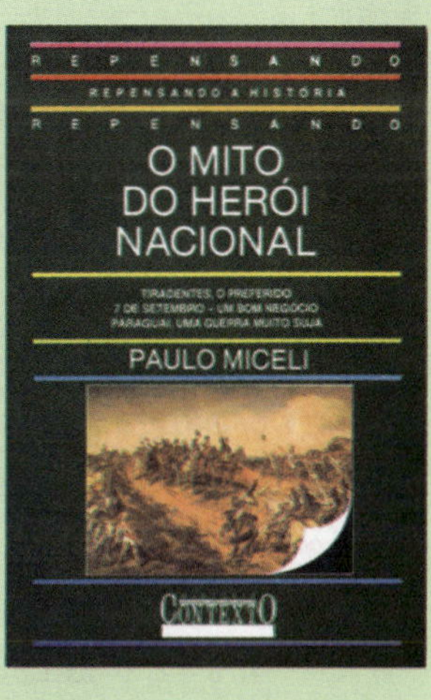

Nesse livro, o autor analisa os principais heróis nacionais, desmitificando-os. Procura mostrar que eles eram pessoas comuns, como tantos outros homens de sua época.

SUGESTÃO DE FILMES

Billy Elliot (Inglaterra, 2000). Direção: Stephen Daldry. Elenco: Julie Walters, Gary Lewis e Jamie Bell.

Billy Elliot é um garoto que gosta muito de dança, mas seu pai quer que ele seja boxeador. Ao chegar à puberdade, Billy procura freqüentar escondido as aulas de balé, incentivado pela professora (Julie Walters), que acredita que o menino tem muito talento. É um belo filme, estimulante para discutir as opções que fazemos e a influência que as relações familiares e escolares exercem sobre nós.

Dogville (Alemanha, França, Suécia, 2003). Direção: Lars Von Trier. Elenco: Nicole Kidman, Harriet Anderson e Lauren Bacall.

A história narrada nesse filme se passa durante a Grande Depressão de 1929-1930. Uma mulher bonita e bem vestida (Grace) chega à cidade de Dogville fugindo de um bando de gângsteres. Grace é auxiliada por um rapaz que procura convencer os outros moradores locais a fazer o mesmo, desde que ela preste pequenos serviços. Mas os gângsteres continuam a busca e os habitantes da cidade sentem-se em perigo. Isso faz com que eles passem a exigir mais serviços em troca do risco possível. Grace começa a perceber que o custo de ficar ali é muito maior do que supunha. Esse filme pode nos fazer pensar sobre as relações entre as pessoas em diferentes situações.

O Homem Bicentenário (EUA, 1999). Direção: Chris Columbus. Elenco: Robin Williams, Sam Neil e Oliver Platt.

Esse filme é uma ficção científica, e a narrativa se passa num tempo não muito distante, em que há um robô doméstico (NDR-114) projetado para fazer os serviços caseiros para os humanos. Todos os NDRs são exatamente iguais, mas há um (Andrew) que não se conforma e procura sempre se aprimorar. Com a ajuda de um projetista de robôs, vai sendo alterado com as últimas inovações da robótica até se tornar muito parecido com um humano. O filme destaca os elementos fundamentais que caracterizam o ser humano.

Unidade 2

Trabalho e sociedade

O trabalho é um assunto sobre o qual sempre há muitas perguntas a fazer. Afinal, para que ele existe? Quem o inventou? Seu significado é semelhante nas diferentes sociedades?

Poderíamos dizer que o trabalho existe para satisfazer as necessidades humanas, desde as mais simples, como as de alimento, vestimenta e abrigo, até as mais complexas, como as de lazer, crença e fantasia. E, se o trabalho existe para satisfazer nossas necessidades, fomos nós que o inventamos. No entanto, essa atividade humana nem sempre teve o mesmo significado, a mesma organização e o mesmo valor. É o que veremos nesta unidade.

Capítulo 4

O trabalho nas diferentes sociedades

Em nossa sociedade, a produção de cada objeto envolve uma complexa rede de trabalho e de trabalhadores. Vamos tomar como exemplo um produto que faz parte do dia-a-dia de grande número de pessoas: o pãozinho francês.

Os ingredientes básicos para fazer um pãozinho são o trigo, a água, o sal e o fermento. Para que haja trigo é necessário que alguém o plante e o colha; é preciso que haja moinhos para moê-lo e comercialização para que chegue até a padaria. Esse mesmo processo serve para o sal, que deve ser retirado do mar, processado e embalado. O fermento é produzido em outras empresas por outros trabalhadores, com outras matérias-primas. A água precisa ser captada, tratada e distribuída, o que exige uma complexa infraestrutura com grande número de trabalhadores.

São necessários equipamentos, como a máquina para preparar a massa e o forno para assar o pão, fabricados em indústrias que, por sua vez, empregam outras matérias-primas e trabalhadores.

É necessário algum tipo de energia proporcionada pelo fogo (e isso exige madeira ou carvão) ou energia elétrica (que é gerada em hidroelétricas ou termoelétricas). As usinas de energia, por sua vez, precisam de equipamentos, linhas de transmissão e trabalhadores para fazer tudo isso acontecer.

Na ponta de todo esse trabalho, estão as padarias, mercadinhos e supermercados, onde o pãozinho finalmente chega às mãos do consumidor.

Se para comer um simples pão há tanta gente envolvida, direta e indiretamente, você pode imaginar quanto trabalho é necessário para a fabricação do ônibus, da bicicleta ou do automóvel, para a construção da casa em que você vive ou da escola onde estuda.

Essa complexidade das tarefas relacionadas à produção é uma característica da nossa sociedade. Outros tipos de sociedade, do presente e do passado, apresentam características bem diversas.

Campo de cultivo em Rajasthan, Índia, e panificadora em São Paulo, Brasil. Do trigo ao pão, do tijolo ao prédio, cada produto em nossa sociedade resulta do trabalho entrelaçado de uma infinidade de pessoas, cada qual especializada em determinadas tarefas.

A produção nas sociedades tribais

As sociedades tribais diferenciam-se umas das outras em muitos aspectos, mas pode-se dizer, em termos gerais, que não são estruturadas pela atividade que em nossa sociedade denominamos trabalho. Nelas todos fazem quase tudo e as atividades relacionadas à obtenção do que as pessoas necessitam para se manter — caça, coleta, agricultura e criação — estão associadas aos ritos e mitos, ao sistema de parentesco, às festas e às artes, integrando-se, portanto, a todas as esferas da vida social.

A organização dessas atividades caracteriza-se pela divisão das tarefas por sexo e por idade. Os equipamentos e instrumentos utilizados, comumente vistos pelo olhar estrangeiro como muito simples e rudimentares, são eficazes para realizar tais tarefas. Guiados por esse olhar, vários analistas, durante muito tempo, classificaram as sociedades tribais como de economia de subsistência e de técnica rudimentar, passando a idéia de que elas viveriam em estado de pobreza, o que é um preconceito. Se hoje muitas delas dispõem de áreas restritas, enfrentando difíceis condições de vida, em geral, antes do contato com o chamado "mundo civilizado", a maioria vivia em áreas abundantes em caça, pesca e alimentos de vários tipos.

Marshall Sahlins, antropólogo estadunidense, chama essas sociedades de "sociedades de abundância" ou "sociedades do lazer", destacando que seus membros não só tinham todas as suas necessidades materiais e sociais plenamente satisfeitas, como dedicavam um mínimo de horas diárias ao que nós chamamos de trabalho. Os ianomâmis, da Amazônia, dedicavam pouco mais de três horas diárias às tarefas relacionadas à produção; os *guayakis*, do Paraguai, cerca de cinco horas, mas não todos os dias; e os *kungs*, do deserto de Kalahari, no sul da África, em média quatro horas por dia.

Jovem yawalapity prepara folhas de buriti para fazer artesanato (Xingu, 1995). Nas sociedades tribais, todos compartilham os conhecimentos necessários para a obtenção de matérias-primas e a elaboração de objetos. Apenas a idade e o sexo definem a divisão das tarefas.

O fato de se dedicar menos tempo a essas tarefas não significava, no entanto, ter uma vida de privações. Ao contrário, as sociedades tribais viviam muito bem alimentadas, e isso fica comprovado em relatos que sempre demonstram a vitalidade de todos os seus membros. É claro que tais relatos referem-se à experiência de povos que viviam antes do contato com o "mundo civilizado".

A explicação para o fato de os povos tribais trabalharem muito menos do que nós está no modo como se relacionam com a natureza, também diferente do nosso. Por um lado, para eles, a terra é o espaço em que vivem e tem valor cultural, pois dá aos humanos seus frutos: a floresta presenteia os caçadores com os animais de que necessitam para a sobrevivência e os rios oferecem os peixes que ajudam na alimentação. Tudo isso é um presente da "mãe natureza". Por outro lado, os povos tribais têm uma profunda intimidade com o meio em que vivem. Conhecem os animais e as plantas, a forma como crescem e se reproduzem, o que é bom e o que é ruim para comer e quando podem utilizar certas plantas e determinados animais para alimentação, para a cura de seus males ou para seus ritos.

Integradas ao meio ambiente e a todas as demais atividades, as tarefas relacionadas à produção não compõem, assim, uma esfera específica da vida, ou seja, não há um "mundo do trabalho" nas sociedades tribais.

Escravidão e servidão

O termo *trabalho* pode ter nascido do vocábulo latino *tripallium*, que significa "instrumento de tortura", e por muito tempo esteve associado à idéia de atividade penosa e torturante. Nas sociedades grega e romana era a mão-de-obra escrava que garantia a produção necessária para suprir as necessidades da população. Existiam outros trabalhadores além dos escravos, como os meeiros, os artesãos e os camponeses. No entanto, mesmo os trabalhadores livres eram explorados e oprimidos pelos senhores e proprietários. Estes eram desobrigados de qualquer atividade, exceto a de discutir os assuntos da cidade e o bem-estar dos cidadãos. Para que não dependessem do próprio trabalho e pudessem se dedicar exclusivamente a essa atividade, o trabalho escravo era fundamental.

Representação do trabalho na Roma antiga: um trabalhador, possivelmente escravo, transporta a uva em carro de bois, enquanto outros pisam o fruto no lagar. Detalhe de mural da igreja Santa Costanza, em Roma (século IV).

Labor, *poiesis* e *práxis*

Os gregos distinguiam claramente a atividade braçal de quem cultiva a terra, a atividade manual do artesão e a atividade do cidadão que discute e procura soluções para os problemas da cidade.

De acordo com a filósofa alemã Hanna Arendt (1906-1975), os gregos utilizavam os termos *labor*, *poiesis* e *práxis* para expressar suas três concepções para a idéia de trabalho.

O *labor* é o esforço físico voltado para a sobrevivência do corpo, sendo, portanto, uma atividade passiva e submissa ao ritmo da natureza. O exemplo mais claro dessa atividade é o cultivo da terra, pois depende de forças que o ser humano não pode controlar, como o clima e as estações.

Poiesis corresponde ao fazer, ao ato de fabricar, de criar algum produto mediante o uso de um instrumento ou mesmo das próprias mãos. O produto desse trabalho muitas vezes subsiste à vida de quem o fabrica, tem um tempo de permanência maior que o de seu produtor. O trabalho do artesão ou do escultor se enquadraria nessa concepção.

A *práxis* é a atividade que tem a palavra como principal instrumento, isto é, utiliza o discurso como um meio para encontrar soluções voltadas para o bem-estar dos cidadãos. É o espaço da política, da vida pública.

Nas sociedades feudais, como no mundo greco-romano, havia também aqueles que trabalhavam — os servos, os camponeses livres e os aldeãos — e aqueles que viviam do trabalho dos outros — os senhores feudais e os membros do clero. A terra era o principal meio de produção, e os trabalhadores tinham direito a seu usufruto e ocupação, mas nunca à propriedade. Muitos trabalhavam em regime de servidão, no qual não gozavam de plena liberdade, mas também não eram escravos. Prevalecia um sistema de deveres do servo para com o senhor e deste para com aquele.

Além de cultivar as terras a ele destinadas, o servo era obrigado a trabalhar nas terras do senhor, bem como na construção e manutenção de estradas e pontes. Essa obrigação se chamava *corvéia*. Devia também ao senhor a *talha*, uma taxa que se pagava sobre tudo o que se produzia na terra e atingia todas as categorias dependentes. Outra obrigação devida ao senhor pelo servo eram as *banalidades*, pagas pelo uso do moinho, do forno, dos tonéis de cerveja e pelo fato de, simplesmente, residir na aldeia. Essa obrigação era extensiva aos camponeses.

Examinando a ilustração ao lado pode-se ter uma idéia da organização do espaço e do trabalho na propriedade feudal.

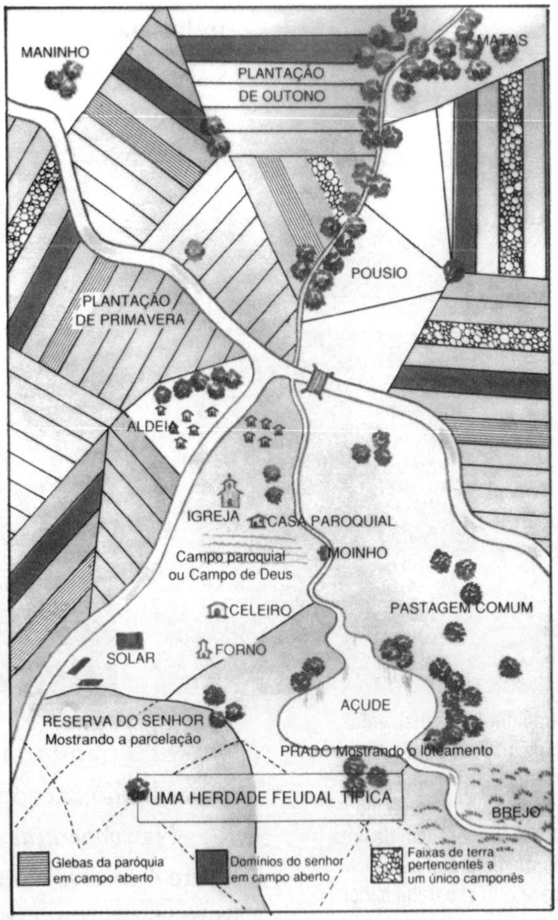

Esquema do uso do solo em uma propriedade feudal típica.

Embora o trabalho ligado à terra fosse o preponderante nas sociedades medievais, outras formas de trabalho merecem destaque, como as atividades artesanais, desenvolvidas nas cidades e mesmo nos feudos, e as atividades comerciais.

Nas cidades, o artesanato tinha uma organização rígida baseada nas corporações de ofício. No topo da escala dessas corporações, havia um mestre que controlava o trabalho de todos. Esse mestre encarregava-se de pagar os direitos ao rei ou ao senhor feudal e de fazer respeitar todos os compromissos com a corporação. Abaixo dele vinha o oficial, que ocupava uma posição intermediária entre a do aprendiz e a do mestre. Cabia ao oficial fixar a jornada de trabalho e a remuneração, sendo também o responsável por transmitir os ensinamentos do mestre aos aprendizes. O aprendiz, que ficava na base dessa hierarquia, devia ter entre 12 e 15 anos e era subordinado a um só mestre. Seu tempo de aprendizado era predeterminado, bem como os seus deveres e as sanções a que estava sujeito, conforme o estatuto da corporação.

Nas sociedades que vimos neste tópico, da Antiguidade até o fim da Idade Média, as concepções do que denominamos trabalho apresentam variações, mas poucas alterações. Sempre muito desvalorizado, o trabalho não era o elemento central, o núcleo que orientava as relações sociais. Estas se definiam pela hereditariedade, pela religião, pela honra, pela lealdade e pela posição em relação às questões públicas. Eram esses os elementos que permitiam que alguns vivessem do trabalho dos outros.

As bases do trabalho na sociedade moderna

Com o fim do período medieval e a emergência do mercantilismo e do capitalismo, o trabalho "mudou de figura". Se antes ele era visto como uma atividade penosa e torturante, passou aos poucos a ser considerado algo positivo. Isso aconteceu porque, não sendo mais possível contar com o serviço compulsório, foi preciso convencer as pessoas de que trabalhar para os outros era bom; dizia-se que só assim todos sairiam beneficiados. Para mudar a concepção de trabalho — de atividade vil para atividade que dignifica o homem — algumas instituições, como veremos adiante, deram sua colaboração.

Vejamos agora as mudanças que ocorreram na estrutura do trabalho. Como a estrutura anterior foi-se desagregando? Como os artesãos e pequenos produtores se transformaram em assalariados?

Primeiro, casa e local de trabalho foram separados; depois, separaram o trabalhador de seus instrumentos; por fim, tiraram dele a possibilidade de conseguir a própria matéria-prima. Tudo passou a ser dos comerciantes e industriais que haviam acumulado riquezas. Eles financiavam, organizavam e coordenavam a produção de mercadorias, definiam o que produzir e em que quantidade. Afinal, o dinheiro era deles.

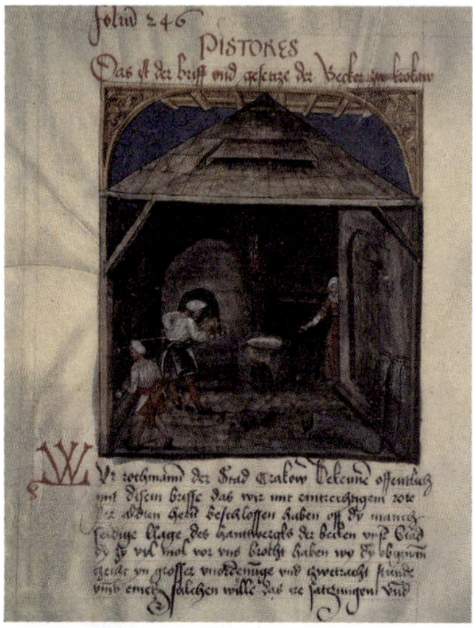

Trabalho artesanal, em iluminura do século XVI, e trabalho em manufatura, em fotografia do século XIX. Na passagem de uma forma de organização para outra, o trabalhador perdeu a posse dos instrumentos e o controle do processo de trabalho.

Essa transformação aconteceu por meio de dois processos de organização do trabalho: a cooperação simples e a manufatura (ou cooperação avançada).

Na *cooperação simples*, era mantida a hierarquia da produção artesanal entre o mestre e o aprendiz, e o artesão ainda desenvolvia, ele próprio, todo o processo produtivo, do molde ao acabamento. A diferença é que ele estava a serviço de quem lhe financiava não só a matéria-prima, como até mesmo alguns instrumentos de trabalho, e também definia o local e as horas a ser trabalhadas. Esse tipo de organização do trabalho abriu caminho para novas formas de produção, que começaram a se definir como trabalho coletivo.

No processo de *manufatura* (ou cooperação avançada), o trabalhador até continuava a ser artesão, mas não fazia tudo, do começo ao fim. O sapato, por exemplo, era feito a muitas mãos, como numa linha de montagem. Cada um cuidava de uma parte, como hoje acontece com os carros e tantos outros produtos fabricados.

A manufatura foi o segundo passo para o surgimento do *trabalhador coletivo*, ou seja, o artesão tornou-se um trabalhador sem entendimento da totalidade do processo de trabalho e perdeu também seu controle. Só entendia, por exemplo, da cola do salto do sapato, pois era isso o que ele fazia o tempo todo. O produto tornou-se resultado das atividades de muitos trabalhadores. E o trabalho, por sua vez, se transformou em mercadoria que podia ser vendida e comprada, como qualquer outra.

Surgiu, então, uma terceira forma de trabalho: a *maquinofatura*. Com ela, o espaço de trabalho, definitivamente, passou a ser a fábrica, pois era lá que estavam as máquinas que "comandavam" o processo de produção. Todo o conhecimento que o trabalhador usava para produzir suas peças foi dispensado, ou seja, sua destreza manual foi substituída pela máquina.

Com esse processo ocorreu o convencimento do trabalhador de que a situação presente era melhor do que a anterior. Diversos setores da sociedade colaboraram para essa mudança:

- As *igrejas* procuraram passar a idéia de que o trabalho era um bem divino e quem não trabalhasse não seria abençoado. Não trabalhar (ter preguiça) passou a ser pecado.
- Os *governantes* passaram a criar uma série de leis e decretos que penalizavam quem não trabalhasse. Os desempregados eram considerados vagabundos e podiam ir para a prisão. Inclui-se aqui o auxílio da polícia, encarregada de prender esses "vagabundos".
- Os *empresários* desenvolveram uma disciplina rígida no trabalho, principalmente com horários de entrada e saída dos estabelecimentos.
- As *escolas* passaram às crianças a idéia de que o trabalho era fundamental para a sociedade. Esse conceito era ensinado, por exemplo, nas tarefas e lições e também por meio dos contos infantis. Quem não se lembra, por exemplo, da história da Cigarra e da Formiga ou da dos Três Porquinhos? Quem não trabalhava "levava sempre a pior".

Cena da fábula "A cigarra e a formiga", em gravura criada por Gustave Doré em 1867 para um livro de fábulas de La Fontaine. Crianças de várias gerações ouviram e internalizaram a fala da laboriosa formiga em resposta ao pedido de ajuda da cigarra, ao chegar o inverno: "Você cantava? Que beleza! Pois, então, dance agora!".

Na vida real, a história era bem outra. O trabalhador estava livre, quer dizer, não era mais escravo nem servo, mas trabalhava mais horas do que antes.

Evolução das horas de trabalho semanal

	Inglaterra	França
1650-1750	45 a 55 horas	50 a 60 horas
1750-1850	72 a 80 horas	72 a 80 horas
1850-1937	58 a 60 horas	60 a 68 horas

Fonte: Cunha, Newton. *A felicidade imaginada: a negação do trabalho e do lazer*. São Paulo: Brasiliense, 1987. p. 37.

Max Weber, em seu livro *História econômica*, publicado em 1923, afirma que isso era necessário para que o capitalismo existisse. O trabalhador era livre apenas legalmente porque, na realidade, via-se forçado, pela necessidade e para não passar fome, a fazer o que lhe impunham.

Ainda assim, não foi fácil submeter o trabalhador às longas jornadas e aos rígidos horários, pois a maioria não estava acostumada a isso. A maior parte da população que foi para as cidades trabalhava anteriormente no campo, onde o único "patrão" era o ritmo da natureza, que definia quanto e quando trabalhar. Cada semeadura e cada colheita tinham seu tempo certo, de acordo com o clima e a época. Além disso, o mesmo indivíduo fazia várias coisas, não era um operário especializado em uma só tarefa. Ele podia plantar, colher, construir uma mesa ou um banco e trabalhar num tear; enfim, desenvolvia várias habilidades.

A santa segunda-feira

Em seu livro *Costumes em comum*, o historiador britânico Edward P. Thompson comenta um costume arraigado em vários países da Europa desde o século XVI até o início do século XX: o de não trabalhar na chamada *santa segunda-feira*. Essa tradição, diz ele, parece ter sido encontrada nos lugares onde existiam indústrias de pequena escala, em minas e nas manufaturas ou mesmo na indústria pesada. Não se trabalhava nesse dia por várias razões, mas principalmente porque nos outros dias da semana a jornada era de 12 a 18 horas diárias. Assim, os trabalhadores procuravam compensar o excesso de horas trabalhadas. Havia ainda a dificuldade de desenvolver o trabalho na segunda-feira por causa do abuso de bebidas alcoólicas, comum nos fins de semana. Nas siderúrgicas, estabeleceu-se que as segundas-feiras seriam utilizadas para consertos de máquinas, mas o que prevalecia era o não-trabalho, que às vezes se estendia às terças-feiras.

Foram necessários alguns séculos para disciplinar e preparar os trabalhadores para o trabalho industrial diário e regular.

Cenários DO MUNDO DO TRABALHO

Trabalho e necessidades nas sociedades primitivas

Sociedades como estas que estamos considerando não têm as nossas razões para trabalhar — se é que entre elas se encontre algo parecido com o que faz o burocrata na repartição ou o operário na fábrica, comandados pelos administradores, pela linha de montagem, pelo relógio de ponto, pelo salário no fim do mês. "Trabalham" para viver, para prover às festas, para presentear. Mas nunca mais que o estritamente necessário: a labuta não é um valor em si, não é algo que tem preço, que se oferece num mercado; não se opõe ao lazer, dele não se separando cronologicamente ("hora de trabalhar, trabalhar"); não acontece em lugar especial, nem se desvincula das demais atividades sociais (parentesco, magia, religião, política, educação...). Sempre que se pareçam com o que chamamos "trabalho", tais atividades são imediatamente detestadas. Aliás, no fundo, no fundo, não o são também entre nós?

[...]

De vez em quando se trabalha um pouco mais que o necessário à satisfação do "consumo" regular. Mas com maior freqüência, dentro do tempo normal de "trabalho", se produz algo que transborde o necessário. Esta é, em geral, a parte das solenidades, das festas, dos rituais, dos presentes, das destruições ostentatórias, das manifestações políticas, da hospitalidade... e o significado desse algo mais nunca é acumular, investir. Há aí, portanto, uma grande diferença em relação à nossa atitude oficial para com o trabalho. Mas não há, ao mesmo tempo, algo que intimamente invejamos? Algo com coloração de sonho, para nós, que mais ou menos reservadamente trabalhamos de olho na hora da saída, no fim de semana, no feriado prolongado, nas férias, na aposentadoria?

RODRIGUES, José Carlos. *Antropologia e comunicação: princípios radicais*. Rio de Janeiro: Espaço e Tempo, 1989. p. 101.

1. Após a leitura do texto, procure responder às questões que o próprio autor formula.
2. Troque idéias com seus colegas: como seria a vida de vocês sem os equipamentos eletrônicos que existem hoje?

Trabalho e ócio no mundo greco-romano

Em Atenas, na época clássica, quando os poetas cômicos qualificavam um homem por seu ofício (Eucrates, o comerciante de estopa; Lisicles, o comerciante de carneiros), não era precisamente para honrá-los; só é homem por inteiro quem vive no ócio. Segundo Platão, uma cidade bem feita seria aquela na qual os cidadãos fossem alimentados pelo trabalho rural de seus escravos e deixassem os ofícios para a gentalha: a vida "virtuosa", de um homem de qualidade, deve ser "ociosa" [...].

Para Aristóteles, escravos, camponeses e negociantes não poderiam ter uma vida "feliz", quer dizer, ao mesmo tempo próspera e cheia de nobreza: podem-no somente aqueles que têm os meios de organizar a própria existência e fixar para si mesmos um objetivo ideal. Apenas esses homens ociosos correspondem moralmente ao ideal humano e merecem ser cidadãos por inteiro: "A perfeição do cidadão não qualifica o homem livre, mas só aquele que é isento das tarefas necessárias das quais se incumbem servos, artesãos e operários não especializados; estes últimos não serão cidadãos, se a constituição conceder os cargos públicos à virtude e ao mérito, pois não se pode praticar a virtude levando-se uma vida de operário ou de trabalhador braçal". Aristóteles não quer dizer que um pobre não tenha meios ou oportunidades de praticar certas virtudes, mas, sim, que a pobreza é um defeito, uma espécie de vício.

VEYNE, Paul. Trabalho e ócio. In: ARIÈS, P., DUBY, G. *História da vida privada*. São Paulo: Companhia das Letras, 1990. v. 1: Do Império Romano ao ano mil. p. 124-5.

1. A antiga concepção de que as atividades do pensamento vinculadas à ociosidade (liberdade) têm mais valor que as vinculadas às necessidades está presente em nossa sociedade? Como ela aparece nos jornais e na televisão?
2. Para você, a concepção de que a pobreza é uma espécie de vício, ou algo que torna as pessoas inferiores, existe ainda hoje?
3. Desde a Antiguidade se observa a divisão entre trabalho intelectual e trabalho manual. Como ela aparece em outros momentos históricos e, principalmente, hoje?

Capítulo 5

O trabalho na sociedade moderna capitalista

Como já vimos, a crescente divisão do trabalho é uma das características das sociedades modernas. Os autores clássicos Émile Durkheim e Karl Marx, já conhecidos nossos, têm visões diferentes sobre essa questão, e o pensamento de ambos marca perspectivas de análise diversas ainda hoje. Assim, é importante conhecer essas duas visões para entender melhor a questão do trabalho na vida social moderna.

Karl Marx e a divisão social do trabalho

Para Karl Marx, a divisão social do trabalho é realizada no processo de desenvolvimento das sociedades. Ele quer dizer que, conforme buscamos atender a nossas necessidades, estabelecemos relações de trabalho e maneiras de dividir as atividades. Por exemplo: nas sociedades tribais, a divisão era feita com base nos critérios de sexo e idade; quando a agricultura e o pastoreio começaram a ser praticados, as funções se dividiram entre quem plantava, quem cuidava dos animais e quem caçava ou pescava.

Com a formação das cidades, houve uma divisão entre o trabalho rural (agricultura) e o trabalho urbano (comércio e indústria). O desenvolvimento da produção e seus excedentes deram lugar a uma nova divisão entre quem administrava — o diretor ou gerente — e quem executava — o operário. Aí está a semente da divisão em classes, que existe em todas as sociedades modernas.

Para Marx, portanto, a divisão social do trabalho numa sociedade gera a divisão em classes.

Com o surgimento das fábricas, apareceu também o proprietário das máquinas e, conseqüentemente, quem pagava o salário do operador das máquinas. A mecanização revolucionou o modo de produzir mercadorias, mas também colocou o trabalhador debaixo de suas ordens. Ele começou a servir à máquina, pois o trabalho passou a ser feito somente com ela. E não era preciso ter muitos conhecimentos; bastava saber operá-la. Sendo um operador de máquinas eficiente, o trabalhador seria bom e produtivo.

Oficina de manutenção de máquinas nos Estados Unidos, em fotografia de 1965. Ferramenteiros trabalham em suas bancadas, sob a vigilância de um supervisor. Na visão de Marx, a divisão do trabalho gerou a divisão da sociedade em classes.

Subordinado à máquina e ao proprietário dela, o trabalhador só tem, segundo Marx, sua força de trabalho para vender, mas, se não vendê-la, o empresário também não terá quem opere as máquinas. É o que Marx chama de relação entre dois iguais. Ou seja, uma relação entre proprietários de mercadorias, mediante a compra e a venda da força de trabalho.

Vejamos como isso acontece. Ao assinar o contrato, o trabalhador aceita trabalhar, por exemplo, oito horas diárias, ou quarenta horas semanais, por determinado salário. O capitalista passa, a partir daí, a ter o direito de utilizar essa força de trabalho no interior da fábrica. O que ocorre, na realidade, é que o trabalhador, em quatro ou cinco horas de trabalho diárias, por exemplo, já produz o referente ao valor de seu salário total; as horas restantes são apropriadas pelo capitalista. Isso significa que, diariamente, o empregado trabalha três a quatro horas para o dono da empresa, sem receber pelo que produz. O que se produz nessas horas a mais é o que Marx chama de *mais-valia*.

As horas trabalhadas e não pagas, acumuladas e reaplicadas no processo produtivo, vão fazer com que o capitalista enriqueça rapidamente. E assim, todos os dias, isso acontece nos mais variados pontos do mundo: uma parcela significativa do valor-trabalho produzido pelos trabalhadores é apropriada pelos capitalistas. Esse processo chama-se *acumulação de capital*.

Para obter mais lucros, os capitalistas aumentam as horas de trabalho, gerando a *mais-valia absoluta*, ou, então, passam a utilizar equipamentos e diversas tecnologias para tornar o trabalho mais produtivo, decorrendo daí a *mais-valia relativa*, ou seja, mais produção e aumento de mais-valia com o mesmo número de trabalhadores (ou até menos), cujos salários continuam sendo os mesmos.

nas palavras DE MARX

A jornada de trabalho no capitalismo no século XIX

"Que é uma jornada de trabalho?" De quanto é o tempo durante o qual o capital pode consumir a força de trabalho, cujo valor diário ele paga? Por quanto tempo pode ser prolongada a jornada de trabalho além do tempo de trabalho necessário à reprodução dessa mesma força de trabalho? A essas perguntas, viu-se que o capital responde: a jornada de trabalho compreende diariamente as 24 horas completas, depois de descontar as poucas horas de descanso, sem as quais a força de trabalho fica totalmente impossibilitada de realizar novamente sua tarefa. Entende-se por si, desde logo, que o trabalhador, durante toda a sua existência, nada mais é que força de trabalho e que, por isso, todo o seu tempo disponível é por natureza e por direito tempo de trabalho, portanto, pertencente à autovalorização do capital. Tempo para a educação humana, para o desenvolvimento intelectual, para o preenchimento de funções sociais, para o convívio social, para o jogo livre das forças vitais físicas e espirituais, mesmo o tempo livre de domingo — e mesmo no país do sábado santificado — pura futilidade! [...] Em vez da conservação normal da força de trabalho determinar aqui o limite da jornada de trabalho é, ao contrário, o maior dispêndio possível diário da força de trabalho que determina, por mais penoso e doentiamente violento, o limite do tempo de descanso do trabalhador. O capital não se importa com a duração de vida da força de trabalho. O que interessa a ele, pura e simplesmente, é um maximum de força de trabalho que em uma jornada de trabalho poderá ser feito fluir. [...]

> A produção capitalista, que é essencialmente produção de mais-valia, absorção de mais-trabalho, produz, portanto, com o prolongamento da jornada de trabalho não apenas a atrofia da força de trabalho, a qual é roubada de suas condições normais, morais e físicas, de desenvolvimento e atividade. Ela produz a exaustão prematura e o aniquilamento da própria força de trabalho. Ela prolonga o tempo de produção do trabalhador num prazo determinado mediante o encurtamento de seu tempo de vida.
>
> MARX, Karl. *O capital: crítica da economia política*. São Paulo: Abril Cultural, 1983. v. 1. p. 211-2.

Os conflitos entre os capitalistas e os operários aparecem a partir do momento em que estes percebem que trabalham muito e estão cada dia mais miseráveis. Assim, vários tipos de enfrentamento ocorreram ao longo do desenvolvimento do capitalismo, desde o movimento dos destruidores de máquinas no início do século XIX (ludismo) até as greves registradas durante todo o século XX (voltaremos a esse assunto na unidade III).

Émile Durkheim e a coesão social

Émile Durkheim analisa as relações de trabalho na sociedade moderna de forma diferente da de Marx. Em seu livro *Da divisão do trabalho social*, escrito no final do século XIX, procura demonstrar que a crescente especialização do trabalho promovida pela produção industrial moderna trouxe uma forma superior de solidariedade, e não de conflito.

Para Durkheim, há duas formas de solidariedade: a mecânica e a orgânica. A *solidariedade mecânica* é mais comum nas sociedades menos complexas, nas quais cada um sabe fazer quase todas as coisas de que necessita para viver. Nesse caso, o que une as pessoas não é o fato de uma depender do trabalho da outra, mas a aceitação de um conjunto de crenças, tradições e costumes comuns.

Centro de atendimento ao cliente em Bangalore, Índia. Para Durkheim, a especialização e divisão do trabalho geram a coesão social.

Já a *solidariedade orgânica* é fruto da diversidade entre os indivíduos, e não da identidade nas crenças e ações. O que os une é a interdependência das funções sociais, ou seja, a necessidade que uma pessoa tem da outra, em virtude da divisão do trabalho social existente na sociedade. É o que exemplificamos no capítulo anterior descrevendo o trabalho e os trabalhadores envolvidos na produção do pão.

Com base nessa visão, na sociedade moderna, a coesão social seria dada pela divisão crescente do trabalho. E isso é fácil de observar em nosso cotidiano. Tomamos um ônibus que tem motorista e cobrador, compramos alimentos e roupas que são produzidas por outros trabalhadores. Também podemos ir ao posto de saúde, ao dentista, ao médico ou à farmácia quando temos algum problema de saúde, e lá encontramos outras tantas pessoas que trabalham para resolver essas questões. Enfim, poderíamos citar uma quantidade enorme de situações que nos fazem dependentes de outras pessoas. Durkheim afirma que a interdependência provocada pela crescente divisão do trabalho cria solidariedade, pois faz a sociedade funcionar e lhe dá coesão.

Segundo esse autor, toda a ebulição no final do século XIX, resultante da relação entre o capital e o trabalho, não passava de uma questão moral. O que fez surgir tantos conflitos foi a falta de instituições e normas integradoras (anomia) que permitissem que a solidariedade dos diversos setores da sociedade, nascida da divisão do trabalho, se expressasse e, assim, pusesse fim aos conflitos. Para Durkheim, se a divisão do trabalho não produz a solidariedade, é porque as relações entre os diversos setores da sociedade não são regulamentadas pelas instituições existentes.

nas palavras DE DURKHEIM

A divisão do trabalho social cria a solidariedade

Bem diverso [da solidariedade mecânica] é o caso da solidariedade produzida pela divisão do trabalho. Enquanto a precedente implica que os indivíduos se assemelham, esta supõe que eles diferem uns dos outros. A primeira só é possível na medida em que a personalidade individual é absorvida na personalidade coletiva; a segunda só é possível se cada um tiver uma esfera de ação própria, por conseguinte, uma personalidade. É necessário, pois, que a consciência coletiva deixe descoberta uma parte da consciência individual, para que nela se estabeleçam essas funções especiais que ela não pode regulamentar; e quanto mais essa região é extensa, mais forte é a coesão que resulta dessa solidariedade. De fato, de um lado, cada um depende tanto mais estreitamente da sociedade quanto mais dividido for o trabalho nela e, de outro, a atividade de cada um é tanto mais pessoal quanto mais for especializada. Sem dúvida, por mais circunscrita que seja, ela nunca é completamente original; mesmo no exercício de nossa profissão, conformamo-nos a usos, a práticas que são comuns a nós e a toda a nossa corporação. Mas, mesmo nesse caso, o jugo que sofremos é muito menos pesado do que quando a sociedade inteira pesa sobre nós, e ele proporciona muito mais espaço para o livre jogo de nossa iniciativa. Aqui, pois, a individualidade do todo aumenta ao mesmo tempo que a das partes; a sociedade torna-se mais capaz de se mover em conjunto, ao mesmo tempo em que cada um de seus elementos tem mais movimentos próprios. Essa solidariedade se assemelha à que observamos entre os animais superiores. De fato, cada órgão aí tem sua fisionomia especial, sua autonomia, e contudo a unidade do organismo é tanto maior quanto mais acentuada essa individuação das partes. Devido a essa analogia, propomos chamar de orgânica a solidariedade devida à divisão do trabalho.

DURKHEIM, Émile. *Da divisão do trabalho social.* São Paulo: Martins Fontes, 1999. p. 108.

As duas diferentes formas de analisar as relações na sociedade moderna e capitalista, apresentadas por Marx e Durkheim, acabaram influenciando outras idéias no século XX, mesmo quando a situação do trabalho parecia ter mudado. Vamos ver como isso aconteceu.

Fordismo-taylorismo: uma nova forma de organização do trabalho

No século XX, o aperfeiçoamento contínuo dos sistemas produtivos deu origem a uma divisão do trabalho muito bem detalhada e encadeada. Essa nova forma de organização tornou-se conhecida como fordismo, numa referência a Henry Ford (1863-1947). Foi ele quem, a partir de 1914, implantou em sua fábrica de automóveis um modelo que seria seguido por muitas outras indústrias, a ponto de representar uma nova etapa da produção industrial.

As mudanças introduzidas por Ford visavam à produção em série de um produto (o Ford modelo T) para o consumo em massa. Ele estabeleceu a jornada de oito horas, por 5 dólares ao dia, o que, na época, significava renda e tempo de lazer suficientes para o trabalhador suprir todas as suas necessidades básicas e até adquirir um dos automóveis produzidos na empresa. Iniciava-se, assim, o que veio a se chamar a era do consumismo: produção e consumo em larga escala. Esse processo disseminou-se e atingiu quase todos os setores produtivos das sociedades industriais.

Linhas de produção da Ford em 1928 e 1996, ambas nos Estados Unidos. O que mudou?

Mas isso por si só não explica o fordismo. É apenas um de seus aspectos, o mais aparente. Já no final do século XIX, Frederick Taylor (1865-1915), em seu livro *Princípios de administração científica,* propunha a aplicação de princípios científicos na organização do trabalho, buscando maior racionalização do processo produtivo. Com as mudanças introduzidas por Henry Ford em sua fábrica, as expressões *fordismo* e *taylorismo* passaram a ser usadas para identificar um mesmo processo: aumento de produtividade com o uso mais adequado possível de horas trabalhadas, por meio do controle das atividades dos trabalhadores, divisão e parcelamento das tarefas, mecanização de parte das atividades com a introdução da linha de montagem e um sistema de recompensas e punições conforme o comportamento dos operários no interior da fábrica.

Em razão dessas medidas, foi desenvolvido um sistema de planejamento para aprimorar cotidianamente as formas de controle e execução das tarefas, o que resultou na criação de um setor de especialistas na administração da empresa. A hierarquia, bem como a impessoalidade das normas, foi introduzida no processo produtivo, sempre comandado por administradores treinados para isso. A capacidade e a especialização dos operários tinham valor secundário, pois o essencial eram as tarefas de planejamento e supervisão.

Por incrível que pareça, essas diretrizes não foram utilizadas apenas no universo capitalista; o modelo fordista-taylorista foi adotado também, com algumas adaptações, na então União Soviética. O próprio Lenin aconselhava sua utilização como uma alternativa para elevar a produção industrial soviética.

Com Ford e Taylor, a divisão do trabalho passou pelo planejamento vindo de cima, não levando em conta os operários. Para corrigir isso, Elton Mayo (1880-1949), professor da Universidade de Harvard (Estados Unidos), buscou medidas que evitassem o conflito e promovessem o equilíbrio e a colaboração no interior das empresas. Suas idéias de conciliação, desenvolvidas na Escola de Relações Humanas a partir dos anos 1930, procuravam revalorizar os grupos de referência dos trabalhadores, principalmente o familiar, evitando assim um desenraizamento dos operários.

A condição operária na fábrica taylorista

Na minha vida de fábrica, foi uma experiência única. [...] para mim pessoalmente, veja o que significou o trabalho na fábrica. Mostrou que todos os motivos exteriores (que antes eu julgava interiores) sobre os quais, para mim, se apoiava o sentimento de dignidade, o respeito por mim mesma, em duas ou três semanas ficaram radicalmente arrasados pelo golpe de uma pressão brutal e cotidiana. E não creio que tenham nascido em mim sentimentos de revolta. Não, muito ao contrário. Veio o que era a última coisa do mundo que eu esperava de mim: a docilidade. Uma docilidade de besta de carga resignada. Parecia que eu tinha nascido para esperar, para receber, para executar ordens — que nunca tinha feito senão isso — que nunca mais faria outra coisa. Não tenho orgulho de confessar isso. É a espécie de sofrimento que nenhum operário fala; dói demais, só de pensar.

[...]

Dois fatores condicionam esta escravidão: a rapidez e as ordens. A rapidez: para alcançá-la, é preciso repetir movimento atrás de movimento, numa cadência que, por ser mais rápida que o pensamento, impede o livre curso da reflexão e até do devaneio. Chegando-se à frente da máquina, é preciso matar a alma, oito horas por dia, pensamentos, sentimentos, tudo. [...] As ordens: desde o momento em que se bate o cartão na entrada até aquele em que se bate o cartão na saída, elas podem ser dadas, a qualquer momento, de qualquer teor. E é preciso sempre calar e obedecer. A ordem pode ser difícil ou perigosa de se executar, até inexeqüível; ou então, dois chefes dando ordens contraditórias; não faz mal: calar-se e dobrar-se. [...] Engolir nossos próprios acessos de enervamento e de mau humor; nenhuma tradução deles em palavras, nem em gestos, pois os gestos estão determinados, minuto a minuto, pelo trabalho. Esta situação faz com que o pensamento se dobre sobre si, se retraia, como a carne se retrai debaixo de um bisturi. Não se pode ser "consciente".

WEIL, Simone. Carta a Albertine Thévenon (1934-5). In: BOSI, Ecléa (org.). *A condição operária e outros estudos sobre a opressão.* Rio de Janeiro: Paz e Terra, 1979. p. 65.

A visão de Taylor, a de Ford e, depois, a de Elton Mayo revelam a influência das formulações de Durkheim sobre a consciência coletiva. Durkheim afirmou que há uma consciência coletiva que define as ações individuais, submetendo todos à norma, à regra, à disciplina, à moral e à ordem estabelecidas. As empresas devem dar continuidade a isso, definindo claramente o lugar e as atividades de cada um, para que não haja dúvida sobre o que cada membro deve fazer. Se existir conflito, diz ele, deve haver uma coesão social, baseada numa idéia de consenso, orientada pela existência de uma consciência coletiva que paira acima de todos na sociedade.

Em seu livro *Trabalho e capital monopolista: a degradação do trabalho no século XX*, o sociólogo estadunidense Harry Bravermann critica essa visão. Ele afirma que o taylorismo foi somente o coroamento e a síntese de várias idéias, que germinaram durante todo o século XIX na Inglaterra e nos Estados Unidos, cujo objetivo era transferir para as mãos das gerências o controle de todo o processo produtivo. O taylorismo tirava do trabalhador o último resquício de saber sobre a produção: a capacidade de operar uma máquina. Agora ele tinha que operá-la do modo como os administradores definiam. Estava concluída a expropriação em todos os níveis da autonomia dos trabalhadores, que ficavam totalmente dependentes dos gerentes e administradores.

Transfiguração do trabalhador em máquina, um efeito do taylorismo.

A crítica marxista a Elton Mayo destaca que as formas de regulamentação da força de trabalho por ele propostas seriam indiretas, pela manipulação do operário por intermédio de especialistas em resolver conflitos. Assim, psicólogos e sociólogos, assistentes sociais e administradores procuraram de várias formas cooptar os trabalhadores para que eles não criassem situações de conflito no interior das empresas. A empresa lhes daria segurança e apoio e, portanto, deveriam trabalhar coesos, como se fizessem parte de uma comunidade de interesses. Talvez a expressão “lá na minha empresa”, que ouvimos de muitos trabalhadores, seja um exemplo de quanto essa perspectiva atingiu os corações e mentes.

Foi com esses procedimentos que o fordismo-taylorismo se desenvolveu e tornou-se a ideologia dominante em todo tipo de empresa, até mesmo nas comerciais e de serviços. E ficou tão forte na sociedade capitalista que suas concepções acabaram chegando às escolas, às famílias, aos clubes, às igrejas e às instituições estatais; enfim, penetraram em todas as organizações sociais que buscam, de uma forma ou de outra, o controle e a eficiência das pessoas.

Essa forma de organizar o trabalho foi marcante até a década de 1970 e ainda prevalece em muitos locais, com múltiplas variações. Entretanto, novas formas de produção e de trabalho foram surgindo desde então.

As transformações recentes no mundo do trabalho

Novas transformações aconteceram na sociedade capitalista, principalmente depois da década de 1970, e todas elas têm a ver com a busca desenfreada por mais lucro. Como a recessão aumentou por causa da crise do petróleo, os capitalistas inventaram novas formas de elevar a produtividade do trabalho e expandir os lucros. Começaram, então, a surgir formas de flexibilização do trabalho e do mercado. Em seu livro *Condição pós-moderna*, o sociólogo estadunidense David Harvey chamou essa fase de pós-fordismo, ou fase da acumulação flexível. Outros autores também estudaram essa nova fase do capitalismo, como o estadunidense Richard Sennett, em seu livro *A cultura do novo capitalismo.*

Existem duas formas de flexibilização próprias desse processo que merecem ser lembradas aqui: a *flexibilização dos processos de trabalho e de produção* e a *flexibilização e mobilidade dos mercados de trabalho*.

A primeira forma ocorre com a automação e a conseqüente eliminação do controle manual por parte do trabalhador. Desse modo, o engenheiro que entende de programação eletrônica, de supervisão ou análise de sistemas passa a ter uma importância estratégica nas novas instalações industriais.

Com o processo de automação, não existe mais um trabalhador específico para uma tarefa específica. O trabalhador deve estar disponível para adaptar-se às diversas funções existentes na empresa. Os que não se adaptam normalmente são despedidos. A nova configuração mundial do trabalho cria, assim, muita incerteza e insegurança; por isso, a situação dos trabalhadores no mundo de hoje é bastante sombria.

Interior de fábrica automatizada na Alemanha. Onde vão se empregar os trabalhadores manuais?

A flexibilização e mobilidade dos mercados de trabalho ocorre quando os empregadores passam a utilizar as mais diferentes formas de trabalho: doméstica e familiar, autônoma, temporária, por hora ou por curto prazo, terceirizada, entre outras. Elas substituem a forma clássica do emprego regular, sob contrato, sindicalizado, permitindo alta rotatividade da mão-de-obra e, conseqüentemente, baixo nível de especialização e forte retrocesso da ação dos sindicatos na defesa dos direitos trabalhistas.

nas palavras
DE HARVEY

A acumulação flexível ou pós-fordismo

A *acumulação flexível*, como vou chamá-la, é marcada por um confronto direto com a rigidez do fordismo. [...] Caracteriza-se pelo surgimento de setores de produção inteiramente novos, novas maneiras de fornecimento de serviços financeiros, novos mercados e, sobretudo, taxas altamente intensificadas de inovação comercial, tecnológica e organizacional. A acumulação flexível envolve rápidas mudanças de padrões do desenvolvimento desigual, tanto entre setores como entre regiões geográficas, criando, por exemplo, um vasto movimento no emprego no chamado "setor de serviços", bem como conjuntos industriais completamente novos em regiões até então subdesenvolvidas [...].

A acumulação flexível foi acompanhada na ponta do consumo, portanto, por uma atenção muito maior às modas fugazes e pela mobilidade de todos os artifícios de indução de necessidades e de transformação cultural que isso implica. A estética relativamente estável do modernismo fordista cedeu lugar a todo o fermento, instabilidade e qualidades fugidias de uma estética pós-moderna que celebra a diferença, a efemeridade, o espetáculo, a moda e a mercadificação de formas culturais.

HARVEY, David. *Condição pós-moderna*. 3. ed. São Paulo: Loyola, 1993. p. 140 e 148.

A sociedade salarial está no fim?

Até há pouco tempo, o trabalhador podia entrar numa empresa, trabalhar anos seguidos e aposentar-se nela. Era o chamado posto fixo de trabalho. Hoje, isso está desaparecendo, conforme explica o sociólogo francês Robert Castel, em seu livro *A metamorfose da questão social: uma crônica do salário*. O sociólogo mostra que, na França, essa situação está dando lugar a uma nova sociedade, na qual o trabalho e a previdência já não significam segurança, o que causa transtornos terríveis em termos sociais e individuais. Ele destaca quatro aspectos que parecem estar se generalizando no mundo:

A escassez de postos de trabalho, em charge de Jean Galvão.

- A desestabilização dos estáveis. As pessoas que têm emprego estão sendo "invalidadas" por vários motivos. Algumas porque são consideradas "velhas" (em torno de 50 anos); outras porque não têm formação suficiente para o que se quer; há ainda aquelas que são consideradas jovens demais para se aposentar.
- A precariedade do trabalho. Há um desemprego constante nos últimos anos, e a maioria dos trabalhadores desempregados normalmente só encontra postos de trabalho instáveis, de curta duração ou em períodos alternados.

- O déficit de lugares. Não há postos de trabalho para todos, nem para os que estão envelhecendo, nem para os mais novos que procuram emprego pela primeira vez. Isso sem falar naqueles que estão desempregados há muito tempo e até participam de programas de requalificação.
- A qualificação do emprego. Há tantas exigências para a formação do trabalhador que se cria uma situação aparentemente sem solução. É o caso dos jovens, que não são contratados porque não têm experiência, mas nunca poderão ter experiência se não forem contratados. Pessoas em torno de 20 anos ficam vagando de estágio em estágio ou de programas de estágio para outros programas. Há, ainda, jovens com boa qualificação que ocupam empregos inferiores, tirando o trabalho dos que têm pouca qualificação.

Todas essas situações criam indivíduos como que estranhos à sociedade, pois não conseguem se integrar nela, desqualificando-se também do ponto de vista cívico e político. Eles próprios consideram-se inúteis sociais. Ocorre praticamente uma perda de identidade, já que o trabalho é uma espécie de "passaporte" para alguém fazer parte da sociedade. No Brasil, tudo isso acontece, principalmente nos grandes centros urbanos.

O desemprego

De fato, a forma contemporânea daquilo que ainda se chama desemprego jamais é circunscrita, jamais definida e, portanto, jamais levada em consideração. Na verdade, nunca se discute aquilo que se designa pelos termos "desemprego" e "desempregados"; mesmo quando esse problema parece ocupar o centro da preocupação geral, o fenômeno real é, ao contrário, ocultado.

Um desempregado, hoje, não é mais objeto de uma marginalização provisória, ocasional, que atinge apenas alguns setores; agora, ele está às voltas com uma implosão geral, com um fenômeno comparável a tempestades, ciclones e tornados, que não visam ninguém em particular, mas aos quais ninguém pode resistir. Ele é objeto de uma lógica planetária que supõe a supressão daquilo que se chama trabalho; vale dizer, empregos.

FORRESTER, Viviane. *O horror econômico*. São Paulo: Unesp, 1997. p. 10-1

Cenários DO TRABALHO NO MUNDO DE HOJE

O trabalho flexibilizado e mundializado

O sociólogo brasileiro Octávio Ianni (1926-2004), no artigo "O mundo do trabalho", publicado em 1994 no periódico *São Paulo em perspectiva* (Seade), afirma que todas as mudanças no mundo do trabalho são quantitativas e qualitativas, e afetam a estrutura social nas mais diferentes escalas. Entre essas mudanças, ele aponta o rompimento dos quadros sociais e mentais que estavam vinculados a uma base nacional. Ele quer dizer que hoje, com o trabalho flexível e volante no mundo todo, pessoas migram para outros países em busca de trabalho. E, assim, nos países a que chegam, geralmente vivem em situação difícil, desenvolvendo trabalhos insalubres e em condições precárias.

Além das dificuldades de adaptação, com freqüência enfrentam problemas de preconceito racial, religioso e cultural.

O fenômeno dos decasséguis, os brasileiros descendentes de japoneses que se deslocam para trabalhar no Japão por curtas ou longas temporadas, é a expressão bem visível desse processo. Trabalham mais de 12 horas por dia e são explorados ao máximo. Alguns, mais qualificados, conseguem bons empregos, mas a maioria não. A esta restam as opções de voltar ou de lá permanecer marginalizada.

Emprego: o problema é seu

[...] todos os assalariados de uma empresa, não importa qual seja o seu nível hierárquico, não sabem nunca se serão mantidos ou não no emprego, porque não é a riqueza econômica da empresa que vai impedir que exista redução de efetivo. Vou dar o exemplo [...] da Peugeot e da Citroën, que conheço bem, na França. É uma empresa que está funcionando muito bem. Ela passa seu tempo a despedir as pessoas de maneira regular. Isso é perversão, mas a perversão está ligada à psicologização. O que quero dizer com isso? Poderão permanecer na empresa apenas aqueles que são considerados de excelente performance. [...] Isso é psicologização, na medida em que, se alguém não consegue conservar o seu trabalho, fala-se tranqüilamente: "mas é sua culpa, você não soube se adaptar, você não soube fazer esforços necessários, você não teve uma alma de vencedor, você não é um herói." [...] quer dizer: "você é culpado e não a organização da empresa ou da sociedade. A culpa é só sua." Isso culpabiliza as pessoas de modo quase total, pessoas que, além disso, ficam submetidas a um estresse profissional extremamente forte. Então as empresas exigem daqueles que permanecem um devotamento, lealdade e fidelidade, mas ela não dá nada em troca. Ela vai dizer simplesmente: "você tem a chance de continuar, mas talvez você também não permaneça."

ENRIQUEZ, Eugène. Perda de trabalho, perda de identidade. In: NABUCO, Maria Regina, CARVALHO NETO, Antonio. *Relações de trabalho contemporâneas*. Belo Horizonte: IRT, 1999. p. 77.

1. Qual é a principal relação entre os dois textos?
2. O emprego é uma questão pessoal, social ou ambas?

A questão do trabalho no Brasil

Capítulo 6

Quando analisamos o trabalho no Brasil, não podemos nos esquecer de que ele está ligado ao envolvimento do país na trama internacional, desde que os portugueses aqui chegaram no século XVI. Basta lembrar que a "descoberta" do Brasil aconteceu porque havia na Europa o movimento das expansões ultramarinas, em que os europeus esquadrinhavam os oceanos em busca de novas terras para explorar e de novos produtos para incorporar ao processo de desenvolvimento mercantilista. A produção agrícola para a exportação e a presença da escravidão no Brasil também estão vinculados à vinda dos europeus e, é claro, todo o processo de industrialização-urbanização a partir de 1930 até hoje.

No final do século XIX, com a abolição da escravidão no Brasil, encerrou-se um período de mais de 350 anos de predomínio do trabalho escravo. Portanto, nós só convivemos com a liberdade formal de trabalho há pouco mais de cem anos. Esse passado de escravidão continua pesando.

As primeiras décadas depois da escravidão

Mesmo antes do fim da escravidão os grandes proprietários de terras, principalmente os fazendeiros paulistas, procuraram trazer imigrantes para trabalhar em suas terras. A primeira experiência de utilização da força de trabalho legalmente livre e estrangeira foi realizada pelo senador Vergueiro, grande fazendeiro da região oeste de São Paulo que, em 1846, trouxe 364 famílias da Alemanha e da Suíça. Em 1852, importou mais 1,5 mil colonos e, posteriormente, propôs-se trazer mais mil colonos por ano. Isso era feito com a ajuda financeira do governo da província de São Paulo, que arcava com os custos da importação e ainda subvencionava as empresas agenciadoras de mão-de-obra estrangeira.

O sistema de trabalho então adotado ficou conhecido como *colonato*, pois as famílias que aqui chegavam assinavam um contrato nos seguintes termos: o fazendeiro adiantava uma quantia necessária ao transporte e aos gastos iniciais de instalação e sobrevivência dos colonos e de sua família. Estes, por sua vez, deviam plantar e cuidar de um número determinado de pés de café. No final da colheita, seria feita uma divisão com o proprietário. Os colonos eram obrigados a pagar juros pelo adiantamento e não podiam sair da fazenda enquanto não houvessem saldado sua dívida, o que demorava muito, uma vez que o adiantamento era sempre maior que os lucros advindos do café. Assim se criava o que passou a ser conhecido como "parceria de endividamento", porque o colono não conseguia pagar a dívida contraída com o fazendeiro. Essa dívida, muitas vezes, passava de pai para filho, de tal modo que os filhos ficavam hipotecados desde o início do contrato.

As experiências iniciais não foram bem-sucedidas, pois os colonos não aceitavam tamanha exploração e muitas vezes fugiam da fazenda ou se revoltavam contra esse sistema, como foi o caso da revolta na fazenda Ibicaba, de propriedade do próprio senador Vergueiro, em 1857. Acrescente-se a isso a pressão dos governos estrangeiros para minorar os males infligidos a seus cidadãos no Brasil. A imigração ficou estagnada até os anos 80 daquele século, quando foi retomada com novo vigor. Isso pode ser verificado pelos seguintes dados: no período de 1820 a 1890, emigraram para o Brasil 987 461 pessoas. Nos dez anos seguintes, de 1891 a 1900, o total foi de 1 129 315 pessoas. Nos trinta anos seguintes, esse movimento prosseguiu, com uma média de quase 1 milhão de pessoas a cada dez anos.

A maioria dessas pessoas foi trabalhar no campo, mas outras se estabeleceram nas cidades, como São Paulo e Rio de Janeiro, onde trabalhavam nas indústrias nascentes, no pequeno comércio e como vendedores ambulantes de todo tipo de mercadorias. As condições de vida desses trabalhadores não eram das melhores e o nível de exploração nas fábricas era muito grande, de tal maneira que os operários trataram de se organizar em associações e sindicatos.

A partir dos primeiros anos do século XX, os trabalhadores urbanos passaram a reivindicar melhores condições de trabalho, diminuição da carga horária semanal, melhorias salariais e, ainda, normatização do trabalho de mulheres e crianças, que eram empregadas em grande número e ainda mais exploradas do que os homens.

Diante das condições de vida e de trabalho extremamente precárias, os trabalhadores iniciaram vários movimentos, por meio dos quais pretendiam modificar essa situação. Apoiados por uma imprensa operária, que crescia rapidamente,

Trabalhadores europeus em uma das fábricas das Indústrias Matarazzo em São Paulo, cerca de 1900, e fac-símile de exemplares da imprensa operária. Nas primeiras décadas do século XX, multiplicaram-se nos centros urbanos os jornais criados por imigrantes para mobilizar os operários na luta por melhores condições de trabalho e divulgar idéias de correntes diversas, sobretudo anarquistas e socialistas.

os trabalhadores passaram a organizar movimentos grevistas, que culminaram com a maior greve até então havida no país, a de 1917, em São Paulo. Nesse período, que foi até 1930, a questão social, principalmente no que se referia aos trabalhadores, era tratada como um problema de polícia.

Com o desenvolvimento industrial crescente, as preocupações com o trabalhador rural continuaram a existir, mas a atenção maior das autoridades voltava-se para as condições do trabalhador urbano, que determinaram a necessidade de uma regulamentação das atividades trabalhistas no Brasil. Isso aconteceu pela primeira vez no início da década de 1930, com a ascensão de Getúlio Vargas ao poder.

No período de 1929 até o final da Segunda Grande Guerra — em que as exportações foram fracas e houve forte investimento do Estado em fontes energéticas, em siderurgia e em infraestrutura —, buscou-se uma ampliação do processo de industrialização no Brasil, o que significou um aumento substancial do número de trabalhadores urbanos.

Comemoração do 1º de maio na capital paulista, na década de 1940. Liderando o processo de industrialização implementado por Vargas, São Paulo respondia então por metade da produção fabril brasileira.

Até o fim da Segunda Guerra, o Brasil continuava a ser um país em que a maioria da população vivia na zona rural. Mantinha-se, assim, uma estrutura social, econômica e política vinculada à terra. As transformações que ocorreram posteriormente mudaram a face do país, mas o passado continua influindo, principalmente nas concepções de trabalho. Ainda hoje não é difícil ouvir a expressão "trabalhei como se fosse um escravo", ou perceber o desprezo pelo trabalho manual e pelas atividades rurais, que nos lembram um passado do qual a maioria das pessoas quer fugir.

A situação do trabalho nos últimos sessenta anos

Nos últimos sessenta anos, convivemos no Brasil, simultaneamente, com várias formas de produção. Vejamos alguns exemplos da diversidade das situações de trabalho que se observam no Brasil de hoje:

- Trabalhadores, indígenas ou não, que tiram seu sustento coletando alimentos na mata, conhecidos como *povos da floresta*.
- Trabalhadores da agropecuária, compreendendo os que ainda trabalham com enxada e facão e os que utilizam máquinas e equipamentos sofisticados, como, por exemplo, as colheitadeiras, muitas delas computadorizadas.
- Trabalhadores empregados em indústrias de transformação ou de produção de bens duráveis ou não duráveis, seja em grandes empresas nacionais ou internacionais, seja em pequenas fábricas "de fundo de quintal".

- Trabalhadores nos setores de serviços e de comércio, que reúnem a maioria das pessoas. Há desde quem viva do comércio ambulante até quem se empregue nos grandes supermercados e *shopping centers*; há trabalhadores braçais, que fazem reparos em casas, e funcionários de empresas de serviços altamente informatizadas, nas quais os equipamentos eletrônicos fazem a maior parte das tarefas.
- Trabalhadores administrativos, em empresas e organizações públicas e privadas, desenvolvendo atividades das mais simples, como servir cafezinho, até as mais complexas, como gerenciar um sistema computacional.
- Crianças que trabalham em muitas das atividades descritas.
- Trabalhadores submetidos à escravidão por dívida.

Como já vimos, em 1945, a maior parte da população brasileira vivia na zona rural. Em 2005, a maior parte da população vivia na zona urbana. Isso significa que nesses sessenta anos houve uma transformação radical no Brasil, e ela foi feita por milhares de trabalhadores que, efetivamente, criaram condições diferentes para se realizar como cidadãos num país tão rico e tão desigual.

Em 2004, conforme dados do Instituto Brasileiro de Geografia e Estatística (IBGE), em torno de 15% da População Economicamente Ativa (PEA) trabalhava na indústria; dos 85% restantes, 60% a 65% dos trabalhadores estavam nos setores do comércio e de serviços e em atividades administrativas, e apenas 20% na agropecuária, na caça e na pesca. Ou seja, o processo de urbanização, com todos os seus desdobramentos, criou uma situação completamente nova no Brasil, a tal ponto que nem a agropecuária nem a indústria são hoje os setores que mais empregam. Portanto, o perfil de trabalho no Brasil mudou muito e, com isso, as oportunidades de trabalho também.

Dos funcionários dos hipermercados aos ambulantes que oferecem seus produtos nos postos de pedágio, os trabalhadores dos setores de comércio e de serviços compõem o grupo mais numeroso da População Economicamente Ativa — um reflexo do rápido e desordenado processo de urbanização no Brasil.

Emprego e qualificação. Ouvimos a todo momento nas conversas informais e encontramos com freqüência nos meios de comunicação a afirmação de que só terá emprego quem tiver qualificação. A qualificação em determinados ramos da produção é necessária e cada dia mais exigida, mas isso somente para alguns poucos postos de trabalho. A maioria das ocupações exige somente o mínimo de informação, que normalmente o trabalhador consegue adquirir no próprio processo de trabalho.

A elevação do nível de escolaridade não significa necessariamente emprego no mesmo nível e boas condições de trabalho. Quantos graduados em Engenharia ou Arquitetura estão trabalhando como desenhistas? Quantos formados em Medicina são assalariados em hospitais e serviços médicos, tendo uma jornada de trabalho excessiva? E os formados em Direito que não conseguem passar no exame da Ordem dos Advogados do Brasil (OAB), muitos por ter uma formação deficiente, e se empregam nos mais diversos ramos de atividade, em geral muito abaixo daquilo que estão, em tese, habilitados a desenvolver? Ou seja, a formação universitária, cada dia mais precária, não garante empregos àqueles que possuem diploma universitário, seja pela precária qualificação, seja porque não existe emprego para todos.

Encontram-se situações exemplares nos dois pólos da qualificação:

- Em muitas empresas de limpeza exige-se formação no Ensino Médio para a atividade de varrição de rua, o que demonstra que não há relação entre o que se faz e a escolarização solicitada, pois não é necessário ter nível médio para isso, mesmo que existam pessoas com até mais escolaridade que por necessidade o fazem.
- Jovens doutores (que concluíram ou estão fazendo o doutorado) são despedidos ou não são contratados por universidades particulares porque recebem salários maiores e as instituições não querem pagar mais. Nesse caso, não importa a melhoria da qualidade do ensino, e sim a lucratividade que as empresas educacionais podem obter.

A relação entre escolaridade e emprego, em charge de Rubens Kiomura e Carlos Pereira.

O trabalho informal. Há no Brasil muitos trabalhadores que desenvolvem suas atividades no chamado setor informal, o qual, em períodos de crise e recessão, cresce de modo assustador. Para ter uma idéia do que representa esse setor, vamos aos dados do IBGE. Em 2003, o instituto pesquisou 10,525 milhões de microempresas com até cinco empregados e constatou que 98% delas se enquadravam no conceito de informalidade. Dessas empresas, 7,6 milhões não tinham nenhum tipo de registro jurídico e empregavam aproximadamente 36 milhões de pessoas.

O setor informal inclui também indivíduos que desenvolvem, por conta própria, atividades como o comércio ambulante, a execução de reparos ou pequenos consertos, a prestação de serviços pessoais (de empregadas domésticas, babás) e de serviços de entrega (de entregadores, *motoboys*), a coleta de materiais recicláveis, etc. A lista é enorme. E há ainda aqueles trabalhadores, normalmente mulheres, que em casa mesmo preparam pães, bolos e salgadinhos em busca de uma renda mínima para sobreviver. Todos fazem a economia funcionar, mas as condições de trabalho a que se submetem normalmente são precárias e não dão a mínima segurança e permanência na atividade.

O desemprego

Depois das grandes transformações pelas quais o Brasil passou nos últimos trinta anos, a questão do desemprego continua sendo um dos grandes problemas nacionais. Na agricultura houve a expansão da mecanização em todas as fases — preparo da terra, plantio e colheita —, ocasionando a expulsão de milhares de pessoas, que tomaram o rumo das cidades. Na indústria, a crescente automação das linhas de produção também colocou milhares de pessoas na rua. Para se ter uma idéia do que aconteceu nesse setor, basta dizer que, na década de 1980, para produzir 1,5 milhão de veículos, as montadoras empregavam 140 mil operários. Hoje, para produzir 3 milhões de veículos, as montadoras empregam apenas 90 mil trabalhadores. Nos serviços, principalmente no setor financeiro, a automação também desempregou outros tantos. Enfim, se a chamada modernização dos setores produtivos e de serviços conseguiu aumentar a riqueza nacional, não provocou o aumento da quantidade de empregos — ao contrário, a modernização tem aumentado o desemprego.

Esse quadro só poderá ser mudado com mais desenvolvimento econômico, afirmam alguns; outros dizem que é impossível resolver o problema na sociedade capitalista, pois, por natureza, no estágio em que se encontra, ela gera o desemprego, e não há como reverter isso na presente estrutura social; há ainda os que consideram o desemprego uma questão de sorte, de relações pessoais, de ganância das empresas, etc.

Todas as explicações podem conter um fundo de verdade, desde que se saiba a perspectiva de quem fala. Entretanto, está faltando uma explicação, que deixará claro que o desemprego não é uma questão individual nem culpa do desempregado. Essa explicação está na política econômica desenvolvida no Brasil há mais de vinte anos. A inexistência de postos de trabalho, além das razões anteriormente apontadas, é o resultado de uma política monetária de juros altos e, também, de uma política fiscal que reduz os gastos públicos. Somente será possível resolver a questão do emprego e da renda no Brasil com a ampliação da presença do Estado nos mais diversos setores — educação, saúde, segurança, transporte, cultura, esporte, lazer —, o que envolverá a contratação de milhares de pessoas, além de investimentos maciços em estradas, habitação e obras públicas.

Se for mantida a política econômica atual, que não permite a expansão da economia e de empregos, a situação permanecerá a mesma, tendendo a piorar para aqueles que estão perdendo o emprego ou querendo entrar no mercado de trabalho, já que não existe no Brasil um sistema eficiente de proteção e assistência ao trabalhador, uma estrutura que lhe dê segurança. Parece que esse será o grande desafio para este século.

Apesar disso, continua a prevalecer aquele antigo discurso de que o trabalho dignifica as pessoas. Chega-se, assim, a um paradoxo: dizem que se deve trabalhar, mas, se não há mais emprego para todos, o que se pode fazer?

Cenários DO TRABALHO NO BRASIL

Salário mínimo e Produto Interno Bruto (PIB)

Quando se fala em trabalho no Brasil, o salário mínimo sempre é tomado como referência na análise do comportamento dos rendimentos dos trabalhadores. Relacionando a evolução do salário mínimo com a evolução do PIB, isto é, de toda a riqueza produzida no Brasil, observa-se claramente que houve um crescimento econômico fantástico nos últimos sessenta anos, mas que os benefícios desse crescimento não chegaram aos trabalhadores. Essa situação está representada no gráfico a seguir:

Evolução do salário mínimo real e do PIB *per capita* – 1940/2004

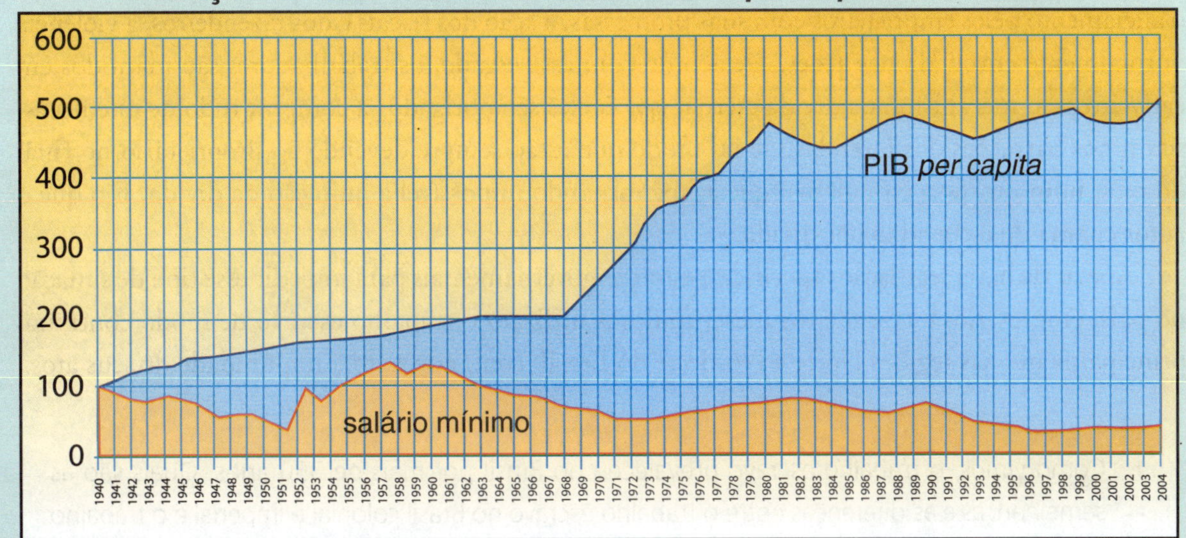

Fonte: DIEESE, IBGE.

Por que o Estado não aumenta o salário mínimo, garantindo à maior parte da população uma vida digna, já que se produz tanta riqueza? Para onde vai toda a riqueza gerada no país? Os textos que você leu neste livro podem explicar isso?

Trabalho infantil

A presença do trabalho infantil pode ser observada em vários lugares do mundo. No Brasil, é uma constante em muitas regiões, embora existam leis (como o Estatuto da Criança e do Adolescente — ECA) e programas governamentais para coibir essa prática.

Crianças e adolescentes trabalham na agricultura, em vários tipos de cultivo: lavouras de café, cana-de-açúcar, laranja, tomate, fumo, entre outras. Também trabalham em carvoarias, em pequenas fábricas, na produção de tijolos, em pedreiras, em casas, como empregadas domésticas, além de estar presentes nos lixões e nas esquinas das grandes cidades vendendo doces, balas e quinquilharias. Essa mão-de-obra é explorada até por grandes empresas multinacionais.

1. No século XIX, a primeira luta dos trabalhadores foi pela extinção do trabalho infantil. Procurava-se assegurar à criança os direitos de brincar, estudar e não ser explorada no trabalho. Por que a exploração do trabalho infantil persiste até os dias de hoje? Será que a pobreza extrema obriga a criança a trabalhar? Será que são os pais que a forçam a trabalhar, por aguda necessidade?

2. Você tem alguma sugestão para acabar com o trabalho infantil nas diferentes situações apontadas?

Escravidão por dívida no Brasil atual

Em muitas partes do Brasil pode-se encontrar, ainda, a exploração do trabalho escravo, nas formas as mais cruéis possíveis. Em seu livro *Pisando fora da própria sombra: a escravidão por dívida no Brasil contemporâneo*, o sociólogo Ricardo Rezende Figueira traça um detalhado panorama dessa forma de trabalho nos estados do Pará, Piauí, Mato Grosso e Rondônia. Por meio de uma pesquisa minuciosa, Figueira demonstra as razões que levam as pessoas a procurar trabalho naqueles estados, o aliciamento pelos empreiteiros com suas promessas, a ação dos fiscais e dos fazendeiros, a violência normalmente envolvida nas ações. De acordo com esse estudo, os trabalhadores são mantidos em cativeiro pelo mecanismo da dívida eterna, isto é, eles são obrigados a comprar tudo de que necessitam nos barracões das fazendas, de tal modo que estão sempre devendo ao proprietário no final do mês, num processo cumulativo que acaba tornando impossível a quitação da dívida. É o que o autor chama de escravidão por dívida.

Apesar de haver legislação específica e esforços governamentais para impedir esse tipo de situação no país, empresários e fazendeiros inescrupulosos utilizam o trabalho escravo de modo contínuo, principalmente nas regiões Norte e Nordeste do Brasil, contando com a impunidade de seus atos.

1. Como vimos, o trabalho escravo prevaleceu no Brasil por mais de 350 anos. Quais são as semelhanças e as diferenças entre o trabalho escravo no Brasil colonial e imperial e o trabalho escravo no Brasil de hoje?

2. Por que a exploração do trabalho escravo persiste, apesar de proibida por lei? Será que os empresários e fazendeiros que submetem os trabalhadores à escravidão por dívida ainda têm uma visão colonial do Brasil?

PARA REFLETIR

Morte de câimbra

BRASÍLIA — A indústria fabrica mais e mais carros "flex" (a álcool e a gasolina), os usineiros fazem a festa, os preços só sobem, os consumidores se assustam e o governo ameaça intervir. Você não acha que está faltando alguém nessa história?

Todos estão pensando no seu bolso e no seu interesse, mas ninguém se preocupa com a base dessa pirâmide: o cortador de cana — um dos trabalhadores mais explorados do país. É por isso que a CUT dá um grito e a socióloga Maria Aparecida de Moraes Silva, professora visitante da USP e titular da Unesp, quer saber o que, de toda essa pujança, de todos esses aumentos e de toda essa negociação em torno do "flex", vai sobrar para os cortadores de cana, cujas condições ela acompanha há mais de 30 anos, principalmente na região de Ribeirão Preto (SP).

Esse trabalhador fica a ver navios boa parte do ano e se esfalfa durante a safra (abril a novembro) por migalhas, recebendo de R$ 2,20 a R$ 2,40 por tonelada de cana cortada. E ainda paga o transporte, a pensão, a comida. E manda o que sobra (deve ser mágico) para casa. Sim, porque a maioria é migrante. Deixa a família e desce do norte de Minas e do Nordeste para ganhar a vida — ou a morte.

De meados de 2004 a novembro de 2005, morreram 13 cortadores na região, geralmente homens jovens (o mais velho tinha 55 anos). Há diferentes diagnósticos médicos, e os cortadores têm o seu próprio: "morte de câimbra". Sabe o que é? A partir dos anos 90, com as máquinas colheitadeiras, o sujeito tem como meta cortar 12 toneladas de cana por dia. Aí, vem a câimbra nos braços, nas pernas e, enfim, no corpo todo. Na verdade, ele morre de estafa. [...]

Espera-se que governo e produtores se entendam para um preço justo ao consumidor. E que, um dia, os trabalhadores também tenham direitos — a voz, a pressão e à própria vida.

CANTANHÊDE, Eliane. Morte de câimbra. *Folha de S.Paulo*, 6 jan. 2006. Opinião, p. A2.

1. De acordo com o texto, em troca de um salário ínfimo, os cortadores de cana são obrigados a trabalhar num tal ritmo que chegam a se expor à morte. O que torna possível esse nível de exploração da mão-de-obra? Procure explicações, da perspectiva tanto do trabalhador quanto do empregador.
2. Os textos que você leu anteriormente podem ajudar a explicar a situação descrita?
3. Lembrando-se do exemplo da produção do pão, dado no início desta unidade, descreva a rede de trabalho e de trabalhadores envolvidos na produção de algum objeto presente no seu cotidiano. Aponte, nessa rede, os trabalhadores que possivelmente desenvolvem suas atividades em condições subumanas, como os cortadores de cana.
4. Como o trabalho do cortador de cana está relacionado a seu cotidiano?

PARA ORGANIZAR O CONHECIMENTO

Trabalho, um bem comum

Se não queremos modificar a maneira como o trabalho hoje se reparte entre os indivíduos, é de facto porque o trabalho constitui o principal meio de distribuição dos rendimentos [...], da proteção e das posições sociais: rever a maneira como se partilha o trabalho leva a repensar também a repartição do conjunto dos bens sociais. Mas será legítimo que o trabalho continue a exercer a função de distribuição das riquezas enquanto se reduz de facto, enquanto nós desejamos a sua redução, e enquanto o progresso técnico não páre de reduzir seu volume? Será normal que a sua função continue a ser a mesma quando o processo de entrada e de saída do mercado de trabalho não é nem controlado nem regulado, mas resulta das opções de actores privados cujo imperativo não é de maneira nenhuma o emprego, mas a produção ou o seu próprio desenvolvimento? Será legítimo que uma sociedade rica deixe assim a repartição do conjunto dos bens sociais operar-se de uma maneira "natural", selvagem e aleatória? E sobretudo que se recuse a considerar o trabalho como um bem extremamente particular, cuja repartição e flutuação devem ser reguladas, uma vez que se trata de um bem que dá acesso a todos os demais? Uma sociedade preocupada com o seu bem comum e com a sua coesão social procederia, podemos estar certos, de outra maneira. Consideraria o trabalho, os rendimentos [...] e os benefícios até hoje ligados ao trabalho como outros tantos bens que devem ser repartidos entre os seus membros e cuja repartição é constitutiva do próprio bem comum. [...]

Vemos bem que o verdadeiro problema de nossas sociedades não é de maneira nenhuma a penúria do trabalho, mas o facto de nos faltar um "modo de partilha convincente". Esta efectua-se hoje [...] "naturalmente", através da exclusão do mercado de trabalho das pessoas mais idosas ou mais frágeis, da existência de moratórias cada vez mais prolongadas antes da entrada dos jovens no mercado de trabalho e da forte seletividade deste último: a nossa partilha opera-se através de um despejo na categoria do desemprego. [...]

Garantir um igual acesso ao trabalho não é contraditório, muito pelo contrário, com o reequilíbrio das nossas actividades entre esferas diferentes, nem com uma redução do tempo de trabalho. [...] É precisamente por ser o trabalho que continua, hoje, a dar acesso aos outros bens sociais, incluindo a liberdade real, que deve ser repartido...

Méda, Dominique. *O trabalho: um valor em vias de extinção*. Lisboa: Fim de século, 1999. p. 318-320.

1. Se o trabalho é uma das coisas mais importantes em nossa sociedade, como você responderia as questões que a própria autora formula?

2. Sendo o trabalho considerado fundamental para a vida em sociedade, por que há tanta falta de empenho de nossos governantes no sentido de desenvolver uma política de trabalho que seja de inclusão e não de exclusão de grandes parcelas da população?

LIVROS RECOMENDADOS

Indústria e trabalho no Brasil, de William Jorge Gerab e Waldemar Rossi. Atual.
De modo didático, os autores analisam a passagem do Brasil rural para o Brasil industrial e as conseqüências dessa mudança.

O que é trabalho, de Suzana Albornoz. Brasiliense.
Nesse livro da coleção "Primeiros passos", a autora desenvolve uma análise crítica dos diversos modos de conceber e organizar o trabalho ao longo da história. Além disso, discute a possibilidade de construir uma sociedade em que o trabalho possa ser visto e vivido com prazer, e não com submissão.

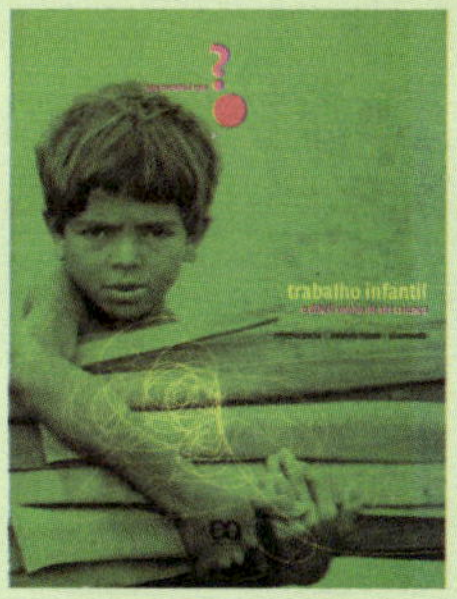

Trabalho infantil. O difícil sonho de ser criança, de Cristina Porto e outros. Ática. Repleto de fotografias e de depoimentos, esse livro apresenta o universo do trabalho infantil de forma clara e objetiva.

SUGESTÃO DE FILMES

Eles não usam *black-tie* (Brasil, 1981). Direção: Leon Hirszman. Elenco: Gianfrancesco Guarnieri, Paulo José, Fernanda Montenegro, Milton Gonçalves.

Em São Paulo, em 1980, o jovem operário Tião e sua namorada Maria decidem casar-se ao saber que a moça está grávida. Ao mesmo tempo, eclode um movimento grevista que divide a categoria metalúrgica. Preocupado com o casamento e temendo perder o emprego, Tião fura a greve, entrando em conflito com o pai, um velho militante sindical.

Syriana (EUA, 2005). Direção: Stephen Gagham. Elenco: Kayvan Novak, George Clooney, Amr Waked, Christopher Plummer, Jeffrey Wright, Chris Cooper.
O pano de fundo desse filme é a indústria do petróleo e o desenvolvimento dos negócios nesse setor tão importante na economia mundial e que tem o poder de desencadear guerras. Na trama, diferentes indivíduos aparentemente desvinculados uns dos outros se encontram no mesmo processo: um funcionário da CIA, um negociante de petróleo e um advogado corporativo. Nenhum deles tem consciência do impacto e da repercussão de suas decisões.

Tempos modernos (EUA, 1936). Direção: Charles Chaplin. Elenco: Charles Chaplin, Paulette Goddard, Henry Bergman, Tiny Sandford, Hank Mann, Stanley Blystone.

Tempos modernos é um clássico da comédia satírica. Um trabalhador sofre dentro de uma fábrica estruturada no modelo do fordismo-taylorismo, no qual o cronômetro e a linha de montagem são elementos visíveis. Demitido da fábrica, o protagonista encontra desventuras como guarda-noturno, como garçom-cantor de músicas sem sentido e como presidiário. O filme denuncia assim as dificuldades enfrentadas pelo trabalhador na década de 1930 nos Estados Unidos e, mais do que isso, na sociedade capitalista.

Unidade 3

A estrutura social e as desigualdades

Podemos observar os sinais das desigualdades sociais em todos os lugares, todos os dias. Basta sair às ruas para notar as diferenças entre as condições de vida das pessoas e verificar que um pequeno número delas desfruta de muitos privilégios. Essas diferenças aparecem, de imediato, em elementos materiais, como a moradia, as roupas, os meios de locomoção. Mas elas também se manifestam no acesso à educação e aos bens culturais, os chamados bens simbólicos.

Normalmente, as desigualdades se evidenciam no dia-a-dia pelos contrastes entre a riqueza e a pobreza, que podemos constatar com nossos próprios olhos ou mediante as estatísticas e os meios de comunicação.

Por que existem as desigualdades sociais? Quais são as formas de desigualdade existentes? Como elas se constituíram e como são explicadas? Nesta unidade, vamos refletir sobre essas questões, focalizando as diversas formas de desigualdade que se configuraram em diferentes tempos e lugares, inclusive no Brasil.

Estrutura e estratificação social

Capítulo 7

O que é uma estrutura social? Diríamos que uma estrutura social é o que define determinada sociedade. Ela se constitui da relação entre os vários fatores — econômicos, políticos, históricos, sociais, religiosos, culturais — que dão uma feição para cada sociedade.

Uma das características da estrutura de uma sociedade é sua estratificação, ou seja, a maneira como os diferentes indivíduos e grupos são classificados em estratos (camadas) sociais e o modo como ocorre a mobilidade de um nível para outro.

A questão da estratificação social foi analisada pelo sociólogo brasileiro Octávio Ianni, em diferentes sociedades, com base, fundamentalmente, na forma como os indivíduos organizam a produção econômica e o poder político. Para estudar a estratificação em cada sociedade é necessário, segundo Ianni, que se verifique "como se organizam as estruturas de apropriação (econômica) e dominação (política)". Entretanto, essas estruturas são atravessadas por outros elementos — como a religião, a etnia, o sexo, a tradição e a cultura —, que, de uma forma ou de outra, influem no processo de divisão social do trabalho e no processo de hierarquização.

A estratificação social e as desigualdades decorrentes são produzidas historicamente, ou seja, são geradas por situações diversas e se expressam na organização das sociedades em sistemas de castas, de estamentos ou de classes. Cada caso precisa ser analisado como uma configuração histórica particular.

Neste capítulo, vamos examinar os sistemas de castas e de estamentos; no próximo, trataremos do sistema de classes, característico da sociedade capitalista.

As sociedades organizadas em castas

O sistema de *castas* é uma configuração social de que se tem registro em diferentes tempos e lugares. No mundo antigo, há vários exemplos da organização em castas (na Grécia e na China, entre outros lugares). Mas é na Índia que está a expressão mais acabada desse sistema.

A sociedade indiana começou a se organizar em castas e subcastas há mais de 3 mil anos, adotando uma hierarquização baseada em religião, etnia, cor, hereditariedade e ocupação. Esses elementos definem a organização do poder político e a distribuição da riqueza gerada pela sociedade. Apesar de na Índia haver hoje uma estrutura de classes, o sistema de castas permanece mesclado a ela, o que representa uma dificuldade a mais para entender a questão. O sistema sobrevive por força da tradição, pois legalmente foi abolido em 1950.

Pode-se afirmar, em termos genéricos, que existem quatro grandes castas na Índia: a dos *brâmanes* (casta sacerdotal, superior a todas as outras), a dos *xátrias* (casta intermediária, formada normalmente pelos guerreiros, que se encarregam do governo e da administração pública), a dos *vaixás* (casta dos comerciantes, artesãos e camponeses, que se situam abaixo dos xátrias) e a dos *sudras* (a casta dos inferiores, na qual se situam aqueles que fazem trabalhos manuais considerados servis). Os *párias* são os que não pertencem a nenhuma casta, e vivem, portanto, fora das regras existentes. Entretanto, há ainda um sistema de castas regionais que se subdividem em outras tantas subcastas.

À esquerda, preparação da pira para a cremação de um morto nas margens do rio Ganges, Índia. O assistente de cremação, encarregado de colocar o morto sobre a pira e cobri-lo com a madeira necessária, herdou essa função de seus antepassados e a passará para os filhos. À direita, exemplo de especialização hereditária em outra sociedade: em Fez, cidade do centro-norte do Marrocos, o tingimento do couro também é função que se transmite de uma geração a outra.

O sistema de castas caracteriza-se por relações muito estanques, isto é, quem nasce numa casta não tem como sair dela e passar para outra. Não há, portanto, mobilidade social nesse sistema. Os elementos mais visíveis da imobilidade social são a hereditariedade, a endogamia (casamentos só entre membros da mesma casta), as regras relacionadas à alimentação (as pessoas só podem se alimentar com os membros da própria casta e com alimentos preparados por elas mesmas) e a proibição do contato físico entre membros das castas inferiores e superiores. Repulsão, hierarquia e especialização hereditária: estas são as palavras-chave para definir o sistema de castas, de acordo com o sociólogo francês Céléstin Bouglé (1870-1939), discípulo de Durkheim.

Mas nenhum sistema é totalmente rígido, nem o de castas. Embora seja proibido, as castas inferiores adotam costumes, ritos e crenças dos brâmanes, e isso cria uma certa homogeneidade de costumes entre castas. A rigidez das regras também é relativizada por casamentos entre membros de castas diferentes (menos com os brâmanes), o que não é comum, mas acontece.

A urbanização e a industrialização crescentes e a introdução dos padrões comportamentais do Ocidente têm levado elementos de diferentes castas a se relacionarem. Isso vai contra a persistência dos padrões mais tradicionais, pois, no sistema capitalista, no qual a Índia está fortemente inserida, a estruturação societária anterior só se mantém se é fundamental para a sobrevivência do próprio sistema. No caso específico da Índia, o sistema de castas está sendo gradativamente desintegrado, o que não significa, entretanto, que as normas e os costumes relacionados com a diferenciação em castas tenham desaparecido do cotidiano das pessoas. Confirma isso a existência de programas de cotas de inclusão para as castas consideradas inferiores nas universidades públicas.

nas palavras
DE BOUGLÉ

Castas

[...] a palavra *casta* parece despertar, de início, a idéia de especialização hereditária. Ninguém, a não ser o filho, pode continuar a profissão do pai; e o filho não pode escolher outra profissão a não ser a do pai. [...] [É] um dever de nascimento. [...]
A palavra casta não faz pensar apenas nos trabalhos hereditariamente divididos, e sim também nos direitos desigualmente repartidos. Quem diz casta não diz apenas monopólio, diz também privilégio. [...] O "estatuto" pessoal de uns e de outros é determinado, por toda a vida, pela categoria do grupo ao qual pertencem. [...]
Quando declaramos que o espírito de casta reina em dada sociedade, queremos dizer que os vários grupos dos quais essa sociedade é composta se repelem, em vez de atrair-se, que cada um desses grupos se dobra sobre si mesmo, se isola, faz quanto pode para impedir seus membros de contrair aliança ou, até, de entrar em relação com os membros dos grupos vizinhos. [...]
Repulsão, hierarquia, especialização hereditária, o espírito de casta reúne essas três tendências. Cumpre retê-las a todas se se quiser chegar a uma definição completa do regime de castas.

BOUGLÉ, C. O sistema de castas. In: Ianni, Octávio (org.). *Teorias da estratificação social*. São Paulo: Nacional, 1973. p. 90 e 91.

As sociedades organizadas por estamentos

O sistema de *estamentos* ou *estados* constitui outra forma de estratificação social. A sociedade feudal organizou-se dessa maneira. Na França, por exemplo, no final do século XVIII, às vésperas da revolução havia três estados: a nobreza, o clero e o chamado terceiro estado, que incluía todos os outros membros da sociedade — comerciantes, industriais, trabalhadores urbanos, camponeses, etc.

Representação dos três estamentos ou estados na França: o camponês carrega nas costas o clérigo e o nobre. Ilustração de 1789, ano inicial da revolução que derrubou o Antigo Regime.

Nas palavras de Octávio Ianni, "a sociedade estamental [...] não se revela e explica apenas no nível das estruturas de poder e apropriação. Para compreender os estamentos (em si e em suas relações recíprocas e hierárquicas), é indispensável compreender o modo pelo qual categorias tais como tradição, linhagem, vassalagem, honra e cavalheirismo parecem predominar no pensamento e na ação das pessoas".

Assim, o que identifica um estamento é o que também o diferencia, ou seja, um conjunto de direitos e deveres, privilégios e obrigações que são aceitos como naturais e são publicamente reconhecidos, mantidos e sustentados pelas autoridades oficiais e também pelos tribunais.

Numa sociedade que se estrutura por estamentos, a condição dos indivíduos e dos grupos em relação ao poder e à participação na riqueza produzida pela sociedade não é somente uma questão de fato, mas também de direito. Na sociedade feudal, por exemplo, os indivíduos eram diferenciados desde que nasciam, ou seja, os nobres tinham privilégios e obrigações que em nada se assemelhavam aos direitos e deveres dos camponeses e dos servos, porque a desigualdade, além de existir de fato, transformava-se em direito. Existia assim um direito desigual para desiguais.

A possibilidade de mobilidade de um estamento para outro existia, mas era muito controlada — alguns chegavam a conseguir títulos de nobreza, o que, no entanto, não significava obter o bem maior, que era a terra. A propriedade da terra definia o prestígio, a liberdade e o poder dos indivíduos. Os que não a possuíam eram dependentes, econômica e politicamente, além de socialmente inferiores.

O que explica, entretanto, a relação entre os estamentos é a reciprocidade. No caso das sociedades do período feudal, existia uma série de obrigações dos servos para com os senhores (trabalho) e destes para com aqueles (proteção), ainda que camponeses e servos estivessem sempre em situação de inferioridade.

O trabalho no feudo, em iluminura do século XV. O servo produz e o senhor cuida da defesa. Há obrigações recíprocas, mas as condições de vida são desiguais de fato e de direito.

Entre os proprietários de terras, havia uma relação de outro tipo: um senhor feudal (suserano) exigia serviços militares e outros serviços dos senhores a ele subordinados (vassalos). Formava-se, então, uma rede de obrigações recíprocas, como também de fidelidade, observando-se uma hierarquia em cujo topo estavam os que dispunham de mais terras e mais homens armados. Mas o que prevalecia era a desigualdade como um fato natural.

Um exemplo dado pelo sociólogo brasileiro José de Souza Martins ilustra bem isso. Ele declara, em seu livro *A sociedade vista do abismo: novos estudos sobre exclusão, pobreza e classes sociais*, que durante uma pesquisa no Mosteiro de São Bento, na cidade de São Paulo, encontrou um livro da segunda metade do século XVIII, no qual havia dois registros de doações (esmolas): uma feita para um nobre pobre (os nobres podiam tornar-se pobres, mas não perdiam a condição de nobres), que recebeu 320 réis; outra, para um pobre que não era nobre, que recebeu 20 réis. Comenta o sociólogo que "um nobre pobre, na consciência social da época e na realidade das relações sociais, valia dezesseis vezes um pobre que não era nobre [...] porque as necessidades de um nobre pobre eram completamente diferentes das necessidades sociais de um pobre apenas pobre".

Atualmente, se alguém decide dar esmola a uma pessoa que está em situação precária, jamais leva em consideração as diferenças sociais de origem do pedinte, pois parte do pressuposto de que elas são puramente econômicas. José de Souza Martins conclui que basicamente é isso o que distingue estamento de classe social.

Hoje, muitas vezes utilizamos o termo *estamento* para designar determinada categoria ou atividade profissional que tem regras muito precisas para que se ingresse nela ou para que o indivíduo se desenvolva nela, com um rígido código de honra e de obediência — por exemplo, a categoria dos militares ou a dos médicos. Assim, usar as expressões "estamento militar" ou "estamento médico" significa afirmar as características que definiam as relações na sociedade estamental.

Sobre os estamentos na sociedade medieval

Os documentos a seguir são excertos de textos escritos no período medieval. O primeiro foi extraído das Partidas, uma coletânea de leis, um corpo normativo redigido em Castela durante o reinado de Alfonso X (1252-1284), abarcando todo o saber jurídico da época na área do Direito Constitucional, Civil, Mercantil, Penal e Processual. O segundo é da autoria de Adalberon (?-1031), bispo de Laon, que era encarregado de organizar a legislação da Igreja na França.

Dos Cavaleiros e das coisas que lhes convêm fazer

Os *defensores* são um dos três estados porque Deus quis que se mantivesse o mundo: e assim como aqueles que rogam a Deus pelo povo são chamados *oradores* e os que lavram a terra e fazem aquelas coisas que permitem aos homens viver e manter-se são chamados *lavradores*, outrossim, os que têm de defender a todos são chamados *defensores*. Portanto, os antigos fizeram por bem que os homens que fazem tal obra fossem muito escolhidos porque para defender são necessárias três coisas: esforço, honra e poderio.

Partidas P. II, t. XXI.

A sociedade estamental

A ordem eclesiástica não compõe senão um só corpo. Em troca, a sociedade está dividida em três ordens. Além da já citada, a lei reconhece outras duas condições: a do nobre e a do servo que não são regidas pela mesma lei. Os nobres são os guerreiros, os protetores das igrejas, defendem a todo o povo, aos grandes da mesma forma que aos pequenos e ao mesmo tempo se protegem a eles mesmos. A outra classe é a dos servos, esta raça de desgraçados não possui nada sem sofrimento, fornecem provisões e roupas a todos pois os homens livres não podem valer-se sem eles. Assim, pois, a cidade de Deus que é tomada como una, na realidade é tripla. Alguns rezam, outros lutam e outros trabalham. As três ordens vivem juntas e não podem ser separadas. Os serviços de cada uma dessas ordens permitem os trabalhos das outras e cada uma por sua vez presta apoio às demais. Enquanto esta lei esteve em vigor, o mundo ficou em paz, mas, agora, as leis se debilitam e toda a paz desaparece. Mudam os costumes dos homens e muda também a divisão da sociedade.

Adalberon — Carmen ad Rotbertum regem francoram, P.L.CXLI.

ARTOLA, Miguel. *Textos fundamentales para la Historia*. Madrid: Revista de Occidente, 1975. p. 70-1. Apud PINSKY, Jayme (org.). *Modo de produção feudal*. 2. ed. São Paulo: Global, 1982. p. 71.

Pobreza: condição de nascença, desgraça, destino...

A pobreza é a expressão mais visível das desigualdades em nosso cotidiano. Ao longo da história, ela recebeu diferentes explicações, muitas das quais ainda permeiam nosso entendimento das desigualdades.

No período medieval, o pobre era uma personagem complementar ao rico. Não eram critérios econômicos ou sociais que definiam a pobreza, mas a *condição de nascença*, como afirmava a Igreja Católica, que predominava na Europa ocidental. Havia até uma visão positiva da pobreza, pois esta despertava a caridade e a compaixão. E não se tratava de uma situação fixa, pois, como havia uma moral positiva, podiam ocorrer situações compensatórias em que os ricos eram considerados "pobres em virtude" e os pobres, "ricos em espiritualidade". De acordo com essa visão cristã de mundo, os ricos tinham a obrigação moral de ajudar os pobres.

Outra explicação paralela, corrente no mesmo período, atribuía a pobreza a uma *desgraça* decorrente das guerras ou de *adversidades* como doenças ou deformidades físicas.

Isso tudo mudou a partir do século XVI, quando se iniciou uma nova ordem, na qual o indivíduo se tornou o centro das atenções. O pobre passava a encarnar uma ambigüidade: representava a pobreza de Cristo e, ao mesmo tempo, era um perigo para a sociedade. Sendo uma ameaça social, a solução era disciplina e enquadramento. O Estado "herdou" a função de cuidar dos pobres, antes atribuída aos ricos.

Com o crescimento da produção e do comércio, principalmente na Inglaterra, houve necessidade crescente de mão-de-obra, e a pobreza e a miséria passaram a ser interpretadas como resultado da *preguiça* e da *indolência* dos indivíduos que não queriam trabalhar, uma vez que havia muitas oportunidades de emprego. Essa justificativa tinha por finalidade fazer com que as grandes massas se submetessem às condições do trabalho industrial emergente.

No final do século XVIII, com o fortalecimento do liberalismo, outra justificativa foi formulada: as pessoas eram responsáveis pelo próprio *destino* e ninguém era obrigado a dar trabalho ou assistência aos mais pobres. Muito ao contrário, dizia-se que era necessário manter o medo à fome para que os trabalhadores realizassem bem suas tarefas.

Com base nas teorias do economista e demógrafo britânico Thomas Malthus (1776-1834), segundo as quais a população crescia mais que os meios de subsistência, afirmava-se que toda assistência social aos pobres era repudiável, uma vez que os estimularia a ter mais filhos, aumentando assim sua miséria. Posteriormente, apareceram recomendações e orientações de abstinência sexual e casamento tardio para os pobres, pois desse modo teriam menos filhos.

Em meados do século XIX, difundiu-se a idéia de que os trabalhadores eram perigosos por duas razões: eles não só poderiam transmitir doenças porque viviam em condições precárias de saneamento e de saúde, como também poderiam se rebelar, fazer movimentos sociais e revoluções, questionando os privilégios das outras classes, que possuíam riqueza e poder.

Cenários DAS DESIGUALDADES

As castas no Japão

A desigualdade com base nas castas não é uma coisa do passado no Japão, apesar de toda a modernização e da presença de alta tecnologia. Oficializadas durante o período Edo (1600-1868), as castas foram abolidas em 1871. A casta de maior importância era a dos samurais, seguida, em ordem decrescente, pela dos agricultores, pela dos artesãos e pela dos comerciantes. Havia ainda os párias (os desclassificados) — entre eles, os *hinins*, aqueles que eram considerados "não-gente", como mendigos, coveiros, mulheres adúlteras e suicidas fracassados, e os *burakumins*, pessoas encarregadas de matar, limpar e preparar os animais para o consumo.

A classificação social dos *burakumins* tinha motivos religiosos. Um desses motivos provém do xintoísmo, que relaciona morte a sujeira, e o outro provém do budismo, que considera indigna a matança de animais. Na soma das duas crenças, quem tivesse o ofício de trabalhar com couro ou carne de animais mortos deveria ser isolado e condenado a uma situação subalterna.

Acima, matadouro no Japão, em fotografia de 1993. Discriminados por exercerem funções ligadas à morte de animais e ao consumo de carne, muitos *burakumins* uniram-se à Yakuza, a máfia japonesa, formada entre os séculos XVII e XVIII por membros das castas malvistas pela sociedade tradicional. Ao lado, membros da Yakuza em sessão de tatuagem em Tóquio, em 1946.

Os descendentes dos *burakumins*, cerca de 3 milhões de pessoas, ainda vivem segregados e dificilmente conseguem empregos que não sejam de lixeiros, limpadores de esgotos ou de ruas. Quando revelam sua ascendência, a vida deles é sempre investigada, seja no ato de pedir emprego, seja nas tentativas de se casar.

O governo japonês criou programas voltados para combater essa discriminação; entretanto, isso não se resolve por decreto, pois as questões culturais são mais fortes que os decretos governamentais. Há também, desde 1922, associações de *burakumins*, que procuram lutar contra a segregação, que, de maneira generalizada, está tanto no interior das pequenas vilas quanto nas grandes empresas.

Reestamentalização da sociedade?

Uma indicação de consciência estamental a que me refiro está nos crimes de adolescentes. [...] A gangue de adolescentes que numa madrugada de abril de 1997 queimou vivo um índio pataxó hã-hã-hãe que dormia num banco de um ponto de ônibus, em Brasília, agiu orientada por motivações estamentais. Isso ficou claro quando alegaram ter cometido o crime (bestial, aliás) porque *pensaram que se tratava de um mendigo*. Isto é, para eles há duas humanidades qualitativamente distintas, uma mais humana (a deles) e outra menos humana (a do mendigo).

Eles invocam, portanto, distinções baseadas na idéia de que as diferenças sociais não são apenas diferenças de riqueza, mas diferenças de qualidade social das pessoas, como era próprio da sociedade estamental.

MARTINS, José de Souza. *A sociedade vista do abismo: novos estudos sobre exclusão, pobreza e classes sociais*. Petrópolis: Vozes, 2002. p. 132.

1. Os dois textos apontam a permanência de aspectos relacionados aos sistemas de castas e de estamentos na sociedade contemporânea. Você poderia citar outras situações nas quais se observa alguma característica dessas formas de desigualdade no mundo atual?

2. Com base na análise do que constitui uma casta e um estamento, como você explica a permanência desses tipos de desigualdade?

Capítulo 8

A sociedade capitalista e as classes sociais

O termo *classe* costuma ser empregado de muitas maneiras. Diz-se, por exemplo, "alguém tem classe", "classe política", "classe dos professores", etc. Essas são formas que o senso comum utiliza para caracterizar determinado tipo de comportamento ou para definir certos grupos sociais ou profissionais.

Sociologicamente, utiliza-se o termo *classe* na explicação da estrutura da sociedade capitalista com base na classificação ou hierarquização dos grupos sociais. Assim, quando se consideram as profissões, deve-se falar em *categoria profissional* dos professores, advogados, etc.

A sociedade capitalista é dividida em classes e, como tal, tem uma configuração histórico-estrutural particular. Nela está muito evidente que as relações e estruturas de apropriação (econômica) e dominação (política) definem a estratificação social. Os outros fatores de distinção e diferenciação, como a religião, a honra, a ocupação e a hereditariedade, apesar de existirem, não possuem a força que têm nos sistemas de castas e de estamentos. A produção e o mercado se tornaram os elementos mais precisos de classificação e mobilidade sociais. Assim, as *classes sociais* expressam, no sentido mais preciso, a forma como as desigualdades se estruturam na sociedade capitalista.

Hierarquização e mobilidade

Pode-se afirmar que existem duas grandes maneiras, com suas variações, de pensar a questão das classes: considerando a posição dos indivíduos e grupos no *processo de produção* ou considerando a *capacidade de consumo* como fator de classificação. No primeiro caso, pode-se ter uma hierarquização dos grupos como a seguinte: classes dos proprietários de terras, burguesa (industrial, financeira), pequeno-burguesa ou média, trabalhadora ou operária. No segundo, tem-se: classe alta, média e baixa ou, então, variações como A, B, C, D e E.

Revista A — Estilo, elegância e objetos exclusivos. O título e a chamada de capa não deixam dúvidas quanto ao público-alvo da revista — a classe A, o topo de uma hierarquia que leva em conta a capacidade de consumo e não a posição do indivíduo no processo de produção.

Observa-se, assim, que a análise da estratificação de uma sociedade depende dos interesses do investigador e do critério utilizado na classificação dos grupos sociais. Entretanto, fica evidente que as sociedades modernas caracterizam-se, em grau variável, pelas desigualdades:

- na apropriação da riqueza gerada pela sociedade, expressa normalmente pela propriedade e pela renda, mas que aparece também no consumo de bens;
- na participação nas decisões políticas, manifestando-se pelo maior ou menor poder que indivíduos e grupos têm de decidir, ou forçar decisões a seu favor, e de deter o poder econômico na sociedade;
- na apropriação dos bens simbólicos, que se expressa no acesso à educação e aos bens culturais, como museus, teatro, livros, etc.

As questões que envolvem propriedade, renda, consumo, educação formal, poder e conhecimento, vinculadas ou não, definem a forma como as diferentes classes participam da sociedade. Observadas diretamente ou pelos meios de comunicação, as desigualdades nas sociedades modernas, sejam estas desenvolvidas ou não, são incontestáveis, expressando-se na pobreza e na miséria.

A mobilidade social nas sociedades capitalistas é maior do que nas divididas em castas ou estamentos, mas não é tão ampla quanto pode parecer. As barreiras para a ascensão social não estão escritas nem são declaradas abertamente, mas estão dissimuladas nas formas de convivência social.

Quando os trabalhadores começaram a se organizar e lutar por melhores condições de trabalho e de vida, abandonou-se o discurso de que os pobres deveriam ser deixados à própria sorte e procurou-se difundir a idéia de que todo indivíduo competente pode vencer na vida. A concepção de que o medo da fome incentiva ao trabalho foi substituída pelo otimismo da promoção do indivíduo pelo trabalho. Esforçando-se, os trabalhadores qualificados teriam a possibilidade de se converter em capitalistas. A célebre frase, publicada em 1888 na revista estadunidense *The Nation*, de orientação liberal, exemplifica bem esse pensamento: "Os capitalistas de hoje foram os trabalhadores de ontem e os trabalhadores de hoje serão os capitalistas de amanhã".

O que diferencia, então, a sociedade capitalista das outras? No que se refere à exploração, somente a forma como ela se efetiva. Mas as explicações dadas para as desigualdades mudam radicalmente. Como já vimos, nas sociedades divididas em castas ou estamentos, por exemplo, os indivíduos nascem desiguais e assim vivem. Na sociedade capitalista, a desigualdade é constitutiva, mas há um discurso de acordo com o qual todos têm as mesmas oportunidades e, mais ainda, pelo trabalho podem prosperar e enriquecer. Entretanto, a desigualdade não existe só no nascimento, mas é reproduzida incessantemente, todos os dias, expressando-se até mesmo na morte, particularmente em como se morre.

À direita, jovem sul-africana em estado de saúde crítico por falta de acesso a medicação anti-HIV. Para evitar esse tipo de situação, governos de vários países, organismos internacionais e organizações não governamentais, contrapondo-se aos interesses da indústria farmacêutica mundial, têm se empenhado em favor do licenciamento compulsório para a produção de medicamentos genéricos de baixo custo. À esquerda, preparação de medicação anti-HIV em laboratório farmacêutico do governo da Tailândia — um exemplo desse empenho.

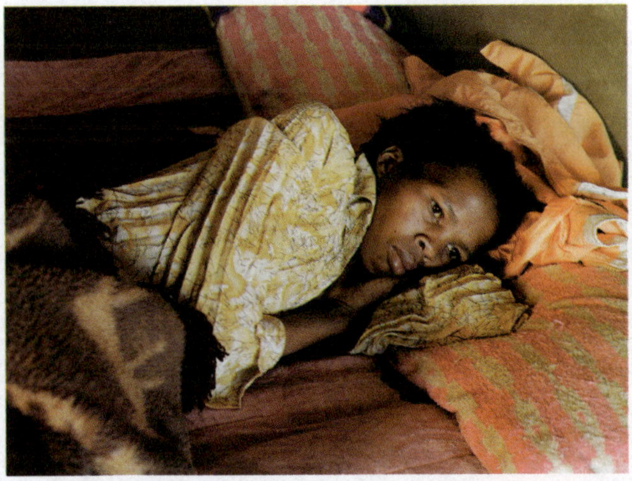

Muito se escreveu sobre a estratificação e as desigualdades sociais na sociedade capitalista. Vamos analisar a seguir as idéias de alguns autores que representam concepções diversas para explicar esse fenômeno social fundamental em nossa sociedade.

A desigualdade é constitutiva da sociedade capitalista

Como já vimos, Karl Marx colocou a questão das classes no centro de sua análise da sociedade dos indivíduos. Afirmou que as sociedades capitalistas são regidas por relações em que o capital e o trabalho assalariado são dominantes e a propriedade privada é o fundamento e o bem maior a ser preservado. Nesse contexto, pode-se afirmar que existem duas classes fundamentais: a burguesia, que personifica o capital, e o proletariado, que vive do trabalho assalariado. Elas são contraditórias, mas também complementares, pois uma não pode existir sem que a outra exista. Convivem sob um conflito de interesses e de visão do mundo.

Mas afirmar que nas sociedades capitalistas essas duas classes são as fundamentais não quer dizer que se pode reduzir toda a diversidade das sociedades a uma polaridade. O processo histórico de constituição das classes e a forma como elas se estruturaram determinaram o aparecimento de uma série de frações, bem como de classes médias ou intermediárias, que ora apóiam a burguesia, ora se juntam com o proletariado, podendo ainda, em certos momentos, desenvolver lutas particulares. Portanto, não se pode estabelecer a posição dos grupos na sociedade em que estão inseridos apenas com base em seu lugar na produção, mesmo que este seja ainda o fator principal.

Para identificar as classes numa sociedade capitalista é necessário fazer uma análise de como se constituíram historicamente e de como se enfrentaram politicamente, principalmente nos momentos mais decisivos. É nesse processo que aparecem e se desvendam as características e os interesses de classe, tanto das fundamentais como das intermediárias (formadas por pequenos proprietários, pequenos comerciantes, profissionais liberais, gerentes, supervisores, enfim, toda uma parcela da população que se encontra entre os grandes proprietários e os operários).

Portanto, para Marx, não há uma classificação *a priori* das classes em dada sociedade. É necessário analisar *historicamente* cada sociedade e perceber como as classes se constituíram no processo de produção da vida social — material e espiritual. Assim, a questão das desigualdades entre as classes não é algo teórico, criação de alguns autores, mas algo real, que se expressa no cotidiano.

Para Marx, a estrutura de classes na sociedade capitalista é o próprio movimento interno dessa estrutura, sendo o antagonismo entre a burguesia e o proletariado a base da transformação social. Essa questão, a luta de classes, é fundamental no pensamento marxista, pois nela está a chave para se compreender a vida social contemporânea e transformá-la. E por luta de classes entende-se não somente o confronto armado, mas também todos os procedimentos institucionais, políticos, policiais, legais e ilegais de que a classe dominante se utiliza para manter o *status quo*.

Essa luta se desenvolve no modo de organizar o processo de trabalho e de distribuir diferentemente a riqueza gerada pela sociedade, nas ações dos trabalhadores do campo e da cidade orientadas para diminuir a exploração e a dominação, e na formação de movimentos políticos para mudar a sociedade, no que ela tem de mais injusto e degradante.

nas palavras
DE MARX

Definindo as classes sociais

No que me diz respeito, nenhum crédito me cabe pela descoberta da existência de classes na sociedade moderna ou da luta entre elas. Muito antes de mim, historiadores burgueses haviam descrito o desenvolvimento histórico da luta de classes, e economistas burgueses, a anatomia econômica das classes. O que fiz de novo foi provar: 1. que a *existência de classes* somente tem lugar em *determinadas fases históricas do desenvolvimento da produção*; 2. que a luta de classes necessariamente conduz à *ditadura do proletariado*; 3. que esta mesma ditadura não constitui senão a transição no sentido da *abolição de todas as classes* e da *sociedade sem classes*.

MARX, Karl. Correspondência a J. Weydemeyer em 5 de março de 1872. In: IANNI, Octávio (org.). *Marx: Sociologia.* São Paulo: Ática, 1979. p. 14.

De todas as classes que hoje em dia se opõem à burguesia, só o proletariado é uma classe verdadeiramente revolucionária. As outras classes degeneram e perecem com o desenvolvimento da grande indústria; o proletariado, pelo contrário, é seu produto mais autêntico.

As camadas médias — pequenos comerciantes, pequenos fabricantes, artesãos, camponeses — combatem a burguesia porque esta compromete sua existência como camadas médias. Não são, pois, revolucionárias, mas conservadoras; mais ainda, são reacionárias, pois pretendem fazer girar para trás a roda da História. Quando se tornam revolucionárias, isso se dá em conseqüência de sua iminente passagem para o proletariado; não defendem então seus interesses atuais, mas seus interesses futuros; abandonam seu próprio ponto de vista para se colocar no do proletariado.

O lúmpen-proletariado, putrefação passiva das camadas mais baixas da velha sociedade, pode, às vezes, ser arrastado ao movimento por uma revolução proletária; todavia, suas condições de vida o predispõem mais a vender-se à reação.

MARX, Karl, ENGELS, Friedrich. *O manifesto comunista.* São Paulo: Boitempo, 1998. p. 49.

Desigualdades de riqueza, prestígio e poder

Max Weber, ao analisar a estratificação social em uma sociedade, parte da distinção entre as seguintes dimensões:

- econômica — quantidade de riqueza (posses e renda) que as pessoas possuem;
- social — *status* ou prestígio que as pessoas ou grupos têm, seja na profissão, seja no estilo de vida;
- política — quantidade de poder que as pessoas ou grupos detêm nas relações de dominação em uma sociedade.

Partindo dessas três dimensões, ele afirma que muitas pessoas podem ter renda e posses, mas não prestígio, nem *status*, nem posição de dominação. Um indivíduo que recebe uma fortuna inesperada, por exemplo, não conquistará, necessariamente, prestígio ou poder.

Casa lotérica em Aparecida de Goiânia, Goiás, de onde saiu o jogo premiado de 12 de janeiro de 2007. O vencedor da Mega Sena ganhou riqueza. Ganhará com isso prestígio e poder?

Outras podem ter poder e não ter riqueza correspondente à dominação que exercem. Exemplos disso são pessoas ou grupos que se instalam nas estruturas de poder estatal e burocrático e ali permanecem durante muito tempo.

Outras pessoas, ainda, podem ter certo *status* e prestígio na sociedade, mas não possuir riqueza nem poder. Por exemplo, certos artistas da televisão ou intelectuais consagrados.

Weber concebe, assim, hierarquias sociais baseadas em fatores econômicos (as classes), em prestígio e honra (os grupos de *status*) e em poder político (os grupos de poder).

Para ele, *classe* é todo grupo humano que se encontra em igual *situação de classe*, isto é, os membros de uma classe têm as mesmas oportunidades de acesso a bens, a posição social e a um destino comum. Essas oportunidades são derivadas, de acordo com determinada ordem econômica, das possibilidades de dispor de bens e serviços.

nas palavras DE WEBER

Classes e situação de classe

Podemos falar de uma "classe" quando: 1) certo número de pessoas tem em comum um componente causal específico em suas oportunidades de vida, e na medida em que 2) esse componente é representado exclusivamente pelos interesses econômicos da posse de bens e oportunidades de renda, e 3) é representado sob as condições de mercado de produtos ou mercado de trabalho. [Esses pontos referem-se à "situação de classe", que podemos expressar mais sucintamente como a oportunidade típica de uma oferta de bens, de condições de vida exteriores e experiências pessoais de vida, e na medida em que essa oportunidade é determinada pelo volume e tipo de poder, ou falta deles, de dispor de bens ou habilidades em benefício de renda de uma determinada ordem econômica. A palavra "classe" refere-se a qualquer grupo de pessoas que se encontrem na mesma situação de classe.]

WEBER, Max. Classe, estamento, partido. In: *Ensaios de Sociologia.* Rio de Janeiro: Zahar, 1982. p. 212.

Max Weber também escreve sobre as lutas de classes, mas, diferentemente de Marx, afirma que elas ocorrem também no interior de uma mesma classe. Se houver perda de prestígio, de poder ou até de renda no interior de uma classe ou entre classes, poderão ocorrer movimentos de grupos que lutarão para mantê-los e, assim, resistirão às mudanças. Ele não vê a luta de classes como o motor da história, mas como uma das manifestações para a manutenção de poder, renda ou prestígio em uma situação histórica específica. Essa perspectiva permite entender muitos movimentos que aconteceram desde a Antiguidade até hoje.

Oportunidades e estratificação

Há um conjunto de autores na Sociologia desenvolvida nos Estados Unidos que caracterizam a sociedade moderna como desigual, mas declaram que há possibilidades de ascensão social de acordo com as oportunidades oferecidas aos indivíduos. Alguns aproveitam as oportunidades e outros não, tendo êxito aqueles que dispõem de mais talento e qualificação.

Para esses autores, entre os quais Kingsley Davis e Wilbert E. Moore, as desigualdades materiais não são necessariamente negativas. Elas podem ser positivas para a sociedade, porque na busca do interesse pessoal há sempre inovação e criação de novas alternativas e, assim, a sociedade como um todo se beneficia das realizações dos indivíduos. O capitalismo só é dinâmico porque é desigual, e todas as políticas que propõem a igualdade de condições levam os indivíduos a não lutar por melhores posições, reduzindo a competição entre eles.

nas palavras
DE DAVIS E MOORE

A necessidade funcional de estratificação

Curiosamente, a principal necessidade funcional que explica a presença universal da estratificação é precisamente a exigência enfrentada por qualquer sociedade de situar e motivar os indivíduos na estrutura social. [...] Um sistema competitivo dá maior importância à motivação para adquirir posições, enquanto um sistema não competitivo dá talvez maior importância à motivação para executar os deveres inerentes às posições, mas em qualquer sistema são exigidos ambos os tipos de motivação. [...]

A desigualdade social é portanto um artifício inconscientemente desenvolvido por intermédio do qual as sociedades asseguram que as posições mais importantes sejam criteriosamente preenchidas pelos mais qualificados. Por essa razão, qualquer sociedade, não importa quão simples ou complexa, deve diferenciar as pessoas em termos de prestígio e estima, e deve portanto possuir certa soma de desigualdades institucionalizadas. [...]

Admitindo que a desigualdade possui uma função geral podem-se especificar os fatores que determinam a ordenação das diferentes posições. Via de regra, as que implicam melhores recompensas, e por esse motivo estão nos mais altos níveis daquela ordenação, são as que: *a)* têm maior importância para a sociedade e *b)* exigem maior treinamento ou talento. O primeiro fator diz respeito à função, e sua significação é relativa; o segundo refere-se aos meios e é uma questão de escassez.

DAVIS, Kingsley, MOORE, Wilbert E. Alguns princípios de estratificação. In: BERTELLI, A. R. et al. (orgs.). *Estrutura de classes e estratificação social.* Rio de Janeiro: Zahar, 1979. p. 115 e 118.

Sobre a idéia de exclusão-inclusão

Ultimamente temos lido e ouvido a expressão "exclusão social", que aparece em nosso cotidiano na fala dos mais diferentes indivíduos, em todos os meios de comunicação e com variados sentidos.

O sociólogo brasileiro José de Souza Martins, em seu livro *A sociedade vista do abismo: novos estudos sobre exclusão, pobreza e classes sociais,* procurou elucidar um pouco a confusão estabelecida no uso dessa expressão. Diz ele que podemos entender a expressão "exclusão social" com base em duas orientações opostas: uma transformadora e uma conservadora.

A orientação *transformadora* aparece quando os militantes políticos, os partidos políticos e até professores universitários utilizam essa expressão, de forma inadequada, para caracterizar a situação daqueles que estão na condição da classe trabalhadora, como os explorados na sociedade capitalista. Entretanto, isso é questionável, porque o trabalhador está incluído no sistema, só que em condições precárias de vida.

A orientação *conservadora* se expressa na defesa da idéia de que é necessário adotar medidas econômicas e políticas que permitam integrar os excluídos na sociedade que os exclui. É um discurso de quem está incluído e postula que todos se integrem à sociedade de consumo, que é essa que aí está, não havendo alternativa melhor. É uma proposta conformista justamente porque aceita as condições existentes como um fato consumado e não coloca em questão a possibilidade de a integração dos excluídos ser feita de forma degradada e precária. Seus defensores apenas lamentam a existência dos excluídos e propõem mais desenvolvimento para que todos possam ser beneficiados. Jamais pensam em questionar a sociedade atual.

À esquerda, morador de rua diante de uma cerca com vários anúncios de emprego, em São Paulo. À direita, camponeses de uma fazenda no sul do Maranhão, cujo dono foi acusado e preso por manter homens trabalhando em regime de escravidão. Incluídos ou não no sistema de produção capitalista, todos os personagens retratados enfrentam precárias condições de vida.

Exclusão e o futuro das empresas capitalistas

Para citar um exemplo de como os termos *inclusão* e *exclusão social* são usados na forma conservadora, não para explicar as desigualdades sociais, mas para defender a continuidade desse sistema tão desigual, vejamos o que diz um analista de empresas.

Em um artigo publicado no jornal *O Estado de S. Paulo* (31 ago. 2005), Stuart Hart, autor do livro *O capitalismo na encruzilhada* afirma que a inclusão social é o futuro do capitalismo. Segundo ele, as empresas só sobreviverão se olharem para os pobres, ou seja, se não incluírem 4 bilhões de pessoas que vivem com até 1,5 mil dólares por ano (cerca de 3 200 reais no início de 2007, o que significaria cerca de 260 reais por mês no Brasil), não haverá futuro para elas nem para o próprio capitalismo.

De acordo com o articulista, é necessário que as grandes empresas, em especial as multinacionais, reformulem suas estratégias para oferecer produtos e serviços a essa massa excluída. Hart afirma que é necessário "reinventar o capitalismo de modo a torná-lo mais inclusivo". A maioria das empresas hoje trabalha para cerca de 800 milhões de consumidores que ganham mais de 15 mil dólares por ano e, quando procuram expandir seus investimentos e negócios, focam o interesse numa classe média, em torno de 1,2 bilhão de pessoas que ganham entre 1,5 e 15 mil dólares por ano. Essas possibilidades estão quase esgotadas; por isso é necessário pensar naqueles que ganham menos. Só por essa via será possível que muitas dessas empresas sobrevivam daqui em diante.

Cenários DAS DESIGUALDADES

No século XX ocorreram grandes transformações científicas, tecnológicas e na produção mundial. Houve crescimento da produção de todos os tipos de bens, como também de alimentos, mas as desigualdades, que deveriam ter se tornado menores, aumentaram de forma contínua. Vejamos algumas delas.

Fome no mundo

Ao se iniciar o século XXI, cerca de 800 milhões de pessoas, das quais 300 milhões de crianças, eram vítimas de fome crônica. Além disso, mais da metade das mortes de crianças menores de cinco anos podia ser atribuída à falta de alimentos ou à má nutrição, apesar de no mundo existirem recursos suficientes para satisfazer as necessidades alimentícias de toda a humanidade. A situação mais grave era vivida no continente africano, onde viviam pelo menos 200 milhões de pessoas afetadas pela fome, das quais 40% necessitavam de ajuda alimentícia de emergência.

O problema da fome é mais patente nas áreas rurais: três de cada quatro pessoas pobres vivem no campo e, se o êxodo rural em nível global continuar no ritmo atual, 60% dos pobres prosseguirão vivendo nas áreas rurais no ano de 2020. Apesar dessa situação, o dinheiro que os países ricos destinam à ajuda oficial para o desenvolvimento diminuiu na última década do século XX, passando de 14 bilhões de dólares no fim dos anos 1980 para 8 bilhões de dólares no início de 2000.

À esquerda, colheita mecânica de milho nos Estados Unidos, país cuja população apresenta altos índices de obesidade pela alimentação excessiva. À direita, refugiados Hutu em Ruanda, atingidos pela fome, à espera de socorro humanitário. Carência de alimentos ou de ação política e social?

1. Se o alimento produzido no mundo é suficiente para suprir as necessidades de todos, o que explica o problema da fome?

2. As campanhas contra a fome poderão resolver o problema ou a questão é sistêmica? Nesse caso, o que é necessário mudar para que todos possam se alimentar adequadamente?

Globalização aumenta desigualdades sociais

As desigualdades entre países ricos e pobres aumentaram com a globalização, de acordo com o documento "Uma globalização justa", elaborado pela Organização das Nações Unidas (ONU) em parceria com a Organização Internacional do Trabalho (OIT) e lançado em fevereiro de 2004.

Entre os números apresentados estão os seguintes: 185 milhões de pessoas estão desempregadas no planeta (6,2% da força de trabalho), um recorde; a diferença entre países ricos e pobres aumentou desde o começo dos anos 1990, com um grupo minoritário de nações (que representa 14% da população mundial) dominando metade do comércio mundial. No começo da década de 1960, a renda *per capita* nas nações mais pobres era de 212 dólares, enquanto nos países mais ricos era de 11 417 dólares; em 2002, essas cifras passaram a 267 dólares (+26%) e 32 339 dólares (+183,3%), respectivamente. Como se pode perceber, a diferença entre a renda dos diversos países aumentou muito.

O comércio mundial de alimentos e a desigualdade

Simplesmente, as Filipinas foram ludibriadas. Membro fundador da Organização Mundial do Comércio (OMC), em 1995, a ex-colônia americana obedientemente adotou a doutrina do livre mercado da globalização no decorrer da última década, abrindo sua economia ao comércio exterior e a investimentos estrangeiros.

Apesar das preocupações generalizadas em relação à sua capacidade para competir, os filipinos acreditaram na teoria de que a falta de um bom sistema de transportes e de alta tecnologia de seus agricultores seria compensada pela mão-de-obra barata. O governo previu que o acesso aos mercados mundiais geraria um ganho anual líquido de meio milhão de empregos na agricultura e melhoraria a balança comercial do país.

A concorrência desigual com o agronegócio mundial leva agricultores filipinos a buscar alternativas de sobrevivência e a se organizar para enfrentar os efeitos negativos da globalização. À esquerda, filipina aprende com membros de ONGs a produzir fibras orgânicas de caule de feijão, para sustentar cinco filhos. À direita, manifestantes protestam em frente à embaixada estadunidense nas Filipinas, durante reunião da Organização Mundial do Comércio, em novembro de 2001.

Isso não aconteceu. Agricultores de pequena escala do arquipélago das Filipinas descobriram que seus concorrentes, em lugares como Estados Unidos e Europa, não apenas têm melhores sementes, fertilizantes e equipamentos, mas também, seus produtos são freqüentemente protegidos por altas tarifas ou favorecidos por maciços subsídios que os tornam artificialmente baratos.

Por mais baixo que seja o salário que os trabalhadores filipinos estejam dispostos a aceitar, eles não conseguem competir com agronegócios apoiados por bilhões de dólares em benefícios do governo.

Excerto do editorial do *The New York Times*. Apud: *O Estado de S. Paulo*. 27 jul. 2003. p. B11.

1. Muitos afirmam que a globalização pode trazer diversos benefícios. Quais são? Valem para todos ou só para alguns?
2. A situação descrita no texto sobre as Filipinas também pode ser observada em outros lugares? A globalização pode melhorar a situação dos países subdesenvolvidos ou é mais uma maneira de subjugá-los aos grandes conglomerados econômicos?

Desigualdade entre homens e mulheres

Segundo o Fundo de População das Nações Unidas, não será possível combater a pobreza enquanto mulheres sofrerem discriminação, violência e abuso sexual e não tiverem os mesmos direitos políticos, sociais e econômicos que os homens. Entre esses direitos está o acesso à educação, à saúde, ao mercado de trabalho e ao patrimônio.

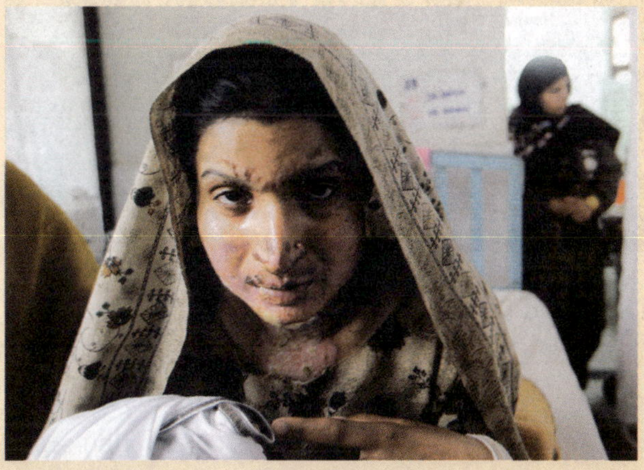

Desigualdade de gênero, da violência doméstica aos esforços para a superação: à esquerda, jovem paquistanesa com o rosto queimado pelo marido com ácido sulfúrico; à direita, afegãs em aula de enfermagem em Peshwar, cidade paquistanesa próxima da fronteira com o Afeganistão.

No seu relatório de 2005, a agência da ONU conclama os governantes a investir em políticas para garantir a igualdade de condições, pois os exemplos são muitos:

- Metade da população feminina não tem emprego, contra 30% da população masculina.
- Quase dois terços dos analfabetos adultos do mundo são mulheres.
- Mesmo com nível educacional igual ou superior ao dos homens, as mulheres ganham salários menores no mesmo emprego.
- Uma em cada três mulheres no mundo é ou será vítima de algum tipo de violência, prioritariamente sexual. E 50% das ações violentas são cometidas contra meninas de até 15 anos.

O que explica as desigualdades entre homens e mulheres? Por que a mulher ainda é vítima de tanta discriminação e violência?

Capítulo 9 As desigualdades sociais no Brasil

Analisando historicamente a questão das desigualdades sociais no Brasil, percebe-se que, com a chegada dos portugueses, elas se instalaram e aqui ficaram. Inicialmente, os povos indígenas que habitavam o continente foram vistos pelos europeus como seres exóticos, não dotados de alma. Depois se alterou essa concepção, mas ainda há quem veja os indígenas preconceituosamente, como inferiores e menos capazes.

Posteriormente, houve a introdução do trabalho escravo negro. Milhares de africanos foram retirados de sua terra de origem para enfrentar condições terríveis de trabalho e de vida no Brasil. Até hoje seus descendentes sofrem discriminação e preconceito pelo fato de serem negros.

Comunidade quilombola Vão das Almas em Kalunga, Goiás, um dos maiores centros de descendentes de africanos escravizados. Criados no período colonial por escravos fugidos dos latifúndios, os quilombos tornaram-se centros de resistência ao poder central e institucional. Hoje, além do importante patrimônio cultural que guardam, são um reflexo do abismo social entre negros e brancos no Brasil.

De meados do século XIX, quando já se previa o fim do trabalho escravo, até o início do século XX, incentivou-se a vinda de imigrantes europeus, sobretudo para o trabalho na lavoura de café. Muitos vieram em busca de trabalho e de melhores chances na vida, mas aqui encontraram condições de trabalho semi-servis nas fazendas de café. Em muitos casos, a família inteira trabalhava e não chegava a receber remuneração em dinheiro — apenas comida, casa e outros pagamentos em espécie.

À medida que a sociedade brasileira se industrializou e se urbanizou, novos contingentes populacionais foram absorvidos pelo mercado de trabalho nas cidades. Esse processo iniciou-se nos primeiros anos do século XX, acelerando-se na década de 1950, quando se desenvolveu no país um grande esforço de industrialização, trazendo junto a urbanização. Criou-se assim um proletariado industrial, e milhares de outros trabalhadores foram atraídos para as cidades a fim de exercer as mais diversas atividades: empregados do comércio, bancários, trabalhadores da construção civil, entregadores, empregados domésticos, vendedores ambulantes, etc. Os setores médios, antes constituídos basicamente pelos militares e funcionários públicos, também se diversificaram e cresceram, reunindo numerosos profissionais liberais, pequenos e médios comerciantes.

O presidente Juscelino Kubitschek em visita à Mercedes-Benz em São Paulo, em 1956. O modelo desenvolvimentista que adotou, traduzido no *Plano de Metas*, popularmente conhecido como "50 anos em 5", deu excelentes resultados a curto prazo, proporcionando taxas de crescimento econômico de 7% a até 10% ao ano...

Com as transformações que ocorreram a partir de então, houve um crescimento vertiginoso das grandes cidades e um esvaziamento progressivo da zona rural. Como nem toda a força de trabalho foi absorvida pela indústria e pelos setores urbanos, e por causa das transformações ocorridas na agricultura, foi-se constituindo nas cidades uma grande massa de desempregados, de semiocupados que viviam e vivem à margem do sistema produtivo capitalista.

Hoje, com os avanços tecnológicos, essa massa de indivíduos praticamente não encontra chance de emprego, por tratar-se de mão-de-obra desqualificada. É ela que evidencia, sem sombra de dúvida, como o processo de desenvolvimento do capitalismo no Brasil foi criando as desigualdades, que aparecem na forma de miséria e pobreza crescentes, sendo cada vez mais difícil a superação dessa situação.

Além da fome, defrontamos com outros indicadores das desigualdades que permeiam nosso cotidiano. As estatísticas sobre as desigualdades sociais no Brasil estão nos jornais e nas revistas, e demonstram que a gravidade do problema é tal que, se há alguma coisa que caracteriza o Brasil nos últimos anos, é sua condição como um dos países mais desiguais do mundo. Além das desigualdades entre as classes sociais, há outras diferenças — entre homens e mulheres e entre negros e brancos, por exemplo.

Isso não se traduz só em fome e miséria, mas também em condições precárias de saúde, de habitação, de educação, enfim, em uma situação desumana, particularmente quando se sabe que a produção agrícola e industrial e o setor de comércio e serviços têm crescido de maneira expressiva em nosso país, demonstrando que a sociedade produz bens e serviços e riqueza, mas eles não são distribuídos de modo que atinjam todos os brasileiros.

... mas aumentou o endividamento externo e não promoveu a redução das desigualdades, que se expressam ainda hoje em todos os níveis, do acesso ao emprego à educação. A fotografia abaixo, tirada às vésperas do século XXI, mostra sala de aula de 9 metros quadrados em escola de pau-a-pique em Juazeirão, no Piauí.

A desigualdade analisada no Brasil

Conforme a cientista social brasileira Márcia Anita Sprandel, em seu livro *A pobreza no paraíso tropical*, a primeira tentativa de explicar a pobreza no Brasil, a partir do final do século XIX, consistiu em relacioná-la à influência do clima e à riqueza das matas e do solo. Afirmava-se que o brasileiro era preguiçoso, indolente, supersticioso e ignorante porque a natureza tudo lhe dava: frutos, plantas, solo fértil, etc. Era tão fácil obter ou produzir qualquer coisa que não havia necessidade de trabalhar.

Uma segunda explicação estava vinculada à questão racial e à mestiçagem. Vários autores, como Nina Rodrigues, Euclides da Cunha, Sílvio Romero e Capistrano de Abreu, foram críticos ferrenhos da mestiçagem e consideravam que os mestiços demonstravam a "degeneração e falência da nação" ou que eram "decaídos, sem a energia física dos ascendentes selvagens, sem a altitude intelectual dos ancestrais superiores".

A obra célebre de Joaquim Nabuco, *O abolicionismo*, foi uma das primeiras a analisar o sistema escravocata a partir de sua estrutura, contestando teorias que atribuíam o atraso do país à preguiça do povo ou à riqueza das terras.

Entretanto, dois outros autores daquela época faziam análises diversas: Joaquim Nabuco e Manoel Bonfim. Nabuco afirmava que, graças à raça negra, havia surgido um povo no Brasil, mas que a escravidão e o latifúndio geravam verdadeiras "colônias penais" no interior, pois os latifundiários eram refratários ao progresso e apenas permitiam que os mestiços vivessem como agregados e seus dependentes, na miséria e ignorância. Bonfim, por sua vez, via o sertão nordestino como uma "terra de heróis". Dizia que as populações do interior tinham muita força, cordialidade e uma capacidade de atuar coletivamente, seja por meio de técnicas coletivas de trabalho, seja pelo uso comum de suas posses.

Esses dois autores constituem exceções. Como Lilian Schwarcz, cientista social brasileira, destaca em seu livro *O espetáculo das raças*, no período de 1870 a 1930, a maioria dos cientistas, políticos, juristas e intelectuais desenvolveram teorias racistas e deterministas para explicar os destinos da nação brasileira. A pobreza seria sempre um dos elementos essenciais dessa explicação, e uma decorrência da escravidão ou da mestiçagem. As chamadas "classes baixas" constituíam-se de pessoas que normalmente, nas cidades, eram consideradas perigosas e, no interior, apáticas, doentes e tristes.

Fome e coronelismo

A partir da década de 1940 a questão das desigualdades sociais aparecia sob novo olhar, que passava ainda pela presença do latifúndio, da monocultura e também do subdesenvolvimento. Em seus livros *Geografia da fome* e *Geopolítica da fome*, publicados respectivamente em 1946 e 1951, Josué de Castro procurou analisar a questão da desnutrição e da fome das classes populares, explicando-as com base no processo de subdesenvolvimento, o qual gerava desigualdades econômicas e sociais entre os povos que, no passado, tinham sido alvo da exploração colonial no mundo capitalista. Defendia a educação e a reforma agrária como elementos essenciais para resolver o problema da fome no Brasil.

Outro autor, Victor Nunes Leal, em seu livro *Coronelismo, enxada e voto: o município e o regime representativo no Brasil*, publicado em 1948, apresentava o *coronel* vinculado à grande propriedade rural, principalmente no Nordeste, como a base de sustentação de uma estrutura agrária que mantinha os trabalhadores rurais em uma situação de penúria, de abandono e de ausência de educação.

Charge de Storni, publicada na revista *Careta*, em 1927, ironizando o chamado voto de cabresto, uma prática eleitoral freqüente na República Velha. Como o voto era aberto, o coronel podia obrigar os eleitores do seu "curral eleitoral" a votar nos candidatos que escolhia. Fiscalizados pelos capangas e sob a ameaça de sofrer retaliações ou mesmo violência física, os eleitores acatavam as determinações do chefe local.

Raça e classes

A relação entre as desigualdades e as questões raciais voltou a ser analisada na década de 1950, numa perspectiva que envolvia a situação dos negros na estrutura social brasileira. São exemplos os trabalhos de Luiz Aguiar Costa Pinto, que em 1953 publicou *O negro no Rio de Janeiro*, e de Roger Bastide e Florestan Fernandes, que também em 1953 lançaram o livro *Negros e brancos em São Paulo*. Eles abordaram essa questão do ponto de vista das desigualdades sociais, procurando desmontar o mito da democracia racial brasileira, e colocaram o tema da raça no contexto das classes sociais.

Ainda na década de 1960, alguns trabalhos podem ser tomados como exemplos da continuidade dessa discussão. Florestan Fernandes (*A integração do negro na sociedade de classes*), Octávio Ianni (*Metamorfose do escravo*) e Fernando Henrique Cardoso (*Capitalismo e escravidão no Brasil meridional*) analisaram a situação dos negros no Sudeste e no Sul do Brasil. Com seus trabalhos demonstraram que os ex-escravos foram integrados de forma precária, criando-se uma desigualdade constitutiva da situação que seus descendentes vivem até hoje. Muitos outros autores, desde então, analisam essa questão, que continua presente no nosso cotidiano.

Formação das classes sociais e mudanças sociais

A partir da década de 1960, outras temáticas que envolviam as desigualdades sociais foram abordadas, com ênfase na análise das classes sociais existentes no Brasil. Assim se desenvolveram trabalhos que procuravam entender como ocorreu a *formação* do empresariado nacional, das classes médias, do operariado industrial e do proletariado rural.

Outra tendência foi a de explicar e compreender como as classes na sociedade brasileira — operariado, classes médias urbanas e burguesia industrial — participavam do processo de mudanças econômicas, sociais e políticas.

Nas décadas seguintes (1970 e 1980), a preocupação situou-se muito mais na análise das novas formas de participação, principalmente dos novos movimentos sociais e do novo sindicalismo. Buscava-se entender como os trabalhadores e deserdados no Brasil organizavam-se para fazer valer seus direitos como cidadãos, mesmo que a maioria ainda estivesse vivendo miseravelmente. As análises ainda se baseavam nas classes sociais fundamentais da sociedade brasileira.

O então presidente do Sindicato dos Metalúrgicos de São Bernardo do Campo e Diadema, Luiz Inácio Lula da Silva, discursa para a massa de trabalhadores durante greve em 1979. O movimento operário, sufocado pela ditadura militar, ressurgiu com força no final da década de 1970 e exerceria papel importante no processo de redemocratização do país.

Mercado de trabalho e condições de vida

No mesmo período e entrando na década de 1990, adicionou-se um novo componente na análise das desigualdades sociais: o foco sobre as questões relacionadas ao emprego e às condições de vida dos trabalhadores e pobres da cidade. Assim, passaram a ter primazia nas análises os temas: emprego e desemprego, mercado formal e informal de trabalho, estratégias de sobrevivência das famílias de baixa renda, mensuração da pobreza e linha de pobreza. A preocupação era conhecer a deterioração das condições de vida dos trabalhadores urbanos e das populações periféricas da cidade. A questão racial continuou presente e a questão das classes sociais permaneceu no foco, constatando-se a crescente subordinação do trabalho ao capital, tanto na cidade como no campo. A questão de gênero ganhou espaço, destacando principalmente a situação desigual das mulheres em relação à dos homens.

Índices de desigualdade

Já na década de 1990, organismos nacionais e internacionais criaram índices sobre as desigualdades e a pobreza que revelam dados muito interessantes. No Brasil dispomos, por exemplo, da Pesquisa Nacional por Amostra de Domicílios (PNAD), desenvolvida pelo Instituto Brasileiro de Geografia e Estatística (IBGE), e o Índice de Desenvolvimento Humano (IDH), que a ONU publica por meio do Programa das Nações Unidas para o Desenvolvimento (PNUD).

Esses índices apontam as mais variadas formas de desigualdade, deixando de lado a questão das classes sociais e a exploração existente. O fundamental é quantificar os pobres, os ricos, os setores médios e os remediados na sociedade brasileira e como vivem, pois o objetivo central é descrever a realidade em números e gráficos para orientar políticas públicas e investimentos nesta ou naquela área. Foi assim que nasceram vários programas governamentais — o Fome Zero, o Bolsa Família, o Bolsa Gás e outros tantos.

Cartaz do Programa Fome Zero, lançado em 2003 por iniciativa do governo federal em parceria com organizações da sociedade civil, governos estaduais e municipais. A ação tem como objetivo combater a fome. Conseguirá atingir suas causas estruturais?

Como se pode perceber, desde o século XIX várias foram as alternativas de explicação e compreensão das desigualdades no Brasil. Deixando de lado as explicações sobre o clima, a riqueza do solo e a mestiçagem (embora ainda estejam presentes nas explicações do senso comum), pode-se dizer que a questão racial-étnica ainda está presente nos estudos e em nosso cotidiano. Ela se expressa por meio do preconceito e se apresenta em evidências empíricas: os negros e pardos em nossa sociedade recebem salários menores e têm poucas condições de acesso a melhores condições de habitação, saúde, trabalho e cultura.

Embora a situação da classe trabalhadora seja uma constante nos estudos desenvolvidos nos últimos cinqüenta anos, percebe-se que a interpretação com base na análise marxista das classes, que tinha por foco a questão da exploração, foi pouco a pouco perdendo espaço para análises de índices demonstrativos de diversos aspectos das desigualdades sociais, nos vários segmentos e setores da sociedade, sem a preocupação de explicá-los, trazendo com isso algumas controvérsias acerca do real entendimento sobre a questão das desigualdades no Brasil.

Cenários DA DESIGUALDADE NO BRASIL

República de doutores

Doutor, em nossa sociedade, não é a designação de um título acadêmico, mas um atestado de desigualdade social. Esse termo é utilizado principalmente por pessoas das classes populares ao se dirigir ou se referir a pessoas de outras classes. A alusão a uma educação superior, que é contida no título, serve para justificar o privilégio: se alguém é *doutor*, "merece" ser rico. Com isso, a classe média, sempre ameaçada por um retrocesso, pode acreditar que seu privilégio não seja arbitrário e efêmero.

É provável que o uso do termo *doutor* como índice e justificação do privilégio social seja um sintoma constante em todas as sociedades em que formas arcaicas de domínio desvirtuam as formas modernas da diferença social. *Doutor* não é título de médico ou de pós-graduado, mas de quem tem cartão de crédito e carro importado e vive em determinadas áreas privilegiadas nas cidades. Ainda é bom lembrar que, no Brasil, quem possui diploma de graduação tem direito a prisão especial pelo simples fato de ter concluído um curso superior.

Baseado em CALLIGARIS, Contardo. A república dos doutores. *Folha de S. Paulo*, 21 abr. 2005. Ilustrada, p. E12.

A locomoção como desigualdade

Para constatar as desigualdades no Brasil basta observar nas ruas os meios de locomoção utilizados: enquanto alguns indivíduos transitam em carros importados, a maioria da população anda nos ônibus, nos trens suburbanos, de bicicleta ou até mesmo a pé (pois muitos não têm dinheiro suficiente para pagar uma passagem de ônibus).

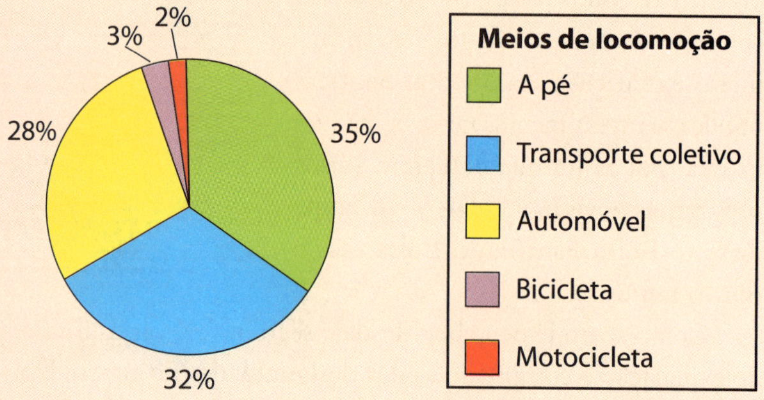

Em 2003 o Ministério das Cidades e a Associação Nacional dos Transportes Urbanos fizeram uma pesquisa em 140 municípios, incluindo os que tinham mais de 500 mil habitantes, para verificar como a população brasileira se desloca em suas atividades cotidianas, como ir à escola, às compras, ao trabalho. Os resultados estão representados no gráfico acima.

Condições de moradia

No Brasil, conforme o IBGE (até o final de 2006), existem em torno de 40 milhões de domicílios registrados. Destes, 10 milhões são considerados insalubres e sem as condições mínimas para alguém viver dignamente, classificando-se como favelas, cortiços, casebres, palafitas, alagados, etc.

Nas favelas vivem 6,5 milhões de pessoas, das quais 65% estão nas capitais. São Paulo (2,07 milhões) e Rio de Janeiro (1,38 milhão) apresentam os maiores contingentes, enquanto Belém do Pará é a capital que proporcionalmente tem o maior número de favelados, 35% da população (581 mil).

Segregação espacial. Aos menos favorecidos são reservadas as áreas mais insalubres e sujeitas a toda sorte de riscos, como enchentes e deslizamentos de terra. Na fotografia, de 2002, palafitas da favela "Fé em Deus", que se estende sobre mangue em São Luís, Maranhão.

A existência dessa massa de pessoas vivendo precariamente alimenta uma crescente "cultura do medo", presente em muitos segmentos de nossa sociedade, e justifica os movimentos de abandono da cidade e busca de isolamento, traduzida na multiplicação dos condomínios fechados. Muitos desses condomínios oferecem vida diferenciada, escola específica e lazer próprio. Alguns podem ser considerados verdadeiros presídios de luxo, repletos de regulamentos e de guardas particulares, delimitando um espaço próprio e criando uma cultura desigual entre os de dentro e os de fora dos condomínios, principalmente entre os jovens que foram criados neles.

Cresce o abismo brasileiro entre brancos e negros

No Brasil, o racismo, infelizmente, tem várias faces. Uma delas foi divulgada há pouco pelo Instituto de Pesquisa Econômica Aplicada (IPEA). Mostrou que, caso não sejam adotadas medidas urgentes, capazes de inverter a atual tendência, a distância entre o Brasil branco e o Brasil negro, já imensa, deve aumentar. Em suma: cresce assustadoramente uma verdadeira tragédia à brasileira. [...]

Os números divulgados pelo IPEA são vergonhosos: segundo estudo de 1999, enquanto o salário médio mensal dos homens e das mulheres brancos era, respectivamente, de R$ 726 e R$ 572 por mês, o dos homens e mulheres negros era de R$ 337 e R$ 289.

E ainda: são negros 64% dos pobres e 69% dos indigentes do Brasil. A taxa de analfabetismo é três vezes maior entre os negros; os jovens brancos, aos 25 anos, têm, em média, 8,4 anos de estudos. Já os negros da mesma idade têm a média de 6,1 anos. O Brasil branco é 2,5 vezes mais rico que o Brasil negro.

Estudos sobre os Indicadores de Desenvolvimento Humano (IDH) mostram que o Brasil, que ocupa a 74ª colocação no ranking da ONU, subiria para o 43º lugar se considerada somente a população branca, e cairia para o 108º posto se considerada exclusivamente a população negra.

SILVA, Vicente Paulo da. *Carta Maior*, 15 mar. 2002. Disponível em: <http://agenciacartamaior.uol.com.br/templates/colunaMostrar.cfm?coluna_id=2486>. Acesso em: 20 maio 2006.

Ser ou não "doutor", andar a pé ou de carro, morar num palacete ou num barraco, ser branco ou negro no Brasil: os dados aqui apresentados demonstram algumas das várias manifestações das desigualdades existentes em nossa sociedade. Estabeleça relações entre elas.

PARA REFLETIR

Leia o texto a seguir e discuta com a classe as questões propostas.

Favelados e punks "invadem" shopping

Um grupo de 130 sem-teto, favelados, estudantes e punks inaugurou uma forma inédita de protesto ontem no Rio, ao promover uma invasão pacífica do shopping Rio Sul, em Botafogo, na zona sul. O objetivo, segundo os organizadores, era protestar "contra o sistema capitalista, mostrando o contraste entre o consumo supérfluo e a fome". A manifestação dividiu a opinião de compradores, comerciantes e turistas, surpreendidos pela presença dos manifestantes de aparência simples entre as vitrines e os corredores de mármore. "Estão nos coagindo utilizando como arma o fator surpresa, fatal para nós que vivemos na tensão da cidade grande", disse Eliomar Marques Lins, 25, que fazia compras com a mulher.

"Não fiquei com medo. O movimento é bom porque a desigualdade aqui é imensa", disse o turista inglês Peter Cook. Mesmo diante do olhar desconfiado dos lojistas, os sem-teto não se intimidaram: experimentaram roupões de seda e puseram os filhos para brincar com brinquedos importados.

[...] A entrada no shopping foi negociada entre o chefe do Comando de Policiamento da Capital, coronel Fernando Belo, e o líder do MTST [Movimento dos Trabalhadores Sem Teto], que se identificou como Eric Vermelho.

"Não estamos invadindo. Queremos dar um passeio como qualquer família. Se nós construímos os shoppings, por que não podemos entrar?", disse Eric. A administração do shopping reuniu seus seguranças para acompanhar o "passeio" dos manifestantes, que encenaram performances com leitura de poesias, rodas de capoeira e representações teatrais.

Alguns comerciantes fecharam as portas, como foi o caso da loja de moda masculina Richard's e da butique Rudge. [...]

Na loja de moda de praia Redley, o gerente, Eduardo Pinho, adotou a diplomacia. "Procurei deixá-los bem à vontade. Sabia que eles não iam comprar nada, mas não concordo com a discriminação", disse Pinho. [...]

Às 16h, os manifestantes deixaram o shopping e seguiram em passeata, sob a chuva, até o palácio Guanabara, sede do governo estadual, onde dois deles foram recebidos pelo secretário de Governo, Fernando William. Antes de deixar o shopping Rio Sul, obtiveram uma última concessão da administração do estabelecimento, que alugou três ônibus para levá-los de volta à zona oeste da cidade.

Na praça de alimentação, grupo comemora a "invasão" do *shopping* com músicas, comida e refrigerantes.

DANTAS, Pedro. Favelados e punks "invadem" shopping. *Folha de S.Paulo*, 5 ago. 2000. Cotidiano, p. C6.

1. Durante os últimos anos, os *shopping centers* se espalharam pelas cidades de grande e médio porte. São espaços onde há muitas restrições aos pobres. Faça o exercício de imaginar como você seria tratado se entrasse em um *shopping* malvestido e até com as roupas sujas, descalço e com os cabelos desgrenhados.

2. Por que existem limitações para entrar e circular nesses espaços? Pode-se negar às pessoas o direito de circular pela cidade? Os *shoppings* foram construídos apenas para quem pode consumir ou são mais um espaço urbano de convivência somente para iguais?

PARA ORGANIZAR O CONHECIMENTO

1. Escreva um pequeno texto relacionando esta charge ao conteúdo da unidade.

2. Leia o texto e discuta as questões propostas.

Desiguais na vida e na morte

A morte de Ayrton Senna comoveu o país. O desalento foi geral. Independentemente do "big carnival" da mídia, todos perguntavam o que Senna significava para milhões de brasileiros. Por que a perda parecia tão grande? O que ia embora com ele?

Dias depois, uma mulher morreu atropelada na avenida das Américas, Barra da Tijuca, Rio de Janeiro. Ficou estendida na estrada por duas horas. Como um "vira-lata", disse um jornalista horrorizado com a cena! Nesse meiotempo, os carros passaram por cima do corpo, esmagando-o de tal modo que a identificação só foi possível pelas impressões digitais. Chamava-se Rosilene de Almeida, tinha 38 anos, estava grávida e era empregada doméstica.

Efeito paroxístico do apartheid simbólico que fabricamos, pode-se dizer. De um lado, o sucesso, o dinheiro, a excelência profissional, enfim tudo o que a maioria acha que deu certo e deveria ser a cara do Brasil; do outro a desqualificação, o anonimato, a pobreza e a promessa, na barriga, de mais uma vida severina.

O brasileiro quer ser visto como sócio do primeiro clube e não do segundo. Senna era um sonho nacional, a imagem mesma da chamada classe social "vencedora"; Rosilene era "o que só se é quando nada mais se pode ser", e que, portanto, pode deixar de existir sem fazer falta. Luto e tristeza por um; desprezo e indiferença por outro. Duas vidas brasileiras sem denominador comum, exceto a desigualdade que as separava, na vida como na morte.

[...] O problema — fique bem claro! — não é discutir o incontestável mérito de Senna. O problema é saber como as pessoas que provavelmente choraram sua morte foram capazes, pouco depois, de esmagar uma mulher como quem pisa numa barata! Cada dia mais, somos levados a crer que "humano como nós" são apenas aqueles com nossos hábitos de consumo, nossos estilos paroquiais de vida, nossas características físicas, nossas preferências sexuais etc.

[...] Já não nos identificamos como seres morais, cujos semelhantes são todos aqueles capazes de falarem e distinguirem o bem do mal. Humanos são os que ostentam os mesmos objetos que possuímos; que aspiram ou alcançam o sucesso mundano que nos deixa em transe ou que exibem as marcas corpóreas que temos ou queremos ter. Os outros nada são.

A honra que coube a Senna era justa e legitimamente devida. Mas torná-lo um "ideal" de "identidade nacional", como muitos pretenderam, é fazer de sua memória caricatura de nossa incompetência cívica e humana. No nível da cidadania, a excelência é outra. É saber como impedir que outras "Rosilenes" sejam trituradas como lixo no asfalto, pelos possíveis amantes de corridas de automóveis.

É esse o "x" do problema: mostrar que qualquer vida, pobre ou rica, famosa ou anônima, deve ser respeitada como um bem em si. O mais é exploração comercial inescrupulosa da vida e da morte dos melhores e mais honrados.

Costa, Jurandir Freire. Desiguais na vida e na morte. *Folha de S.Paulo*, 22 maio 1994. Mais, p. 15.

Esse texto trata de um dos fenômenos mais chocantes neste país e no mundo: a banalização da vida, em especial da vida das pessoas anônimas. Por que a vida dos mais pobres é tão desvalorizada, enquanto a dos que estão nas manchetes dos jornais e nos programas de televisão sempre é tida como importante? Será que a vida de uns vale mais do que a de outros? Se todos somos humanos, quais são os critérios para essa diferenciação?

LIVROS RECOMENDADOS

Atlas da exclusão no Brasil, vol. 3: Os ricos no Brasil, de Márcio Pochmann e outros (orgs.). Cortez.
Análise muito precisa sobre a formação e a reprodução da camada dos ricos no Brasil desde o período colonial, mas principalmente depois do século XIX.

Classe e nação, de Octávio Ianni. Vozes.
O autor explica de maneira didática como se organizaram as classes sociais no Brasil, mesclando as questões econômicas e políticas com as culturais, sexuais e raciais.

SUGESTÃO DE FILMES

Central Do Brasil (Brasil, 2000). Direção: Walter Salles. Elenco: Vinícius de Oliveira, Fernanda Montenegro e Marília Pêra.
Um dos aspectos mais visíveis da desigualdade nacional, o analfabetismo, está na base desse filme. Sua personagem principal, Dora (Fernanda Montenegro), ganha a vida escrevendo cartas para analfabetos na estação de trem Central do Brasil, no Rio de Janeiro. Nesse trabalho conhece uma mulher, Ana, que a procura para escrever uma carta, e seu filho Josué, de 9 anos, que sonha encontrar o pai que nunca conheceu. Saindo da estação, Ana é atropelada e Dora acaba acolhendo Josué e realizando seu sonho de viajar para o Nordeste, em busca do pai. Além de uma viagem ao interior do Brasil, onde as desigualdades são muito visíveis, há também uma viagem ao interior das personagens principais do filme.

Domésticas — O Filme (Brasil, 2001). Direção: Fernando Meirelles e Nando Olival. Elenco: Cláudia Missura, Graziella Moretto e Lena Roque.
Esse filme narra com humor e poesia a vida cotidiana de cinco domésticas no Brasil. No centro da cena estão Cida, Roxane, Quitéria, Raimunda e Créo, com seus diferentes desejos e horizontes de vida: uma quer se casar, outra, já casada, quer um marido melhor, outra deseja ser artista de novela e a última pensa que a sua missão é servir exclusivamente a Deus e a sua patroa. É nesse mosaico de situações que podemos perceber o significado e a realidade da profissão de doméstica, essa figura que vive a intimidade de uma casa como se não estivesse lá.

Unidade 4

Poder, política e Estado

Os atos políticos e as ações do Estado fazem parte de nossa vida, e é atuando politicamente que entendemos e assumimos nosso papel na sociedade. No entanto, quando ouvem falar em poder e política, as pessoas quase sempre pensam em troca de favores, conchavos e falcatruas, e, quando ouvem falar em Estado, muitas pensam em burocracia, impostos elevados e mau uso do dinheiro público. Essas associações negativas resultam de uma idéia preconceituosa a respeito da política e do papel do Estado, e servem de argumento para justificar a omissão e a recusa à participação nos assuntos públicos.

Muita gente acredita que poder e dominação só podem ser exercidos pelo Estado, mas, como veremos nesta unidade, há várias outras formas de dominação em todos os setores e relações sociais.

Capítulo 10

Como surgiu o Estado moderno

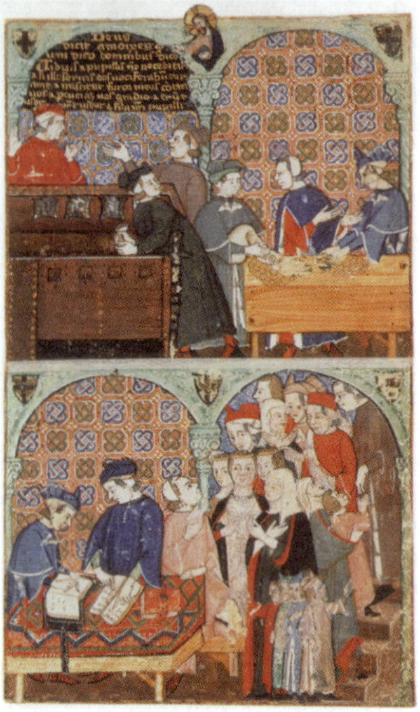
Nem senhores feudais, nem servos: na cena representada nesta iluminura italiana do final do século XIV, banqueiros emprestam dinheiro a seus clientes. A intensificação da circulação de moeda e das atividades comerciais sinaliza o advento do mercantilismo.

O Estado moderno surgiu da desintegração do mundo feudal e das relações políticas até então dominantes na Europa. Como já vimos, no período medieval, o poder estava nas mãos dos senhores feudais, que mantinham o controle sobre a maior parte das terras e sobre toda a sociedade.

Esse tipo de dominação foi pouco a pouco sendo minado pelas revoltas sociais dos camponeses, pela recusa ao pagamento de impostos feudais e pelo crescimento das cidades e do comércio, que apressou a desagregação dos feudos. Paralelamente, a partir do século XIV, ocorreu um processo de centralização e concentração:

- das Forças Armadas e do monopólio da violência;
- da estrutura jurídica, isto é, dos juízes e dos tribunais em várias instâncias;
- da cobrança de impostos — um signo do poder e, ao mesmo tempo, o meio de assegurar a manutenção das Forças Armadas, da burocracia e do corpo jurídico;
- de um corpo burocrático para administrar o patrimônio público, como as estradas, os portos, o sistema educacional, a saúde, o transporte, as comunicações e outros tantos setores.

A centralização e a concentração desses poderes e instituições caracterizam o Estado moderno, que assumiu diferentes formas até hoje.

O Estado absolutista

Luís XIV, o Rei Sol, em retrato de 1701. Seu reinado foi um dos mais centralizadores que a Europa conheceu.

Surgido no contexto da expansão do mercantilismo, o Estado absolutista foi implantado primeiro em Portugal, no final do século XIV, com a Revolução de Avis. Adotado depois em vários lugares da Europa, teve seu ponto alto na França, no reinado de Luís XIV (1638-1715). A concentração de poderes no Estado absolutista é bem expressa pela frase atribuída a esse rei: "O Estado sou eu!" (*L'etat c'est moi!*).

Assumindo o controle das atividades econômicas, o Estado intervinha nas concessões dos monopólios, fixava preços e tarifas, administrava a moeda e os metais preciosos. O acúmulo desses "bens" era a expressão máxima da riqueza de um país. O Estado absolutista assumia também a responsabilidade de centralizar e praticar a justiça e de cuidar do contingente militar, criando exércitos profissionais. Para financiar essas atividades, foram criados os impostos gerais.

O absolutismo colocou frente a frente os interesses dos estamentos feudais dominantes (a nobreza e o clero) e os da burguesia, a classe em ascensão naquela época. Tais interesses eram referentes à justiça, à administração do patrimônio público e à administração econômica.

O Estado liberal

O liberalismo emergiu no século XVIII como reação ao absolutismo, tendo como valores primordiais o individualismo, a liberdade e a propriedade privada. Ganhou projeção como adversário da concentração do poder pelo Estado, principalmente no que dizia respeito às atividades econômicas, no contexto do chamado capitalismo concorrencial. Nessa fase do capitalismo, os resquícios feudais foram sendo extintos, enquanto o capital industrial se implantava e o trabalho assalariado tornava-se fundamental para o desenvolvimento da indústria.

O Estado liberal apresentava-se como representante de toda a sociedade, tendo o papel de "guardião da ordem": não lhe caberia intervir nas relações entre os indivíduos, mas manter a segurança para que todos pudessem desenvolver livremente suas atividades. Com o Estado liberal, estabeleceu-se a separação entre o público e o privado.

Politicamente, o Estado liberal se fundamenta na idéia de *soberania popular*. A expressão mais clara dessa idéia se encontra nas constituições liberais, como a do Brasil, na qual se lê, no artigo 1º: "Todo o poder emana do povo, que o exerce por meio de representantes eleitos ou diretamente, nos termos desta Constituição". Isso significa que, numa eleição, os votantes se pronunciam elegendo os representantes da vontade popular. O Parlamento é, assim, a instituição central do Estado liberal.

De acordo com o pensamento liberal, o Estado não deve intervir nas atividades econômicas. A famosa fórmula *laissez-faire, laissez-passer* ("deixai fazer, deixai passar") expressa bem a concepção de que as atividades econômicas não devem ser reguladas pelo Estado, mas por si mesmas, ou seja, pelo mercado — a *mão invisível*, de acordo com Adam Smith (1723-1790). A plena liberdade para a produção e a circulação de mercadorias garantiria, conforme o pensamento liberal, o progresso das empresas e das nações, contribuindo até para a paz mundial.

O monstro do monopólio, charge de 1884. Lançando seus tentáculos em todas as direções, o polvo voraz concentra a riqueza e devasta as concepções liberais.

Essas concepções do pensamento liberal começaram a ruir no final do século XIX e caíram definitivamente por terra com a Primeira Guerra Mundial (1914-1918). Isso aconteceu porque a intensa concorrência entre as empresas foi provocando o desaparecimento das pequenas firmas, que faliam ou eram compradas pelas maiores. A concentração ficou tão grande e o capital na mão de tão poucos que a concorrência passou a ser entre países, e não mais só entre empresas.

A "guerra" de mercado chegou às vias de fato, ou seja, transformou-se numa guerra de verdade entre os países. As crises econômicas se tornaram freqüentes e a competição entre as nações ficou ainda maior. A eclosão da Primeira Guerra teve origem nessas disputas entre as nações européias.

Os Estados nacionais no século XX

O Estado fascista e o Estado soviético. No começo do século XX, esgotado pelas próprias condições sociais e econômicas que o geraram, o Estado liberal não dava mais conta da realidade e dos interesses da burguesia. A partir da Primeira Guerra Mundial, surgiram duas novas formas de organização estatal: o Estado fascista e o Estado soviético.

O Estado fascista foi organizado nas décadas de 1920 e 1930, primeiro na Itália e depois na Alemanha (com o nazismo) e em vários países europeus, com pequenas diferenças. O Estado soviético decorreu da primeira experiência socialista, iniciada em 1917, na Rússia. Por meio dela procurava-se fazer frente às condições precárias de vida das classes trabalhadoras. É bom lembrar que as idéias socialistas já estavam presentes em toda a Europa havia mais de meio século e se concretizavam naquele momento com a Revolução Russa.

O que distinguia basicamente os regimes fascista e soviético, no início, era o projeto político que cada um apresentava. No Estado fascista, a participação política significava plena adesão ao regime e a seu líder máximo, ou seja, ninguém podia fazer qualquer crítica ou oposição ao governo. Na Rússia pós-revolucionária, o desafio era criar mecanismos efetivos de participação dos camponeses, operários e soldados, desde que fossem organizados no interior do Partido Comunista, que era a estrutura política dominante.

Flagrantes da história: à esquerda, desfile da juventude nazista em Nuremberg, 1933; à direita, manifestação de soldados na Rússia, em 1917.

Essas duas forças políticas se confrontaram durante a Segunda Guerra Mundial (1939-1945). No final do conflito, os vitoriosos dividiram-se em dois blocos: o socialista, liderado pela União das Repúblicas Socialistas Soviéticas (URSS), e o capitalista, sob o comando dos Estados Unidos. Os dois haviam se aliado para participar da guerra e da derrocada do fascismo-nazismo.

A URSS organizava-se como um Estado planificado e centralizado, cujos órgãos estavam ligados ao Partido Comunista. Não havia possibilidade de participar politicamente se não fosse nesse partido, pois somente ele era permitido.

Vários outros países da Europa adotaram essa forma de organização do poder: Polônia, Hungria, Iugoslávia, Tchecoslováquia e a chamada Alemanha Oriental. Fora da Europa, outros Estados socialistas foram criados mediante processos revolucionários, como a China continental (1949) e Cuba (1959), adotando o regime socialista proposto pelo modelo de Estado soviético.

Com o processo de globalização crescente e em decorrência de problemas internos, a partir de 1985 a URSS entrou em processo de dissolução. O Estado soviético começou a ruir nos países que o adotavam. A queda do Muro de Berlim, em 1989, assinalou de modo emblemático o fim do Estado soviético e o questionamento do poder concentrado num só partido. Essa forma de organização estatal continua vigente, com variações, em Cuba, no Vietnã, na Coréia do Norte e na China, com a manutenção de um partido único e a planificação central da economia.

Manifestação popular em Pyongyang, capital da Coréia do Norte, um dos países em que persiste o sistema de partido único e economia planificada.

O Estado do bem-estar social. O bloco dos países capitalistas, após a Segunda Guerra Mundial, tentou reconstruir a economia ocidental com novas bases. Disseminou-se então a forma de organização estatal chamada de *Estado do bem-estar social* ou simplesmente *Estado social*. Esse modelo permitia enfrentar, por um lado, os movimentos de trabalhadores que exigiam melhores condições de vida e, por outro, as necessidades do capital, que buscava alternativas para a construção de uma nova ordem econômica mundial diante do bloco socialista.

As bases teóricas do Estado do bem-estar foram apresentadas na década de 1930 pelo economista inglês John Maynard Keynes (1883-1946), em seu livro *Teoria geral do emprego, do juro e da moeda* (1936). Como forma de organização estatal, a teoria começou a ser esboçada quando o governo estadunidense estabeleceu políticas para sair da profunda depressão desencadeada pela crise de 1929. No período posterior à Segunda Guerra Mundial, ela se consolidou nos Estados Unidos e em boa parte dos países da Europa.

O Estado do bem-estar tinha como finalidade e característica básica a intervenção estatal nas atividades econômicas, regulando-as, subsidiando-as, executando grandes investimentos e obras, redistribuindo rendimentos, visando sempre, pelo menos teoricamente, ao bem-estar da maioria da população. A idéia era romper com o centenário princípio do liberalismo, que rejeitava qualquer função intervencionista do Estado.

Com base nesse conceito, os capitalistas modernos propunham moradia digna, educação básica pública, assistência à saúde, transporte coletivo, lazer, trabalho e salário, seguro-desemprego, enfim, um mínimo de bem-estar econômico e social. Isso foi feito com investimentos maciços por parte do Estado, que redimensionava suas prioridades para proporcionar trabalho e algum rendimento à maior parte da população, a fim de que ela se tornasse consumidora e, assim, possibilitasse a manutenção da produção sempre elevada. Configurou-se o que alguns chamam de "cidadania do consumidor", ou seja, a cidadania entendida como um mecanismo de mercado.

Enquanto isso, nos países periféricos, como os da América Latina, o que se viu foi uma variedade de formas governamentais, entre as quais as ditaduras que se implantaram por meio de golpes militares. Esses golpes eram deflagrados como se fossem constitucionais, isto é, como se estivessem de acordo com a lei. Uma vez no poder, os golpistas exerciam todo o controle sobre os indivíduos e os grupos organizados da sociedade.

O chamado Estado neoliberal

A partir da década de 1970, após a crise do petróleo, houve nova necessidade de mudança na organização estatal. O capitalismo enfrentava então vários desafios. As empresas multinacionais precisavam expandir-se, ao mesmo tempo em que havia um desemprego crescente nos Estados Unidos e nos países europeus; os movimentos grevistas se intensificavam em quase toda a Europa e aumentava o endividamento dos países em desenvolvimento.

Os analistas, tendo como referência os economistas Friedrich von Hayek (1899-1992) e Milton Friedman (1912-2006), atribuíam a crise aos gastos dos Estados com políticas sociais, o que gerava déficits orçamentários, mais impostos e, portanto, aumento da inflação. Diziam que a política social estava comprometendo a liberdade do mercado e até mesmo a liberdade individual, valores básicos do capitalismo. Por causa disso, o bem-estar dos cidadãos deveria ficar por conta deles mesmos, já que se gastava muito com saúde e educação públicas, com previdência e apoio aos desempregados idosos. Ou seja, os serviços públicos deveriam ser privatizados e pagos por quem os utilizasse. Defendia-se assim o *Estado mínimo*, o que significava voltar ao que propunha o liberalismo antigo, com o mínimo de intervenção estatal na vida das pessoas.

Nasceu dessa maneira o que se convencionou chamar de Estado neoliberal. As expressões mais claras da atuação dessa forma estatal foram os governos de Margareth Thatcher, na Inglaterra, e de Ronald Reagan, nos Estados Unidos. Mas mesmo no período desses governos o Estado não deixou de intervir em vários aspectos, mantendo orçamentos militares altíssimos e muitos gastos para amparar as grandes empresas e o sistema financeiro. Os setores mais atingidos por essa "nova" forma de liberalismo foram aqueles que beneficiavam mais diretamente os trabalhadores e os setores marginalizados da sociedade, como assistência social, habitação, transportes, saúde pública, previdência e direitos trabalhistas.

Os neoliberais diziam que era necessário ter mais rapidez para tomar decisões no mundo dos negócios e que o capital privado precisava de mais espaço para crescer. Reforçavam assim os valores e o modo de vida capitalistas, o individualismo como elemento fundamental, a livre iniciativa, o livre mercado, a empresa privada e o poder de consumo como forma de realização pessoal.

Com essas propostas, o que se viu foi a presença cada vez maior das grandes corporações produtivas e financeiras na definição dos atos do Estado, fazendo com que as questões políticas passassem a ser dominadas pela economia. Além disso, o que era público (e, portanto, comum a todos) passou a ser determinado pelos interesses privados (ou seja, por aquilo que era particular).

As privatizações de organismos do setor público, como bancos, companhias telefônicas, de energia e estradas, geraram protestos de grupos contrários à concepção neoliberal de Estado mínimo. Na foto, manifestação de bancários contra a privatização do Banespa, São Paulo, 2000.

nas palavras DE IANNI

O neoliberalismo e o Estado neoliberal

O neoliberalismo compreende a liberação crescente e generalizada das atividades econômicas, compreendendo a produção, distribuição, troca e consumo. Funda-se no reconhecimento da primazia das liberdades relativas às atividades econômicas como pré-requisito e fundamento da organização e funcionamento das mais diversas formas de sociabilidade; compreendendo não só as empresas, corporações e conglomerados, mas também as mais diferentes instituições sociais. "Neo" liberalismo porque se impõe e generaliza em escala mundial, alcançando inclusive os países nos quais se havia experimentado ou continua a experimentar-se o regime socialista ou o planejamento econômico centralizado. Sob o neoliberalismo, reforma-se o Estado [...]. O poder estatal é liberado de todo e qualquer empreendimento econômico ou social que possa interessar ao capital privado nacional e transnacional. Trata-se de criar o "Estado mínimo", que apenas estabelece e fiscaliza as regras do jogo econômico, mas não joga. Tudo isso baseado no pressuposto de que a gestão pública ou estatal de atividades direta e indiretamente econômicas é pouco eficaz, ou simplesmente ineficaz. O que está em causa é a busca de maior e crescente produtividade, competitividade e lucratividade, tendo em conta os mercados nacionais, regionais e mundiais. Daí a impressão de que o mundo se transforma no território de uma vasta e complexa fábrica global, ao mesmo tempo que *shopping center* global e disneylândia global.

IANNI, Octávio. *Capitalismo, violência e terrorismo*. Rio de Janeiro: Civilização Brasileira, 2004. p. 313-4.

Cenário DO ESTADO MODERNO

Estado e liberdade

Depois que nos livrarmos do preconceito de que tudo o que faz o Estado e a sua burocracia é errado, malfeito e contrário à liberdade, e de que tudo o que é feito pelos indivíduos particulares é eficiente e sinônimo de liberdade — poderemos enfrentar adequadamente o verdadeiro problema. Reduzido a uma só frase, o problema consiste em que, em nosso mundo moderno, tudo é político, o Estado está em toda parte e a responsabilidade política acha-se entrelaçada em toda a estrutura da sociedade. A liberdade consiste não em negar essa interpenetração, mas em definir seus usos legítimos em todas as esferas, demarcando limites e decidindo qual deve ser o caminho da penetração, e, em última análise, em salvaguardar a responsabilidade pública e a participação de todos no controle das decisões.

MANNHEIM, Karl. *Liberdade, poder e planificação democrática*. São Paulo: Mestre Jou, 1972. p. 66.

1. Como o Estado se mostra presente em seu cotidiano? Dê exemplos e reflita: a presença do Estado é necessária nestas situações? Por quê?
2. Você acredita que a iniciativa privada poderia desenvolver atividades na área de educação, saúde, segurança, transporte e habitação, de modo que todos tivessem acesso a serviços de boa qualidade, sem a presença do Estado?

Capítulo

11 O poder e o Estado

Norbert Elias diz, em seu livro *A sociedade dos indivíduos*, que há uma tendência nas ciências sociais de não considerar o Estado como objeto da Sociologia. Ele afirma que isso vem de uma antiga tradição intelectual que vê o Estado como algo extra-social ou até oposto à sociedade. Desde o século XVIII, o termo "sociedade" — ou "sociedade civil" — era usado como contraposição a "Estado", pois havia interesse da classe em ascensão, a burguesia, em acentuar essa separação. Com isso, procurava-se destacar a idéia de que uma classe apenas, a nobreza, detinha o monopólio do poder do Estado.

Essa idéia de separação entre sociedade e Estado dominou por muito tempo e prejudicou a compreensão de que o Estado é uma organização encarregada de determinadas funções e que sua constituição é um processo histórico como tantos outros. Neste capítulo vamos verificar como os grandes autores da Sociologia abordaram essa questão.

As teorias sociológicas clássicas sobre o Estado

Marx, Durkheim e Weber, os três autores clássicos da Sociologia, tiveram, cada um a seu modo, uma vida política intensa e fizeram reflexões importantes sobre o Estado e a democracia de seu tempo. Vamos ver o que pensavam sobre esses temas.

Karl Marx. Tendo escrito sobre as questões que envolvem o Estado num período em que o capitalismo ainda estava em formação, Marx não formulou uma teoria específica sobre o Estado e o poder. Num primeiro momento, ele se aproximou da concepção anarquista, definindo o Estado como uma entidade abstrata, em contradição com a sociedade. Seria uma comunidade ilusória, que procuraria conciliar os interesses de todos, mas principalmente daqueles que dominavam economicamente a sociedade.

No livro *A ideologia alemã*, escrito em 1847 em parceria com Friedrich Engels, Marx identificou a divisão do trabalho e a propriedade privada, geradoras das classes sociais, como a base do surgimento do Estado, que seria a expressão jurídico-política da sociedade burguesa. A organização estatal apenas garantiria as condições gerais da produção capitalista, não interferindo nas relações econômicas. Em 1848, no *Manifesto comunista*, Marx e Engels afirmaram que os dirigentes do Estado moderno funcionavam como um comitê executivo da classe dominante (burguesia).

Nos livros escritos entre 1848 e 1852, *As lutas de classe na França* e *O dezoito brumário de Luís Bonaparte*, analisando uma situação histórica específica, Marx declara que o Estado nasceu para refrear os antagonismos de classe, e, por isso, é o Estado da classe dominante. Mas existem momentos em que a luta de classes é equilibrada e o Estado se apresenta com independência entre as classes em conflito, como se fosse um mediador.

Analisando a burocracia estatal, Marx afirma que o Estado pode estar acima da luta de classes, separado da sociedade, como se fosse autônomo. É nesse sentido que pode haver um poder que não seja exercido diretamente pela burguesia. Mesmo dessa forma, o Estado continua criando as condições necessárias para o desenvolvimento das relações capitalistas, principalmente o trabalho assalariado e a propriedade privada.

No livro *A guerra civil na França*, escrito em 1871, Marx analisa a Comuna de Paris e volta a olhar a questão do Estado de uma perspectiva que se aproxima da anarquista. O desaparecimento do Estado seria resultante da transferência do poder para a federação de associações dos trabalhadores.

Barricada erguida pelos integrantes da Comuna de Paris. Constituída na crista de um levante popular, na fase final da guerra franco-prussiana, a Comuna estabeleceu em Paris o autogoverno dos trabalhadores e o voto universal, aboliu a Guarda Nacional e decretou o congelamento dos preços de produtos de primeira necessidade. O governo revolucionário sobreviveu de março a maio de 1871.

nas palavras DE MARX

Estado e burguesia

Cada etapa da evolução percorrida pela burguesia foi acompanhada de um progresso político correspondente. Classe oprimida pelo despotismo feudal, associação armada e autônoma na comuna, aqui república urbana independente, ali terceiro estado tributário da monarquia; depois, durante o período manufatureiro, contrapeso da nobreza na monarquia feudal ou absoluta, base principal das grandes monarquias, a burguesia, com o estabelecimento da grande indústria e do mercado mundial, conquistou, finalmente, a soberania política exclusiva no Estado representativo moderno. O executivo no Estado moderno não é senão um comitê para gerir os negócios comuns de toda a classe burguesa.

MARX, Karl. *Manifesto comunista*. São Paulo: Boitempo, 1998. p. 41-2.

Para Karl Marx o Estado é, portanto, uma organização cujos interesses são os da classe dominante na sociedade capitalista: a burguesia.

Émile Durkheim. Ao analisar a questão da política e do Estado, Durkheim teve como referência fundamental a sociedade francesa de seu tempo. Como sempre esteve preocupado com a *coesão social*, inseriu-a de forma clara na questão. Para ele, o Estado é fundamental numa sociedade que fica cada dia maior e mais complexa, devendo estar acima das organizações comunitárias.

Durkheim dizia que o Estado "concentrava e expressava a vida social". Sua função seria eminentemente moral, pois ele deveria realizar e organizar o ideário do indivíduo e assegurar-lhe pleno desenvolvimento. E isso se faria por meio da educação pública voltada para uma formação moral sem fins conceituais ou religiosos. De acordo com o filósofo, o Estado não é antagônico ao indivíduo. Foi o Estado que emancipou o indivíduo do controle despótico e imediato dos grupos secundários, como a família, a Igreja e as corporações profissionais, dando-lhe um espaço mais amplo para o desenvolvimento de sua liberdade.

Para Durkheim, na relação entre o Estado e os indivíduos, é importante saber como os governantes se comunicam com os cidadãos, para que estes acompanhem as ações do governo. A intermediação deve ser feita por canais como os jornais e a educação cívica ou pelos órgãos secundários que estabelecem a ponte entre governantes e governados, principalmente os grupos profissionais organizados, que são a base da representação política e da organização social.

Quando se refere aos sistemas eleitorais, Durkheim critica os aspectos numéricos do que se entende por democracia. Tomando como exemplo as eleições de 1893 na França, declara que havia no país, naquele ano, 38 milhões de habitantes. Tirando as mulheres, as crianças, os adolescentes, todos os que eram impedidos de votar por alguma razão, apenas 10 milhões eram eleitores. Desses 10 milhões, foram votar em torno de 7 milhões. Os deputados eleitos, ou seja, os vencedores das eleições, somaram 4 592 000 de votos e os que não venceram tiveram 5 930 000 de votos, número superior ao dos vencedores. Conclui Durkheim: "[...] se nos ativermos às considerações numéricas, será preciso dizer que nunca houve democracia".

nas palavras DE DURKHEIM

Estado e interesses coletivos

Como é necessário haver uma palavra para designar o grupo especial de funcionários encarregados de representar essa autoridade [a "autoridade soberana" a cuja ação os indivíduos estão submetidos], conviremos em reservar para esse uso a palavra Estado. Sem dúvida é muito freqüente chamar-se de Estado não o órgão governamental, mas a sociedade política em seu conjunto, o povo governado e seu governo juntos, e nós mesmos empregamos a palavra nesse sentido. [...]

Eis o que define o Estado. É um grupo de funcionários *sui generis*, no seio do qual se elaboram representações e volições que envolvem a coletividade, embora não sejam obra da coletividade. Não é correto dizer que o Estado encarna a consciência coletiva, pois esta o transborda por todos os lados. É em grande parte difusa; a cada instante há uma infinidade de sentimentos sociais, de estados sociais de todo o tipo de que o Estado só percebe o eco enfraquecido. Ele só é a sede de uma consciência especial, restrita, porém mais elevada, mais clara, que tem de si mesma um sentimento mais vivo.

DURKHEIM, Émile. *Lições de sociologia*. São Paulo: Martins Fontes, 2002. p.67 e 70.

Para Durkheim, portanto, o Estado é uma organização com um conteúdo inerente, ou seja, os interesses coletivos.

Max Weber. Cinqüenta anos depois da publicação do *Manifesto comunista*, por Marx e Engels, num momento em que o capitalismo estava mais desenvolvido e burocratizado, Weber escreveu sobre as questões do poder e da política. Questionava: como será possível o indivíduo manter sua independência diante dessa total burocratização da vida? Esse foi o tema central da Sociologia política weberiana.

Se Durkheim tinha como foco a sociedade francesa, Weber manifestava uma preocupação específica com a estrutura política alemã, mas levava em conta também o sistema político dos Estados Unidos e da Inglaterra. Além disso, estava atento ao que acontecia na Rússia, principalmente após a revolução de 1905.

Para ele, na Alemanha unificada por Otto von Bismarck, o Estado era fundamentado nos seguintes setores da sociedade: o Exército, os *junkers* (grandes proprietários de terras), os grandes industriais e a elite do serviço público (alta burocracia). Em 1917, escrevendo sobre Bismarck, dizia que este havia deixado uma nação sem educação e sem vontade política, acostumada a aceitar que o grande líder decidisse por ela.

Ao analisar o Estado alemão, Weber afirma que o verdadeiro poder estatal está nas mãos da burocracia militar e civil. Portanto, para ele, o "Estado é uma relação de homens dominando homens" mediante a violência, considerada legítima, e "uma associação compulsória que organiza a dominação". Para que essa relação exista, é necessário que os dominados obedeçam à autoridade dos que detêm o poder. Mas o que legitima esse domínio? Para Weber há três formas de dominação legítima: a tradicional, a carismática e a legal.

São Paulo, 2006. O Estado visível na rua. De acordo com Weber, instituições militares, como o exército, e civis, como as máquinas administrativas e burocráticas, garantem ao Estado o monopólio do poder e do uso legítimo da força.

A dominação tradicional é legitimada pelos costumes, normas e valores tradicionais e pela "orientação habitual para o conformismo". É exercida pelo patriarca ou pelos príncipes patrimoniais.

A dominação carismática está fundada na autoridade do carisma pessoal (o "dom da graça"), da confiança na revelação, do heroísmo ou de qualquer qualidade de liderança individual. É exercida pelos profetas das religiões, líderes militares, heróis revolucionários e líderes de um partido.

A dominação legal é legitimada pela legalidade que decorre de um estatuto, da competência funcional e de regras racionalmente criadas. Está presente no comportamento dos "servidores do Estado".

nas palavras DE WEBER

Estado e política

"Todo o Estado se funda na força", disse Trotski em Brest-Litovsk. Isso é realmente certo. Se não existissem instituições sociais que conhecessem o uso da violência, então o conceito de "Estado" seria eliminado, e surgiria uma situação que poderíamos designar como "anarquia", no sentido específico da palavra. [...]

Hoje, porém, temos de dizer que o Estado é uma comunidade humana que pretende, com êxito, *o monopólio do uso legítimo da força física* dentro de um determinado território. [...] O Estado é considerado como a única fonte do "direito" de usar a violência. Daí "política", para nós, significar a participação no poder ou a luta para influir na distribuição de poder, seja entre Estados ou entre grupos dentro de um Estado.

WEBER, Max. A política como vocação. In: ____. *Ensaios de sociologia*. Rio de Janeiro. Zahar, 1982. p. 98.

Para Max Weber, portanto, o Estado é uma organização sem conteúdo inerente; apenas mais uma das muitas organizações burocráticas da sociedade.

Democracia, representação e partidos políticos

As diversas formas que o Estado assumiu na sociedade capitalista estiveram ligadas à concepção de soberania popular, que é a base da democracia. Mas tal soberania só se torna efetiva com a representação pelo voto. Para ampliar o número de pessoas com direito de votar e ser votadas foram necessárias muitas lutas. Isso significa que o liberalismo só se tornou democrático porque foi forçado a isso. Na época do liberalismo clássico, somente o homem adulto economicamente independente tinha instrução e era considerado capaz de discernimento para tomar decisões políticas. Desse modo, a representação durante muito tempo foi bastante restrita.

Charge inglesa de 1819 ironiza as mobilizações precursoras da luta pelo sufrágio universal.

Tomemos como exemplo a Inglaterra, a pátria do parlamentarismo e da democracia moderna. Logo após a chamada Revolução Gloriosa (1688), que limitou os poderes do rei e atribuiu ao Parlamento autoridade sobre o governo, somente 2% da população tinha direito de voto. Em 1832, quase 150 anos depois, após uma reforma eleitoral, esse índice subiu para 5%. As mulheres só conquistariam o direito de votar em 1928.

Podemos entender muito melhor a "igualdade política" defendida pelo pensamento liberal, que é a base ideológica do sistema capitalista, quando lemos o que disseram grandes pensadores liberais, como Benjamin Constant (1787-1874), Immanuel Kant (1724-1804) e Edmund Burke (1729-1797).

O pensador francês Benjamin Constant afirmava que as pessoas condenadas pela penúria ao trabalho diário e a uma situação de eterna dependência não estavam mais bem informadas acerca dos assuntos públicos que uma criança; por isso, não podiam desfrutar o direito eleitoral. Era necessário ter o tempo livre indispensável para adquirir os conhecimentos e os critérios justos. Só a propriedade proporcionava esse tempo livre e deixava os indivíduos em condições de exercitar os direitos políticos.

Immanuel Kant, filósofo alemão, afirmava que para exercer os direitos políticos era necessário não ser criança ou mulher. Mas não bastava a condição de homem; era preciso ser senhor de uma propriedade que lhe desse sustento. O dependente, o criado e o operário não podiam ser membros do Estado e não estavam qualificados para ser cidadãos.

Edmund Burke, pensador inglês de visão conservadora, ao analisar os perigos da Revolução Francesa para a sociedade burguesa, afirmava que somente uma elite tinha o grau de racionalidade e de capacidade analítica necessário para compreender o que convinha ao bem comum. Afirmava ainda que a propriedade garantia a liberdade, mas exigia a desigualdade.

Essas idéias ainda estão presentes nos dias de hoje, expressando-se, por exemplo, quando se afirma que o povo não sabe votar, que para ser deputado, senador ou mesmo presidente da República são necessários determinados atributos que, normalmente, só os membros das classes proprietárias possuem, como nível universitário, experiência administrativa, etc. A ação e o discurso contra a presença de trabalhadores, ou daqueles que defendem seus direitos, no Parlamento ou em cargos executivos, é algo muito antigo, mas está presente na sociedade contemporânea em geral, e muito claramente no Brasil.

Muitas pessoas também pensam que só se pode fazer política institucional por meio dos partidos políticos. Mas os partidos nasceram por causa da pressão exercida por quem não tinha acesso ao Parlamento. No início do Estado liberal, a idéia de partido era inaceitável, pois se considerava que o Parlamento devia ter unidade de formação e pensamento, não comportando divisões ou "partes" (o que a palavra *partido* expressa). Votavam e eram votados, na prática, apenas os que possuíam propriedades e riqueza, ou seja, aqueles que podiam viver para a política, já que não precisavam se preocupar com seu sustento. Assim, o Parlamento reunia os proprietários. Estes discutiam as leis que regeriam a sociedade como um todo com base na visão deles.

Luta pela ampliação da participação política: haitianos enfrentam filas para retirar título de eleitor para a eleição presidencial de 2006.

Somente quando outros setores da sociedade começaram a lutar por participação na vida política institucional, principalmente os trabalhadores organizados, os partidos políticos começaram a aparecer e a defender interesses diferentes: de um lado, o daqueles que queriam mudar a situação e, de outro, o daqueles que queriam mantê-la.

Pelas razões expostas, o pensador francês Claude Lefort, em seu livro *A invenção democrática* (1983), afirma que é uma aberração considerar a democracia uma criação da burguesia. Essa classe sempre procurou impedir que o liberalismo se tornasse democrático, limitando o sufrágio universal e a ampliação de direitos, como os de associação e de greve, e criando outras tantas artimanhas para excluir a maior parte da população da participação nas decisões políticas. Por isso, para ele, a democracia é a criação contínua de novos direitos. Não é apenas consenso, mas principalmente a existência de dissenso.

nas palavras
DE LEFORT

A democracia é fruto da luta por direitos

A democracia que conhecemos instituiu-se por vias selvagens, sob o efeito de reivindicações que se mostraram indomesticáveis. E todo aquele que tenha os olhos voltados para a luta de classes, se deixasse os sendeiros marxistas [...], deveria convir que ela foi uma luta pela conquista de direitos — exatamente aqueles que se mostram hoje constitutivos da democracia [...]. Poderoso agente da revolução democrática, o movimento operário talvez tenha, por seu turno, se atolado na lama das burocracias, nascidas da necessidade de sua organização. Acontece, no entanto, para além dos choques de interesses particulares nos quais a democracia corre o risco de se deteriorar, que os conflitos que atravessam a sociedade em todos os níveis sempre deixam visível uma oposição geral, que é sua mola-mestra, entre dominação e servidão. Sem dúvida, essa oposição nunca é nomeada.

LEFORT, Claude. *A invenção democrática: os limites do totalitarismo*. São Paulo: Brasiliense, 1983. p. 26.

Alguns autores procuram analisar os aspectos institucionais da questão democrática. Para Joseph Schumpeter, Giovani Sartori, Robert Dahl, Adam Przeworski, Guillermo O'Donnell, entre outros, há a necessidade de serem preenchidos alguns critérios para haver democracia num país:

- eleições competitivas, livres e limpas para o Legislativo e o Executivo;
- direito de voto, que deve ser extensivo à maioria da população adulta, ou seja, cidadania abrangente no processo de escolha dos candidatos;
- proteção e garantia das liberdades civis e dos direitos políticos mediante instituições sólidas, isto é, liberdade de imprensa, liberdade de expressão e organização, direito ao *habeas corpus* e outros que compreendem o componente liberal da democracia;
- controle efetivo das instituições legais e de segurança e repressão — Poder Judiciário, Forças Armadas e Forças Policiais. Isso possibilitaria avaliar o genuíno poder de governar das autoridades eleitas, sem que estas fossem ofuscadas por atores políticos não eleitos, como as instituições apontadas, que muitas vezes dominam nos bastidores.

Essas condições institucionais garantiriam a efetivação da democracia representativa.

O sociólogo português Boaventura de Sousa Santos propõe outros elementos para analisar a questão da democracia e da representação. Ele afirma que a democracia no mundo contemporâneo nos oferece duas imagens muito contrastantes. Por um lado, a democracia representativa é considerada internacionalmente o único regime político legítimo. Por outro, existem sinais de que os regimes democráticos, nos últimos vinte anos, traíram as expectativas da maioria da população, principalmente das classes populares.

Charge de Glauco publicada em 1977, durante o governo Geisel, quando teve início a abertura política. Figura comum nas redações dos principais veículos de imprensa, o censor vetava matérias, artigos e crônicas considerados subversivos pela ditadura militar.

Condições sociais somam-se às institucionais como critérios de democracia. As desigualdades — e a violência e insegurança por elas geradas — criam condições negativas de participação democrática. Na foto, ônibus incendiado por integrantes da organização criminosa Primeiro Comando da Capital (PCC) durante onda de ataques desencadeada em maio de 2006, em São Paulo.

As revelações mais freqüentes de corrupção permitem concluir que os governantes legitimamente eleitos usam o mandato para enriquecer à custa do povo e dos contribuintes. Há também o desrespeito dos partidos por seus programas eleitorais logo após as eleições, o que faz os cidadãos sentirem-se pessimamente representados e acreditarem cada vez menos na democracia representativa.

nas palavras DE SOUSA SANTOS

Os desafios à democracia

Os desafios que são postos à democracia no nosso tempo são os seguintes. Primeiro, se continuarem a aumentar as desigualdades sociais entre ricos e pobres ao ritmo das três últimas décadas, em breve, a igualdade jurídico-política entre os cidadãos deixará de ser um ideal republicano para se tornar uma hipocrisia social constitucionalizada. Segundo, a democracia atual não está preparada para reconhecer a diversidade cultural, para lutar eficazmente contra o racismo, o colonialismo, o sexismo e as discriminações em que eles se traduzem. [...] Terceiro, as imposições econômicas e militares dos países dominantes são cada vez mais drásticas e menos democráticas. Assim sucede, em particular, quando vitórias eleitorais legítimas são transformadas pelo chefe da diplomacia norte-americana em ameaças à democracia, sejam elas as vitórias do Hamas [na Palestina], de Hugo Chávez [na Venezuela] ou de Evo Morales [na Bolívia]. Finalmente, o quarto desafio diz respeito às condições da participação democrática dos cidadãos. São três as principais condições: ser garantida a sobrevivência: quem não tem com que alimentar-se e à sua família tem prioridades mais altas que votar; não estar ameaçado: quem vive ameaçado pela violência no espaço público, na empresa ou em casa, não é livre, qualquer que seja o regime político em que vive; estar informado: quem não dispõe da informação necessária a uma participação esclarecida, equivoca-se quer quando participa, quer quando não participa. Pode dizer-se com segurança que a promoção da democracia não ocorreu de par com a promoção das condições de participação democrática.

SOUSA SANTOS, Boaventura de. O futuro da democracia. *Visão*. Paço de Arcos: Edimpresa, 31 ago. 2006. Disponível em: www.ces.uc.pt/opiniao/bss/164.php. Acesso em: 7 mar. 2007.

A sociedade disciplinar e a sociedade do controle

Até aqui vimos análises sobre o poder e a política que privilegiam suas relações com o Estado. Mas existem pensadores que analisam a questão do poder e da política de modo diferente: não dão primazia às relações com o Estado, mas a elementos que estão presentes em todos os momentos de nossa vida. Entre eles, destacamos os franceses Michel Foucault (1926-1984) e Gilles Deleuze (1925-1995).

Foucault se propôs analisar a sociedade com base na disciplina no cotidiano. Para ele, todas as instituições procuram disciplinar os indivíduos desde que nascem. Assim acontece na família, na escola, nos quartéis, nos hospitais, nas prisões, etc., pois o fundamental é distribuir, vigiar e adestrar os indivíduos em espaços determinados. Diz ele que, além dos aspectos institucionais ou até jurídicos dessas instituições, esse poder desenvolve-se por meio de gestos, atitudes e saberes. É o que chama de "arte de governar", entendida como a racionalidade política que determina a forma de gestão das condutas dos indivíduos de uma sociedade. Nesse sentido, ele afirma: "nada é político, tudo é politizável, tudo pode tornar-se político".

Sociedade disciplinar: da família à escola, do hospital à prisão, as instituições confinam, adestram e vigiam os indivíduos. Na obra *A ronda dos prisioneiros*, de 1890, seu último ano de vida, Van Gogh se retrata entre os prisioneiros. A tela foi pintada quando ele se encontrava confinado em um hospital de Saint-Rémy.

Seguindo as pistas de Foucault, Deleuze declara que vivemos ainda numa sociedade disciplinar, mas já estamos percebendo a emergência de uma sociedade de controle.

A sociedade disciplinar é a que conhecemos desde o século XVIII. Ela procura organizar grandes meios de confinamento: a família, a escola, a fábrica, o exército e, em alguns casos, o hospital e a prisão. O indivíduo passa de um espaço fechado para outro e não pára de recomeçar, pois em cada instituição deve aprender alguma coisa, principalmente a disciplina específica do lugar.

Na sociedade disciplinar, a fábrica, por exemplo, é um espaço fixo e confinado onde se produzem bens. A fábrica concebe os indivíduos como um só corpo, com a dupla vantagem de facilitar a vigilância por parte dos patrões, que controlam cada elemento na massa, e de facilitar a tarefa dos sindicatos, que mobilizam uma massa de resistência.

O que nos identifica, na escola, no exército, no hospital, na prisão ou nos bancos, é a assinatura e o número na carteira de identidade e na carteira profissional, além de diversos outros documentos.

A sociedade do controle está aparecendo lentamente, e alguns de seus indícios já são perceptíveis. Nela são usadas formas ultra-rápidas de controle, quase como prisões ao ar livre, na expressão de Theodor Adorno. Os métodos são de curto prazo e de rotação rápida, mas contínuos e ilimitados. São permanentes e de comunicação instantânea. Como não têm um espaço definido, podem ser exercidos em qualquer lugar. Exemplos de modos de controlar as pessoas constantemente são as avaliações permanentes e a formação continuada.

Sociedade do controle: alguém precisa vigiar?

Outra forma de controle contínuo são os "conselhos" a respeito da saúde que estão presentes em todas as publicações, na televisão e na internet: "Não coma isso porque pode engordar ou aumentar o nível de colesterol ruim. Faça exercícios pela manhã ou pela tarde, desta ou daquela maneira, para ter uma vida mais saudável. Tome tal remédio para isso, mas não tome para aquilo". Os controles nos alcançam em todos os momentos e lugares. Não há possibilidade de fuga.

Se na sociedade disciplinar o elemento central de produção é a fábrica, na de controle é a empresa, algo mais fluido. Se a fábrica já conhecia o sistema de prêmios, a empresa o aperfeiçoou como uma modulação para cada salário, instaurando um estado de eterna instabilidade e desafios. Se a linha de produção é o coração da fábrica, o serviço de vendas é a alma da empresa. O *marketing* é agora o instrumento de controle social por excelência — possui natureza de curto prazo e rotação rápida, mas também contínuo e ilimitado, ao passo que a disciplina é de longa duração, infinita e descontínua.

O lugar do *marketing* em nossa sociedade é evidente, uma vez que somos todos vistos como consumidores. O convencimento é ao mesmo tempo externo (pela recepção da mensagem) e interno (pela própria natureza do convencimento). Ao ser interiorizada, a coerção afinal aparece como um imperativo. Se tudo pode ser comprado e vendido, por que não as consciências, os votos e outras coisas mais? A corrupção em todos os níveis ganhou nova potência.

O que nos identifica cada vez mais é a senha. Cada um de nós é apenas um número, parte de um banco de dados de amostragem. A quantidade de senhas de que necessitamos para nos relacionar virtualmente com as pessoas ou com instituições é enorme e, sem elas, ficamos isolados.

Se na sociedade disciplinar há sempre um indivíduo vigiando os outros em várias direções num lugar confinado, na sociedade do controle todos olham para o mesmo lugar. A televisão é um bom exemplo disso, pois milhares de pessoas estão sempre diante do aparelho. Na final do campeonato mundial de futebol em 2006, cerca de um bilhão e meio de pessoas estavam conectadas ao jogo.

Cenário DO ESTADO CONTEMPORÂNEO

Estado de exceção

Giorgio Agamben, filósofo italiano, era professor convidado da Universidade de Nova York. Depois do ataque às torres gêmeas do World Trade Center, em Nova York, nos Estados Unidos, em 11 de setembro de 2001, ao voltar de suas férias na Itália, Agamben desistiu de lecionar naquela universidade, porque lhe foram impostas várias condições, no aeroporto, para que entrasse no país: fichamento, coleta de impressões digitais, revista e outras exigências. Ele disse que não se submeteria às imposições, pois eram procedimentos aplicados a criminosos na prisão, e não a cidadãos livres. Esse fato teve grande repercussão internacional, pois com sua postura Agamben questionava o que estavam fazendo com cidadãos em todo o mundo.

Estádio do Pacaembu, São Paulo. Dezenas de câmeras apóiam o trabalho da Polícia Militar durante jogo de futebol do Campeonato Brasileiro de 2002. A contínua vigilância dos indivíduos — uma das características do que Gilles Deleuze chama de sociedade disciplinar e Giorgio Agamben, de Estado de exceção — costuma ser mascarada ou justificada com avisos como "Sorria, você está sendo filmado", ou "Para sua segurança, esta ligação está sendo gravada".

O filósofo observa que hoje os cidadãos são continuamente controlados e consideram isso normal. É o primeiro passo para que os regimes democráticos se tornem autoritários, com a carapaça de democracia.

Olhe a sua volta e observe que está sendo filmado em todos os lugares. Há câmeras nas entradas e elevadores dos edifícios residenciais e comerciais, nos bancos, nas ruas e também nos corredores das universidades.

Você sabia que somente na Inglaterra foram instalados 4,5 milhões de câmeras de vigilância na última década e que um habitante de Londres é filmado trezentas vezes por dia? Mas não é só lá. Em Clementina, uma cidade de 6 mil habitantes no interior de São Paulo, foram montadas torres de 25 metros com câmeras para fazer a vigilância da cidade. A justificativa é que essas câmeras, que capturam imagens a até dois quilômetros, intimidam os bandidos e auxiliam a polícia.

Giorgio Agamben chama de Estado de exceção o tipo de governo dominante na política contemporânea, que transforma o que deveria ser uma medida provisória e excepcional em técnica permanente de governo.

Para Agamben, o Estado de exceção significa simplesmente a suspensão do ordenamento jurídico: a anulação dos direitos civis do cidadão e seu estatuto jurídico como indivíduo. Ele defende a idéia de que o paradigma político do Ocidente não é mais a cidade, mas o campo de concentração. Vistas por essa ótica, as práticas de exceção contemporâneas, engendradas por um Estado policial protetor, fazem da política do terror e da insegurança o princípio gestor, estimulando, cada vez mais, a privatização dos espaços e o confinamento no interior deles.

1. Manter os indivíduos sob vigilância constante é um procedimento necessário para prevenir a violência e a possibilidade de ações criminosas?

2. Há medidas não repressivas ou invasoras da vida particular mais eficazes? Aponte algumas.

Poder, política e Estado no Brasil

Capítulo 12

Por mais de 300 anos, enquanto na Europa constituíam-se Estados absolutistas e depois liberais, o Brasil permaneceu como colônia de Portugal — portanto, submetido ao Estado português. Com a independência, em 1822, instituiu-se no Brasil um Estado monárquico do tipo liberal, mas com uma contradição imensa, que perduraria por mais 66 anos: a escravidão. Após a proclamação da República, em 1889, o Estado brasileiro assumiu diferentes feições ao longo do tempo, caracterizando-se como oligárquico, ditatorial ou liberal, sempre à sombra do poder dos militares, cujas intervenções e golpes foram freqüentes. Só a partir da Constituição de 1988 o país passou a conviver com a perspectiva de um Estado democrático duradouro, mas também com uma política econômica neoliberal, sem ter efetivamente passado por um Estado de bem-estar social.

O Estado até o fim do século XIX

Podemos dizer que o Brasil conheceu várias formas de organização do Estado, de acordo com os caminhos que a história política do país traçou.

O beija-mão real no Rio de Janeiro, durante o período joanino (1808-1822), uma cerimônia da realeza absolutista transplantada para a colônia.

Entre 1500 e 1822. Todas as decisões políticas relacionadas à colônia de Portugal na América eram tomadas pelo soberano português, que mantinha um Estado absolutista; os moradores da colônia só cumpriam as decisões. Foi assim que aconteceu com praticamente todas as iniciativas políticas daquela época, desde a implantação das capitanias hereditárias — que, conforme o próprio nome diz, passavam de pai para filho — até a instituição do Governo Geral. Ou seja, toda a estrutura de poder na colônia estava ligada diretamente ao rei de Portugal. Isso ficou mais claro quando, em 1808, Dom João VI foi obrigado por Napoleão a vir para o Brasil, transplantando para cá a forma de Estado vigente em Portugal. Esse período durou pouco, pois logo veio a independência.

Entre 1822 e 1889. Da independência à República, havia no país um Estado imperial constitucional com os poderes Executivo (Conselho de Estado), Legislativo (Assembléia Geral, composta do Senado e da Câmara dos Deputados) e Judiciário (Supremo Tribunal de Justiça). No entanto, havia algo diferente no Brasil de Dom Pedro I: o poder Moderador, exercido pelo imperador.

Charge de Angelo Agostini, publicada em 1885, ironiza a decadência política do Império. O jornal *O Paiz*, no colo do imperador, é republicano.

O poder Moderador ficava acima dos outros três, pois o imperador nomeava os integrantes do Conselho de Estado (o Executivo) e do Senado, escolhia os membros do Supremo Tribunal, podia dissolver a Câmara dos Deputados e utilizar as Forças Armadas quando achasse conveniente para manter a segurança do Império. Dom Pedro tinha o poder absoluto com uma maquiagem liberal, já que havia uma constituição no país. Parecia que existia um parlamentarismo, mas, de fato, quem exercia o poder era o imperador.

Depois da abdicação de Dom Pedro I, com as Regências e o governo de Dom Pedro II, a estrutura política do Brasil manteve-se igual.

Talvez o Brasil tenha sido o único país do mundo em que uma constituição liberal coexistiu com a escravidão. Isso é uma grande contradição, pois a constituição liberal dispõe que todos os indivíduos são iguais perante a lei, e a escravidão é a negação disso. A permanência dessa contradição se explica pelo fato de a escravidão ser um dos elementos estruturais do Império. Ela foi abolida, em 1888, e a monarquia caiu em seguida.

O Estado republicano

O Estado que nasceu com a implantação da República no Brasil, resultante de mais uma tentativa da classe dominante para manter seu poder, caracterizou-se como liberal conservador. Desde sua implantação, os militares tiveram sempre uma presença marcante na estruturação política nacional e estiveram no posto máximo de comando — a Presidência da República — ou nos bastidores, influindo nas principais decisões políticas.

Tivemos, nesse longo período de República, diferentes momentos de poder: o do poder oligárquico (um governo de grupos), exercido pelos grandes proprietários de terras, as ditaduras explícitas, os momentos de governos democráticos liberais com restrições, etc. Enfim, vivemos situações em que a democracia esteve sempre por um fio.

República Velha: o Estado oligárquico (de 1889 a 1930). Enquanto na Europa e nos Estados Unidos já havia um desenvolvimento industrial significativo e um Estado liberal democrático estruturado, o Brasil era um país essencialmente agrário, com um Estado oligárquico que excluía a participação popular.

A República no Brasil surgiu de um movimento da cúpula militar, sem a participação da população. Segundo o republicano Aristide Lobo, um jornalista da época, "o povo assistiu bestializado, atônito, surpreso, sem conhecer o que significava", ao movimento que derrubou a monarquia.

Charge de Angelo Agostini, sem data definida, feita nos primeiros anos da República Velha (1889-1930), ironizando as práticas eleitorais da época. Não havia mecanismos institucionais que pudessem coibir as fraudes, pois o voto era aberto e não existia uma justiça eleitoral independente.

Após um período de governo provisório, entre 1889 e 1891, houve a promulgação de uma constituição, em 1891, que criava a República Federativa do Brasil. Isso significava que o Brasil era um conjunto de províncias (os atuais estados), as quais tinham autonomia e uma constituição própria que definia o Judiciário, as Forças Armadas, os códigos eleitorais e a capacidade de criar impostos. Mas o poder da União ficava resguardado, pois ela podia intervir nas províncias para assegurar a ordem, a estabilidade e o pacto federativo.

O poder nesse período caracterizava-se por duas práticas: a política dos governadores e o coronelismo.

A política dos governadores, criada a partir de 1900, foi uma formulação do governo federal, que procurava assegurar a alternância no poder dos estados produtores de café (o principal produto de exportação): Minas Gerais e São Paulo. Era um movimento de articulação entre o poder federal e o poder regional que preservava as oligarquias regionais.

O coronelismo era uma forma de poder econômico, social e político encarnado pelo proprietário rural, que controlava os meios de produção, e os moradores da zona rural e das pequenas cidades do interior. A prática político-social dos coronéis mantinha uma articulação local-regional e regional-federal, como nos tempos do Império.

O período Vargas (de 1930 a 1945). Dois golpes de Estado delimitam esse período: um para colocar Getúlio Vargas no poder e outro para derrubá-lo.

Charge de capa da revista *Careta* de setembro de 1950 mostra um Getúlio Vargas sorridente e tranqüilo. Embaixo da charge, a chamada "Véspera de festa" prenunciava a vitória de Vargas nas eleições de 1950. Depois do governo relativamente impopular do Marechal Dutra, marcado por arrochos salariais, proibição de jogos de azar e aumento da dívida pública, a expectativa com a volta de Vargas à presidência era de retomada de crescimento e prosperidade.

A atuação parlamentar praticamente não existiu no período Vargas e, quando houve, sempre esteve atrelada ao governo central. O Brasil teve duas constituições: a de 1934 (que tinha um fundamento liberal e durou muito pouco) e a de 1937 (que foi imposta por Getúlio Vargas, com inspiração fascista e autoritária).

Com a ascensão de Getúlio Vargas ao poder estabeleceu-se o que a Sociologia chamou de populismo: uma relação de poder em que o governo buscava o apoio dos trabalhadores e também da burguesia industrial (setor que de fato representava). Com isso, Getúlio criou uma divergência com o setor agrário dominante, já que seu objetivo era implantar uma nova ordem industrial.

Para alguns autores brasileiros, como Helio Jaguaribe e Guerreiro Ramos, o traço marcante do populismo de Vargas foi a liderança carismática. Para outros estudiosos, como Francisco Weffort, tratava-se de um fenômeno de massas e de classes, com certo traço manipulador. Já de acordo com Octávio lanni, foi um fenômeno ideologicamente baseado no nacionalismo, com uma política que envolvia todas as classes sociais, portanto, um movimento policlassista.

Em termos econômicos, havia um compromisso entre o governo e as elites urbanas de industrializar o país, utilizando para isso a modernização da estrutura estatal e também a incorporação, de modo controlado e subordinado, das emergentes massas urbanas. O Estado aparecia como o principal agente investidor na infra-estrutura necessária a esse processo.

Sem perder de vista seu caráter autoritário e a repressão que desencadeou no Estado Novo, Getúlio Vargas deixou um legado de leis trabalhistas e a concepção de um país com um projeto nacional que continuou nos anos seguintes.

A República com a marca Vargas: o Estado liberal (de 1945 a 1964). Terminada a Segunda Guerra Mundial, iniciava-se no Brasil um período de 19 anos de democracia liberal, com seguidos golpes militares. O primeiro deles foi o que derrubou Getúlio Vargas, em 1945, e o último, o que depôs João Goulart, seu seguidor político, em 1964.

O Estado estruturou-se com uma nova constituição em 1946, considerada politicamente liberal, mas que permitia a intervenção na economia, principalmente na infra-estrutura necessária ao processo de industrialização. No esforço de industrialização, o governo investiu em empresas siderúrgicas, como a Companhia Siderúrgica Nacional (CSN) e a Companhia Vale do Rio Doce, e nacionalizou a produção e o refino de petróleo com a criação da Petróleo Brasileiro S.A. (Petrobras). O objetivo era diminuir as importações que, na época, ainda abrangiam os bens de consumo duráveis, como as geladeiras, os fogões e os eletrodomésticos de todos os tipos.

Com Juscelino Kubitschek, finalmente se implantou a indústria nacional de bens duráveis, graças à estruturação da tríplice aliança — a conjugação entre o Estado, o capital nacional e o capital estrangeiro —, que possibilitou um grande desenvolvimento econômico e industrial no Brasil. O exemplo mais claro dessa aliança foi a implantação da indústria automobilística nacional, com a vinda das grandes montadoras de veículos, como a Volkswagen, a Ford e a General Motors. Essas empresas instalaram-se no Brasil com o apoio do

Passados os anos de desenvolvimentismo do governo Juscelino Kubitschek, Jânio Quadros foi eleito com a promessa de varrer a corrupção e a dívida pública com sua vassoura — símbolo de sua campanha. No entanto, o que se viu foi uma renúncia mal explicada e o começo de uma crise que culminou no golpe militar, em 1964.

governo federal, que desenvolvera uma indústria siderúrgica, ampliava a produção de petróleo e construía estradas, enquanto o capital nacional participava com as indústrias subsidiárias, produzindo peças, equipamentos e acessórios para os automóveis e caminhões.

O final dessa fase chegou com o golpe militar de 1964, que derrubou João Goulart. O golpe estava sendo tramado havia muito tempo, desde a renúncia de Jânio Quadros, em 1961; só demorou para ser posto em prática por causa das divergências entre os militares mais graduados e também entre os líderes civis. Um novo período ditatorial se iniciava no Brasil.

A República dos generais (de 1964 a 1985). Por que houve o golpe militar em 1964? Segundo os golpistas, o objetivo era acabar com a anarquia e a insegurança que levariam o país ao comunismo; os militares argumentavam também que era a única maneira de deter a inflação, que estava absurdamente alta, e de avançar no processo de industrialização já em curso.

Politicamente, podemos dizer que essa fase divide-se em três momentos: de 1964 a 1968, de 1969 a 1973 e de 1974 a 1984.

No primeiro momento, os militares editaram o Ato Institucional nº 1 (AI-1), que suspendeu os direitos políticos de centenas de pessoas. Foram extintos os partidos políticos e criado o bipartidarismo, com a Aliança Renovadora Nacional (Arena), de apoio ao governo, e o Movimento Democrático Brasileiro

(MDB), de oposição consentida. Todas as eleições diretas para cargos executivos foram suspensas.

Nesses primeiros anos do golpe, ocorreram muitos atos públicos, principalmente de estudantes e trabalhadores, contra o regime militar. Os movimentos foram permitidos inicialmente, mas depois passaram a ser reprimidos com violência. A edição do Ato Institucional nº 5 (AI-5), em 13 de dezembro de 1969, marcou o endurecimento do regime. Com isso, ficou bem clara a instauração da ditadura, que praticamente anulou a constituição.

O segundo momento correspondeu aos chamados "anos de chumbo", pois nessa fase houve intensa repressão aos movimentos organizados e às manifestações públicas e censura prévia à imprensa. O endurecimento aumentou a oposição ao regime, com a organização de movimentos guerrilheiros na cidade e no campo. Os militares reagiram com violência, colocando em prática as torturas, assassinatos e desaparecimentos de ativistas de esquerda e de pessoas que eles diziam conspirar contra a segurança nacional.

A intransigência dos militares e as arbitrariedades cometidas no período posterior à edição do Ato Institucional nº 5 desafiavam as evidências e a razão, como satiriza Ziraldo nesta charge de 1984.

O país iniciou um processo que foi designado de "milagre econômico", pois houve um crescimento expressivo da produção nacional.

Os últimos dez anos do regime militar (1974-1984) foram críticos para sua manutenção, pois em termos econômicos iniciava-se uma crise internacional decorrente do aumento explosivo dos preços do petróleo, e isso tinha reflexos diretos internamente. E, politicamente, a oposição ao regime iniciava sua ascensão, tanto no plano eleitoral quanto no dos movimentos populares, com a emergência de manifestações reivindicatórias, principalmente nas grandes cidades, por melhores condições de vida e de trabalho. As greves operárias ressurgiram e o movimento dos trabalhadores, com nova configuração, reestruturou-se gradativamente.

Diante dessa situação, no governo do general Ernesto Geisel (1974 a 1979) foram dados os primeiros passos para a "abertura" do país. Inicialmente, Geisel precisou conter os vários setores das Forças Armadas que queriam a continuidade do regime militar; depois, iniciou uma longa trajetória para promover uma transição lenta e gradual para a democracia representativa, sob a vigilância dos militares, tentando conter as manifestações políticas das ruas.

Nessa última fase da ditadura aconteceram alguns fatos importantes que merecem ser lembrados. Em 1978 foi extinto o AI-5, o ato institucional dos militares que tolhera radicalmente a liberdade no país. Em 1979 foi aprovada a lei da anistia, e centenas de exilados voltaram ao Brasil. Também nesse ano foi restabelecido o pluripartidarismo, o que abriu a vida política para outros partidos. O Partido Democrático Social (PDS) substituiu a Arena, e o MDB transformou-se no Partido do Movimento Democrático Brasileiro (PMDB). Nasceram no Partido Democrático Trabalhista (PDT) e o Partido Trabalhista Brasileiro (PTB). Em 1982, o Partido dos Trabalhadores (PT) teve seu registro aceito.

No último governo militar, o do general João Baptista Figueiredo, agravou-se a crise econômica e intensificaram-se os movimentos grevistas e as manifestações de protesto. Em 1984, uma campanha por eleições diretas para presidente da República, conhecida como *Diretas Já*, agitou o país, e uma emenda à Constituição foi votada com esse objetivo, mas não conseguiu ser aprovada no Congresso. Os militares decidiram que o governo deveria ter um civil na liderança, mas eleito indiretamente pelo Congresso Nacional, e isso ocorreu.

Como vimos até aqui, o Estado brasileiro teve poucos momentos de efetiva democracia representativa, mesmo com a existência de uma constituição que se propunha definir os direitos dos cidadãos. Na prática, essa Constituição estava sempre a serviço daqueles que ocupavam o poder e de quem os sustentava.

O retorno à democracia (de 1985 a nossos dias). Após a abertura, o Brasil viveu a fase do Estado liberal democrático, que procurou definir as bases democráticas de convivência política. Essa fase se iniciou com a eleição indireta, pelo Colégio Eleitoral, do primeiro presidente civil que deveria substituir os militares no governo.

O candidato eleito, Tancredo Neves, procurou demonstrar que formaria um governo novo, mas na verdade ele era um político de confiança dos militares, ou seja, era a garantia de que não haveria revanchismo contra eles. No entanto, Tancredo morreu antes de tomar posse; quem assumiu foi o seu vice, José Sarney. Ex-presidente e depois dissidente do PDS (partido governista), Sarney criara a Frente Liberal (mais tarde PFL), partido pelo qual se tornou vice-presidente na chapa de Tancredo Neves.

Durante o mandato de Sarney, em 1988, foi promulgada a nova Constituição brasileira, chamada de *Constituição cidadã*, fato considerado fundamental para o desenvolvimento de uma democracia estável no Brasil.

Os governantes seguintes, eleitos pelo voto popular, puderam atuar sem a vigilância das Forças Armadas. O Executivo, o Legislativo e o Judiciário desenvolveram suas atividades plenamente.

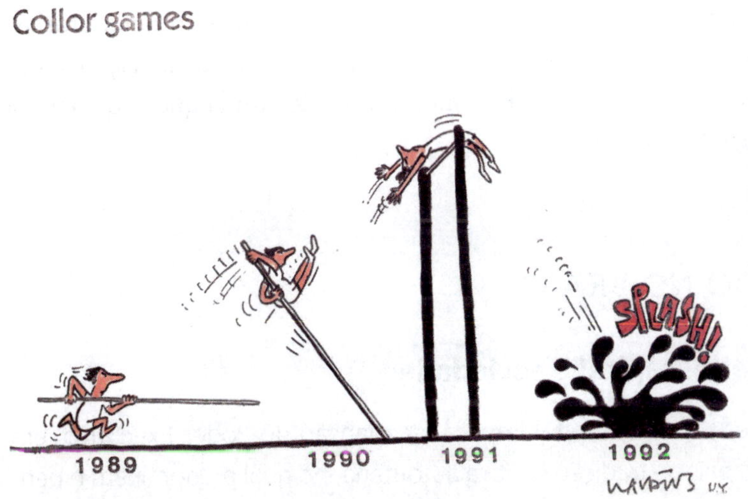

Dois momentos da nova democracia brasileira, pós-ditadura militar. Na charge de Claudius, à esquerda, a ascensão e queda de Fernando Collor, afastado da presidência por meio de *impeachment*; na charge de Angeli, à direita, um cotejo entre as relações políticas de Lula (PT) e as de Fernando Henrique Cardoso (PSDB).

Numa situação de alta inflação, concentração de renda e desigualdade social, a preocupação fundamental do Estado nesse período foi a redução e o controle da inflação. Para isso, muitos planos econômicos foram criados, como o Plano Cruzado, o Plano Collor, o Plano Bresser e o Plano Real, mas somente o último, criado no governo Itamar Franco pelo então ministro da Fazenda, Fernando Henrique Cardoso, alcançou os objetivos propostos.

Sem ter havido no Brasil um Estado do bem-estar social, o Estado neoliberal que se implantou a partir do governo Collor-Itamar criou, pelas políticas que desenvolveu, um "Estado do mal-estar social". Vamos examinar as políticas implantadas.

- Na tentativa de integrar a economia do país à globalização, o Estado neoliberal promoveu a privatização de empresas estatais (nos setores de siderurgia, energia e comunicações) e abriu o mercado nacional a produtos estrangeiros, derrubando barreiras às economias mais poderosas do mundo.
- No sistema financeiro, foi permitida a livre atuação dos bancos e o movimento de capitais no mercado interno; renunciou-se ao controle da moeda nacional e da política cambial, atrelando a moeda nacional ao dólar, para facilitar as transações no mercado financeiro.
- Foram tirados dos trabalhadores direitos que tinham resultado de muitas lutas. Alteraram-se os contratos de trabalho, o limite de horas na jornada de trabalho, as férias remuneradas, além do sistema de aposentadorias. Também foram criadas aposentadorias privadas, que muito beneficiaram o setor financeiro.

- Incentivou-se a criação de escolas particulares e, com isso, houve uma proliferação de faculdades e universidades particulares no Brasil. Essa expansão só foi possível porque foi financiada pelo Estado em detrimento das universidades públicas.
- Ampliou-se a presença das empresas que administram planos de saúde, ficando o Instituto Nacional do Seguro Social (INSS) para os mais pobres.

No governo de Luiz Inácio Lula da Silva, que sucedeu ao de Fernando Henrique Cardoso, foi necessário manter e ampliar políticas de compensação à concentração de renda e às desigualdades sociais, que continuavam muito grandes. Assim, criaram-se políticas sociais visando amenizar a situação precária da maior parte da população brasileira. Essas políticas compensatórias, como o Bolsa-Família e o aumento do salário mínimo acima da inflação, entre outras, lentamente estão provocando uma diminuição, ainda que pequena, da desigualdade social no Brasil.

Cenário DO ESTADO NO BRASIL

Estado, capital e sociedade

O forte comprometimento do Estado com o capital implica a expansão do Poder Executivo, em detrimento do Legislativo. Em um país de tradição política autoritária, no qual predominam o pensamento e a prática que privilegiam a missão "civilizatória" do Estado na sociedade, o alargamento do poder econômico do Estado implica a expansão do Executivo; implica o alargamento do poder político e cultural do Executivo. Tanto assim que o Estado se transforma em um poderoso agente da indústria cultural, por suas implicações não só econômicas, mas também políticas e culturais. [...]

À medida que se alarga o poder estatal, redefine-se e modifica-se a relação do Estado com a sociedade, compreendendo as diversidades e as desigualdades sociais, econômicas e outras. Na prática, dissocia-se o poder estatal de amplos setores da sociedade civil. Operários, camponeses, empregados, funcionários e outros, compreendendo negros, mulatos, índios, caboclos, imigrantes e outros, sentem-se deslocados, não representados, alienados do poder.

IANNI, Octávio. *Estado e capitalismo.* São Paulo: Brasiliense, 1989. p. 259-60.

1. Esse texto foi extraído de um livro que teve sua primeira edição publicada em 1965. Embora escrito há mais de quarenta anos, ele aborda características ainda fundamentais do Estado e de suas relações com a sociedade no Brasil — uma delas, o fato de o Executivo ser mais forte que o Legislativo. Quais são os sinais mais aparentes desse fato? Quais seriam as alternativas para haver um Legislativo realmente capaz de enfrentar o Executivo?

2. Você acredita que o Estado brasileiro investe muito para resolver os problemas básicos da população ou a maior preocupação é atender aos interesses dos grandes grupos econômicos, industriais e financeiros?

3. Você acha que os que estão no poder do Estado hoje representam os mais desvalidos da população brasileira? Explique por que você pensa dessa maneira.

A democracia no Brasil

Capítulo 13

Analisar a questão da democracia no Brasil significa examinar não somente as instituições políticas e as regras existentes, mas também a maneira de se viver a democracia. Pode-se dizer que ela é ainda uma possibilidade, pois as forças de manutenção de práticas antigas são muito grandes. Vejamos alguns aspectos dessa questão no Brasil.

Democracia e representação política

Como vimos, a democracia pode ser entendida de várias maneiras. Vamos destacar duas delas para examinar como a democracia desenvolveu-se no Brasil.

As regras institucionais. No Brasil, a ampliação da participação política é um processo recente. Os detentores do poder, a serviço de uma minoria, por muito tempo mantiveram a maioria da população fora do processo eleitoral. Só para termos uma idéia, da proclamação da República, em 1889, até 1945, o número de eleitores foi de somente 5% da população aproximadamente, com pequenas variações. Em 1960, esse índice havia subido para 18%. Em 1980, 47% da população podia participar das eleições e, em 2006, perto de 70% da população tinha o direito de voto. Isso não significa que esse total de votantes participou efetivamente das eleições. Sempre houve um percentual significativo (de 15% a 20%) de ausências. Ou seja, cem anos se passaram para que a população pudesse participar majoritariamente das eleições no Brasil.

Houve evolução também na consciência do eleitor, em relação ao tempo em que se comprava o voto dos mais pobres. Essa prática diminuiu gradativamente, à medida que se intensificou o processo de urbanização e diminuiu a pressão dos "coronéis" e seus comandados sobre a população rural, que ainda era maioria em 1960. Contribuíram para essa evolução o desenvolvimento das regras eleitorais e das técnicas de votar, principalmente o voto secreto com cédulas únicas impressas pelo governo central e a introdução de urnas eletrônicas. Colaboraram ainda a fixação de regras mais claras e a fiscalização da Justiça Eleitoral.

No entanto, essas mudanças não foram suficientes para acabar com as práticas clientelísticas ainda presentes no cotidiano político dos brasileiros.

Sobre a capacidade de governar, o que podemos observar é que, recentemente, depois da Constituição de 1988, o poder político civil deixou de ser vigiado pelos militares, que, desde o início da República, estiveram à frente dos governos ou ficaram nos bastidores influindo diretamente na condução da política nacional.

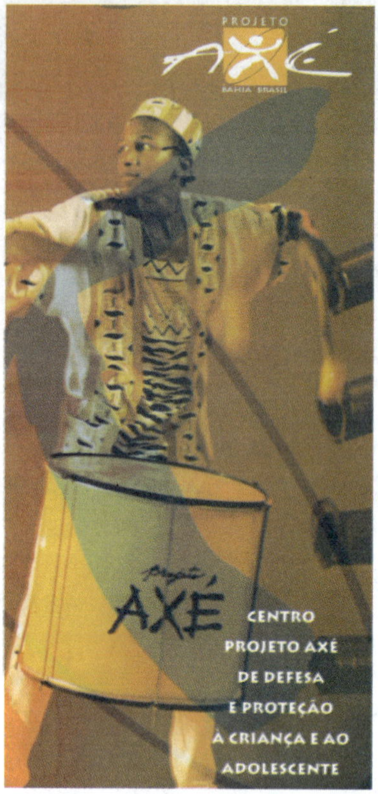

Educação e condições de vida adequadas são pré-requisitos para o exercício efetivo da democracia. Muitas organizações não-governamentais criadas nos últimos anos lutam nesse sentido. Um exemplo é o Projeto Axé, criado em 1990, em Salvador, que desenvolve trabalhos sociais em comunidades carentes. Cerca de 15 000 jovens de rua já participaram de suas oficinas de música e arte.

A luta por direitos civis, políticos e sociais. Após a proclamação da República surgiram vários movimentos que procuravam criar espaços de participação política.

Os movimentos de trabalhadores sempre estiveram à frente desse processo, principalmente na luta por melhores salários e condições de trabalho. Outras lutas foram desenvolvidas, mas sempre eram reprimidas, pois a questão dos direitos, por muito tempo, foi vista como um caso de polícia ou uma concessão por parte dos poderosos ou do Estado. Somente nos últimos anos os movimentos sociais tiveram espaços institucionais, quer por meio de leis, quer mediante organizações que lutam pela garantia dos direitos.

A maior participação institucional nas decisões políticas foi uma conquista da população, que se mobilizou organizada em diversas instituições, e não uma doação dos poderosos. Pode-se dizer que no Brasil existem muitas leis que geram direitos, mas estes com freqüência não são garantidos. Assim, os grupos que reclamam, lutam e exigem que seus direitos sejam observados são vistos por muitos governantes e por setores conservadores da população como baderneiros e insensíveis aos esforços do governo em fazer o melhor.

A democracia no Brasil é algo muito recente e ainda está se consolidando. Ela continuará crescendo se as regras institucionais para as eleições e o exercício do poder forem ampliadas, para possibilitar a participação da população, e se os movimentos sociais tiverem mais liberdade para lutar pela manutenção dos direitos fundamentais e a criação de novos direitos. Somente quando a maioria da população tiver educação de qualidade, condições de se alimentar adequadamente e condições de vida social decente poderemos ter democracia no Brasil. Enquanto isso, temos uma democracia "capenga".

Os partidos políticos no Brasil

Os partidos políticos no Brasil foram, em sua maioria, representantes dos setores dominantes da economia na sociedade. Até 1930, os partidos eram apenas agregados de oligarquias locais e regionais que se organizavam para tirar vantagens do Estado. Havia apenas uma exceção: o Partido Comunista do Brasil (PCB), criado em 1922, que se propunha ser a voz dos trabalhadores.

Constituintes de 1946, Rio de Janeiro. Na bancada do Partido Comunista Brasileiro, da esquerda para a direita, Carlos Marighella, Luis Carlos Prestes e Gregório Bezerra. Todos militariam na clandestinidade após a cassação do partido, em 1947.

Pode-se dizer que só depois da ditadura de Vargas formaram-se partidos nacionais. Os principais eram a União Democrática Nacional (UDN), que representava a burguesia industrial e as classes médias urbanas, o Partido Social Democrático (PSD), que representava os setores rurais e semi-rurais, e o Partido Trabalhista Brasileiro (PTB), que representava o sindicalismo e o movimento trabalhista. O PCB permanecia ativo, mas, cassado em 1947, passou a atuar clandestinamente.

Em 1966, entretanto, com a nova ditadura militar, todos os partidos foram cassados e, em seu lugar, foi imposta uma estrutura bipartidária, como vimos — com a Arena, que apoiava e defendia o regime militar, e o MDB, de oposição, ainda que controlada pelos militares.

Com as mudanças econômicas e políticas — principalmente a emergência dos movimentos sociais e a luta pela redemocratização — e o fim do período autoritário, desenvolveu-se uma nova estrutura partidária no Brasil. Diversos partidos se organizaram, além dos já mencionados (PMDB, PT, PDT e PTB), como o Partido da Frente Liberal (PFL) — hoje Democratas — e o Partido da Social Democracia Brasileira (PSDB), registrados, respectivamente, em 1986 e 1988.

O sociólogo brasileiro Rudá Ricci, analisando os atuais partidos políticos, afirma que eles se transformaram em imensas máquinas empresariais em busca do voto, com uma estruturação burocrática na qual aparecem os administradores partidários, os técnicos de *marketing*, os institutos de pesquisa e os elaboradores de programas de governo que, muitas vezes, são contratados para fazer o partido ganhar eleições. Diz ele que "grande parte dos brasileiros que assistiram aos depoimentos de dirigentes partidários envolvidos diretamente nos inúmeros casos de corrupção que assolaram a política nacional nunca havia sequer visto de relance as figuras de administradores que, de fato, movimentam fortunas, articulam negociações e acordos, definem e conduzem empresas de *marketing* político, comandam o cotidiano partidário".

Assim, os partidos perderam a capacidade de politizar a sociedade, ou seja, não alimentam debates políticos que possibilitem à população identificar as diferenças nos projetos para a sociedade brasileira. O PT talvez tenha sido o último a tentar, mas, ao assumir o governo, também abandonou esse caminho.

No plano interno, quando observamos a tomada de decisões para a escolha dos candidatos de um partido, o que constatamos é a falta de democracia e a pouca vontade para promover a alternância entre as diversas facções.

Os partidos políticos caracterizam-se cada vez menos como representantes de determinados setores e interesses, apresentando-se sem uma definição muito clara. As diferenças entre um e outro são praticamente dissolvidas, pois há uma fragmentação de interesses internos que os limites dos partidos não comportam. Assim, no cotidiano do Parlamento brasileiro, o que se vê são grupos que se reúnem em torno de corporações de interesses — os grupos (bancadas) ruralistas, evangélicos, sindicalistas ou grupos regionais, como os dos paulistas, mineiros, gaúchos, nordestinos. Ou seja, são grupos que geram verdadeiras oligarquias setoriais.

O Congresso Nacional, as Assembléias Legislativas e as Câmaras de Vereadores — o Legislativo brasileiro em seus vários níveis — são as instituições políticas com o mais baixo índice de credibilidade nacional. As instituições da democracia representativa, portanto, ainda são vistas como espaços para conchavos, corrupção e negociatas, e poucos de seus membros têm credibilidade perante a população.

Corrupção em foco. A capa da revista *Época* é de maio de 2005, mas poderia ser usada em muitas outras ocasiões.

Além disso, a erosão progressiva dos poderes do Parlamento se estabelece quando sua função, na maioria das vezes, se limita a ratificar o que o Poder Executivo envia para ser analisado, por meio de projetos de lei ou, atualmente, de medidas provisórias. A pauta de discussões fica na dependência da maior ou menor sensibilidade do governante em relação às questões que afetam a maioria da população brasileira.

Algumas reflexões sobre o Estado e a sociedade no Brasil

Como vimos, o Estado é uma organização criada pela sociedade por diferentes percursos. A estrutura estatal criada após a independência se manteve até a proclamação da República, em 1889. Depois disso, muitas transformações ocorreram, mas algumas características permaneceram, tornando a estrutura estatal do Brasil a expressão da articulação do novo com o velho.

O Estado no Brasil sempre se sobrepôs à sociedade, como se fosse algo fora dela. Nós aprendemos desde cedo que tudo depende do Estado e que nada podemos fazer sem a presença dele, atribuindo-lhe a responsabilidade pelos problemas da sociedade e por suas soluções. Assim, se culpamos o Estado pelas dificuldades que enfrentamos, também dele esperamos socorro e proteção — o que vale tanto para os proprietários de terras, os empresários industriais e os banqueiros quanto para o restante da população. Para esclarecer essas características das relações entre o Estado e a sociedade no Brasil, vamos examinar a relação entre o que é público e o que é privado.

Privatização do público. Podemos dizer que houve no Brasil uma apropriação privada do que é público, ou seja, quem chegava ao poder tomava conta do público como se fosse seu. Dessa forma, a instituição que deveria proteger a maioria da população — o Estado — adotou como princípio o favorecimento dos setores privados, que dominaram economicamente a sociedade. O Estado beneficiava esses setores e também era beneficiado por eles, que lhe davam sustentação.

Para o restante da sociedade, as políticas públicas foram sendo desenvolvidas na forma de "doação" ou de dominação, em nome da tranqüilidade social. Isso não significa que a população tenha sido sempre passiva. Ao contrário, muitas ações do Estado resultaram da pressão dos movimentos sociais no país.

A política do favor, o clientelismo. A relação entre público e privado no Brasil também pode ser caracterizada como uma política do favor. Ela se desenvolveu desde o período colonial e apresenta-se ainda hoje como um dos suportes das relações políticas nacionais entre os que têm o poder político e os que têm o poder econômico.

Essa troca de favores políticos por benefícios econômicos é também conhecida como *clientelismo*. Ela pode ser observada, por exemplo, na distribuição pelo poder público de concessões de emissoras de rádio e canais de televisão ou financiamentos para empresas, sempre em busca de apoio e sustentação de um partido, de uma organização ou de uma família no poder. Isso não ocorre somente nos setores considerados atrasados da sociedade; é uma prática utilizada também pelos setores considerados modernos, que sempre encontraram no Estado um aliado nos momentos de crise. Quantas vezes ouvimos dizer que o governo socorreu determinadas empresas e bancos que estavam em situação precária? Quantas vezes assistimos ao Estado oferecer financiamento com juros baixíssimos para grandes empresários que estavam quase falindo?

Instalou-se no Brasil um capitalismo sem riscos, pois o poder público sempre esteve pronto para salvar aqueles que se punham em perigo.

História antiga: mercado de votos na frente da Biblioteca Nacional, no Rio de Janeiro. Denúncia publicada na revista *O Malho* em novembro de 1909.

São os setores envolvidos na troca de favores os primeiros a questionar o Estado quando este procura aplicar recursos em educação, saúde, habitação ou transporte para beneficiar a maioria da população. A economia e muitos outros setores da sociedade se modernizaram, mas as práticas políticas no Brasil, com raríssimas exceções, continuam a reproduzir as velhas relações políticas, com poucas modificações.

A política do favor aparece também no cotidiano, na relação dos indivíduos com o poder público. Ela acontece na busca de ajuda para resolver problemas, emergências de trabalho, saúde, etc. Expressa-se ainda na distribuição de verbas assistenciais e nas promessas de construção de escolas, de postos de saúde e de doação de ambulâncias, feitas às pessoas ou às instituições por vereadores, deputados e senadores. Tudo para render votos futuros.

Nepotismo e corrupção. Muita coisa mudou na administração pública desde as reformas administrativas de Getúlio Vargas e de outros governos, que instituíram gradativamente concursos públicos para a maioria dos postos de trabalho e procuraram implantar uma administração com certo grau de profissionalização, no sentido definido por Max Weber, com a impessoalidade da função pública. Mesmo assim, sabemos que ainda há casos de manipulação nos concursos públicos e a prática do nepotismo, ou seja, o emprego ou o favorecimento de parentes em cargos públicos, ainda que isso seja proibido por lei.

Quando ocorrem atos de corrupção na administração pública, a reação costuma ser marcada pelo moralismo, que se caracteriza por atribuir ao caráter pessoal do funcionário ou político envolvido a responsabilidade pela malversação dos recursos públicos. Não se procuram evidenciar as relações políticas, econômicas, sociais e culturais que estão na raiz das práticas de favorecimento e tráfico de influência. Assim, há uma simplificação desse fato, pois se acredita que bastaria fazer um governo com os homens e mulheres “de bem” para que tudo fosse resolvido.

A corrupção existe em todos os países do mundo, tanto nas estruturas estatais como nas empresas privadas. No Brasil, ela se mantém no sistema de poder porque, como vimos, o favor e o clientelismo continuam presentes. O combate à corrupção requer a criação de mecanismos que a coíbam, garantindo que os envolvidos sejam julgados e condenados por seus atos. E isso tem sido feito com a ajuda de funcionários públicos, promotores e juízes que não aceitam mais essas velhas práticas.

A despolitização e a economia como foco. Com a ampliação das transformações produtivas e financeiras no mundo, principalmente depois da década de 1980, a questão política no Brasil está cada vez mais dependente das questões financeiras. Conforme o sociólogo Marco Aurélio Nogueira, a política brasileira, nos últimos anos, resume-se a uma tentativa de estabilização monetária, na qual o mercado está acima do Estado, o econômico acima do político, o especulativo acima do produtivo e o particular acima do geral.

Além das condições anteriormente mencionadas (clientelismo e favor), isso também gera uma despolitização crescente, pois a política estaria neutralizada e esvaziada como instrumento de mediação entre o individual e o coletivo, campo de discussão das idéias e de projetos políticos divergentes e em conflito. Novamente aparece um paradoxo no Brasil: foi o país onde houve nos últimos anos o maior crescimento do eleitorado e, ao mesmo tempo, uma despolitização enorme.

Cenários DA POLÍTICA NO BRASIL

Os "ratos" e os "queijos"...

Antigamente, lá em Minas, a política era coisa séria. Havia dois partidos com nome registrado, programa de governo e tudo mais. Mas não era isso que entusiasmava os eleitores. Eles não sabiam direito o nome do seu partido nem se interessavam pelo programa de governo. O que fazia o sangue ferver era o nome do bicho e correlatos por que seu partido era conhecido.

Em Lavras, os partidos eram os "Gaviões" e as "Rolinhas". Em Dores da Boa Esperança, onde nasci, eram os "Ratos" e os "Queijos". Os nomes diziam tudo. Ratos querem mesmo é comer o queijo. E o queijo quer mesmo é se colocar de isca na ratoeira para pegar o rato.

[...] Como já disse, os eleitores nada sabiam dos programas de governo nem prestavam atenção nas promessas que eram feitas pelos chefões. Sua relação com seus partidos não era ideológica. Nada tinha a ver com a inteligência. Eles já sabiam que política não se faz com razão. Ganha não é quem tem razão. Ganha quem provoca mais paixão. O entusiasmo que tomava conta deles era igualzinho ao entusiasmo que toma conta do torcedor no campo. [...] Naqueles tempos o entusiasmo não vinha nem da ideologia nem do caráter dos coronéis. O que fazia o sangue ferver era o símbolo: "Eu sou Rato", "Eu sou Queijo".

Corria o boato de que coronel Sigismundo, fazendeiro, chefe dos "Ratos", usava jagunços para matar seus desafetos. Não surtia efeito. Era mentira deslavada dos "Queijos". Corria o boato de que o doutor Alberto, médico rico, chefe dos "Queijos", praticava a agiotagem. Mentira deslavada dos "Ratos". Os chefões, na cabeça dos eleitores, eram semideuses, padrinhos, sempre inocentes. O que dava o entusiasmo era o campeonato. Quem ganharia? Os "Ratos" ou os "Queijos"? Quem ganhasse a eleição seria o campeão, dono do poder, nomeações dos afilhados, até a próxima...

Mais de oitenta anos se passaram. Os nomes são outros. Mas nada mudou. Política é a mesma paixão pelo futebol decidindo o destino do país. Os torcedores se preparam para a finalíssima entre os "Ratos" e os "Queijos". É como era na cidadezinha de Dores da Boa Esperança, onde nasci 73 anos atrás...

ALVES, Rubem. Os "ratos" e os "queijos"... *Folha de S.Paulo*, 19 set. 2006. p. C2.

1. É possível comparar a política do interior de Minas Gerais de tempos atrás com o que acontece no Brasil de hoje? Por quê?

2. O autor afirma que nada mudou nos últimos 80 anos. Será que os partidos, o sistema eleitoral, as disputas e o cenário político permanecem semelhantes? O que mudou e o que não mudou durante esse período? Procure exemplos.

O poder dos bancos no Brasil

Nas economias modernas, os bancos sempre são poderosos. No Brasil, entretanto, o poder dos bancos é extraordinário e já constitui há muito tempo uma agressão ao interesse público.

Os balanços dos principais bancos privados e públicos, divulgados nos últimos dias, mostraram lucros muito volumosos, que chegam a ser estarrecedores. Enquanto a maior parte da economia brasileira patina na mediocridade, enquanto a maior parte dos brasileiros vegeta na pobreza ou na miséria, os grandes conglomerados bancários expõem resultados exuberantes. Exuberantes, não. Nas circunstâncias do país, não é exagero usar uma palavra mais forte: indecentes.

O que explica tal lucratividade? [...] O sistema bancário é muito concentrado, e o grau de concentração vem aumentando. Poucos bancos detêm a quase totalidade dos ativos, dos depósitos e do capital. Um punhado de instituições comanda o mercado. A competição é imperfeita e limitada. Os bancos têm poder de mercado [...], por exemplo, e conseguem impor pesadas tarifas de serviços bancários, especialmente aos pequenos clientes. Conseguem também praticar taxas elevadíssimas de juro nos empréstimos que fazem a empresas e pessoas físicas. As empresas de menor porte e as pessoas fisicas pagam taxas especialmente selvagens.

[...] O poder econômico dos bancos é sustentado por ampla rede de influência política e ideológica. O comando do Banco Central, por exemplo, mantém há muito tempo uma relação promíscua com o sistema financeiro. O famigerado Copom (Comitê de Política Monetária do Banco Central) é uma espécie de comitê executivo da Febraban (Federação dos Bancos Brasileiros). Entra governo, sai governo e o quadro não muda: a diretoria do Banco Central é sempre dominada por pessoas que vêm do sistema financeiro ou que para lá desejam ir. A influência dos bancos se estende para outros segmentos do Poder Executivo, como o Ministério da Fazenda. Com freqüência, essas instituições conseguem obter tratamento tributário leniente e concessões de outros tipos.

No Poder Legislativo, os bancos financiam campanhas e têm a sua bancada. Na mídia, a sua presença é sempre muito forte. A cada momento, o brasileiro indefeso é exposto às "teorias" e explicações dos "economistas do mercado", uma verdadeira legião a serviço dos interesses do sistema financeiro.

É óbvio que interessa a qualquer economia moderna ter um sistema bancário sólido e lucrativo. Mas, no caso do Brasil, o poder dos bancos passou dos limites e está prejudicando seriamente grande parte da economia. Se o próximo governo quiser realmente colocar a economia em movimento, não poderá deixar de enfrentar esse problema.

BATISTA JR., Paulo Nogueira. O poder dos bancos no Brasil. *Folha de S.Paulo*, 17 ago. 2006. p. B2.

1. O Estado deve ter a capacidade de defender o interesse de todos. Isso acontece no Brasil? Quem está no poder atende aos interesses da maioria da população?

2. De acordo com o texto, qual é a relação entre poder político e poder econômico?

PARA REFLETIR

O analfabeto político

O pior analfabeto é o analfabeto político. Ele não ouve, não fala nem participa dos acontecimentos políticos.

Ele não sabe que o custo de vida, o preço do feijão, da farinha, da carne, do aluguel, do sapato, do remédio, depende de decisões políticas.

O analfabeto político é tão burro que se orgulha e estufa o peito dizendo que odeia política.

Não sabe ele que, da sua ignorância política, nasce a prostituta, o menor abandonado, assaltante e o pior de todos os bandidos, o político vigarista, pilantra, corrupto e explorador.

Texto atribuído a Bertolt Brecht. Disponível em: http://www.ybnews.org.br/?system=news&action=read&id=462&eid=231. Acesso em: 9 maio 2007.

1. O dramaturgo alemão Bertolt Brecht (1898-1956) descreve em poucas palavras o analfabeto político e as conseqüências de sua postura. Dê exemplos de situações e atitudes que possam caracterizar o analfabetismo político.

2. É possível viver em sociedade sem nenhum tipo de participação política? Explique sua resposta.

3. Cite possíveis formas de participação política além do ato de votar ou ser votado.

Democracia e o voto

1. "Um homem, um voto — e a maioria decide." Essa definição vale para a democracia atual?

2. O modelo da democracia ocidental seria adequado para organizar politicamente as várias sociedades existentes no mundo, apesar da grande diversidade que se observa entre elas?

PARA ORGANIZAR O CONHECIMENTO

O artigo apresentado a seguir foi publicado em 1994, no contexto das eleições que levaram à Presidência da República Fernando Henrique Cardoso. Muitos anos depois, o texto ainda provoca reflexões, o que demonstra que certos aspectos da política brasileira pouco mudaram desde então. Leia-o atentamente e procure discutir as questões propostas.

Herança maldita

As eleições deixam atrás de si o fogo dos interesses, das esperanças e dos sonhos que se transfiguram em euforia e desencanto. Em compensação, chocam-se, pela frente, com a maldição herdada do passado colonial, do escravismo e da subalternidade generalizada.

A brecha classe × utopia subsiste. Dos ricos e poderosos, por olharem a realidade como se mandar e explorar fossem um ópio. Dos oprimidos, por não entrelaçarem privações a toda a sua força e revolta.

O "sufrágio universal" suportou distorções chocantes. Mas assustou os primeiros e acordou os últimos. Aqueles, porque descobriram que perdem com rapidez uma tirania secular. Estes, porque a cada volta do tempo sentem aproximar-se seu momento histórico decisivo.

O "presidente" recebe o impacto dessa maldição, que se dissolve lentamente, de maneira tão sórdida.

Prisioneiro dos de cima, percebe que a "Presidência imperial" também é uma armadilha contra ele. Não fala pela e para a nação e se engana com o "somos todos irmãos".

Sua liberdade de agir fica entre os humilhados aos quais não consegue estender mãos fraternas e solidárias.

Sua autoridade termina onde principia a autocracia da minoria dominante. Ela regula as oscilações de promessas falsas e de opressão real, incrustadas nas instituições quimericamente "constitucionais".

A maioria, composta por assalariados e milhões de destituídos, recorre à submissão ou ao confronto.

Por sua massa poderia pulverizar o sistema que rouba, mente, divide e esmaga. Falta-lhe penetrar no enigma de suas contradições — seu poder de classe e a necessidade de assimilação com os sem-classe, batendo-se com eles por reforma ou revolução.

Ou seja, repudiar a ordem imposta como se fosse "democrática" e todas as falácias nela contidas.

A seu favor conta com utopias, que carecem de expurgos e unificação. O econômico, social, cultural e político são interdependentes e instrumentais para converter a luta de classes em fator de desalienação e desemburguesamento.

O "presidente" não está acima dessa pugna redentora. Se pretender-se "neutro", estará perdido, sem poder para governar. Se ousar "decidir o sentido da história", acabará tragado pelos que o usam como refém.

Aparecerá, quando muito, como "condottieri" simulado de uma sociedade montada sobre iniquidades abissais. E facilitará as posições dos homens-lobos, que devoram seus desafetos e impedem sua humanização.

Esse dilema não apresenta saídas. A menos que o "presidente" aprenda que servir à nação implica reconstruir a sociedade civil e o Estado.

Não basta que ele discurse sobre desemprego, fome, ignorância, doença, etc. Urge resolver tais problemas pela transformação do homem, da sociedade e da civilização.

É imperativo vincular os de baixo à batalha política que redima o Brasil da multiplicação da barbárie, liberando-se a si mesmo junto com o povo.

Fernandes, Florestan. Herança maldita. *Folha de S.Paulo*, 10 out. 1994. p. 1-2.

1. Qual é a relação entre o texto "Herança maldita" e o texto e a charge apresentados na seção "Para refletir"?

2. É possível relacionar os dois textos com a política atual? Exemplifique.

3. Comente a frase: "Econômico, social, cultural e político são interdependentes e instrumentais para converter a luta de classes em fator de desalienação e desemburguesamento".

4. Faça uma breve relação entre poder, política e Estado.

LIVROS RECOMENDADOS

Política: quem manda, por que manda, como manda, de João Ubaldo Ribeiro. Nova Fronteira.

Utilizando uma linguagem clara, esse livro aborda temas da e sobre política. Trata de questões práticas e mostra como a vida cotidiana é permeada pela política.

Política pra quê?, de Marcelo Ridenti. Atual.
De modo simples e acessível, o autor examina os acontecimentos da história recente do Brasil e do mundo. Aborda as principais perspectivas sociológicas (marxista, positivista e weberiana) empregadas na análise da política em seus vários aspectos. Além disso, analisa a atuação dos partidos e movimentos políticos no Brasil a partir de 1945.

SUGESTÃO DE FILMES

Minority report (EUA, 2002). Direção: Steven Spielberg. Elenco: Tom Cruise, Colin Farrell, Max Von Sydow, Patrick Kilpatrick e Samantha Morton.
Esse filme, baseado em um conto do escritor Philip K. Dick, também autor de *Blade Runner*, está ambientado no ano de 2054, na cidade de Washington (Estados Unidos). A sociedade vive, então, sob extremo controle, e os crimes são punidos antes de ser cometidos. Pessoas superdotadas fazem previsões que levam às prisões. O controle da violência, antes mesmo de ser praticada, tem alto custo para a liberdade dos indivíduos e a possibilidade de defesa.

Terra em transe (Brasil, 1967). Direção: Glauber Rocha. Elenco: Paulo Autran, Hugo Carvana, José Lewgoy, Paulo Gracindo, Jardel Filho, Glauce Rocha, Francisco Milani e Danusa Leão.
Esse filme é um espetáculo poético sobre o transe político pelo qual passa(ra)m os países da América Latina. Considerado o mais importante e polêmico filme de Glauber Rocha, procura demonstrar como a questão política era e de certa forma é tratada no Brasil, principalmente a relação existente entre os que estão no poder e o povo. Estimulante para a reflexão sobre a continuidade do processo político nacional e as possibilidades de mudança.

V de Vingança (EUA, 2005). Direção: James McTeigue. Elenco: Natalie Portman, Hugo Weaving, Stephen Rea, Stephen Fry, John Hurt, Tim Pigott-Smith, Rupert Graves, Roger Allam, Ben Miles, Sinéad Cusack, Natasha Wightman, John Standing, Eddie Marsan e Clive Ashborn.

V de vingança tem como cenário a sociedade inglesa num futuro próximo. A população vive vigiada e temerosa, submetida a uma estrutura política autoritária e policialesca que procura manter a ordem a qualquer custo. Um homem, V, desenvolve ações concretas visando destruir o regime totalitário que domina o país. Quais são seus planos para mobilizar a população em torno de seus objetivos? Uma trama muito bem montada que incita a reflexão sobre as possibilidades de ação política num mundo quase totalmente controlado.

Unidade 5

Direitos, cidadania e movimentos sociais

Direitos, cidadania e movimentos sociais são temas freqüentes nos pronunciamentos e conversas de empresários brasileiros ou estrangeiros, governantes e políticos de diferentes partidos, estudantes, trabalhadores e membros das camadas da sociedade que enfrentam as piores condições de vida. Qual o significado desses temas para indivíduos pertencentes a grupos tão distintos?

A idéia de cidadania está relacionada ao surgimento do Estado moderno e à expectativa de que este garanta os direitos essenciais dos cidadãos em determinado território. A conquista, a manutenção e a ampliação desses direitos dependem das ações dos indivíduos e dos grupos que lutam por seus interesses por meio dos movimentos sociais. Esse é o assunto desta unidade.

Capítulo

14 Direitos e cidadania

Direitos de todos, das mulheres, dos negros, das crianças, dos adolescentes, do consumidor, dos idosos... Há várias leis e decretos que os traduzem. Mas de que adianta haver tantas leis e decretos que não são respeitados? Os direitos básicos dos cidadãos devem ser garantidos pelo Estado. Vamos ver como a relação entre direitos e cidadania foi tratada na história das sociedades.

Alguns povos da Antiguidade — como os babilônios, com o Código de Hamurabi, no século XVIII a.C., e os gregos de Atenas, com as leis de Clístenes, do século VI a.C. — tiveram suas normas e leis registradas por escrito. As leis babilônicas reforçavam o poder do Estado e as atenienses definiam as instituições da democracia. Nenhuma delas tratava dos direitos humanos, cuja história é bem mais recente.

Foi somente a partir do século XIII, na Inglaterra, que se criaram as primeiras cartas e estatutos que asseguravam alguns desses direitos: a Magna Carta (1215-1225), por exemplo, que protegia apenas os homens livres, e a *Petition of Rights* (1628), que requeria o reconhecimento de direitos e liberdades para os súditos do rei. A mais importante das "cartas de direitos", porém, foi a *Bill of Rights* (1689), que submetia a monarquia à soberania popular, transformando-a numa monarquia constitucional. Cabe destacar ainda o *Act of Settlement* (1707), que completava o conjunto de limitações ao poder monárquico, e o *Habeas Corpus Amendment Act* (1769), que anulava as prisões arbitrárias. Todos esses atos eram dirigidos apenas às pessoas nascidas na Inglaterra. Eram leis para um só país.

Parlamento inglês à época de Guilherme III, proclamado rei em 1689, depois de ter assinado a *Bill of Rights*. Esse documento consolidou a Revolução Gloriosa, limitando os poderes reais e submetendo o governo à autoridade do Parlamento.

No século XVIII, quando as colônias inglesas da América do Norte se tornaram independentes, foram criados alguns documentos importantes, como a Declaração de Direitos da Virgínia (1776) e a Constituição de 1787. Nesse mesmo ano, foram ratificadas as dez primeiras emendas à Constituição estadunidense, que determinavam com clareza os limites do Estado e definiam os campos em que a liberdade devia ser estendida aos cidadãos. Embora as emendas garantissem liberdade de culto, de palavra, de imprensa e de reuniões pacíficas, ainda promoviam a distinção entre os seres humanos, já que não aboliram a escravidão.

Direitos para todos

Com a Revolução Francesa (1789), os direitos baseados nos princípios da liberdade e da igualdade foram declarados universais, ou seja, válidos para todos os habitantes do planeta. Entretanto, esses direitos, expressos na Declaração de Direitos do Homem e do Cidadão aprovada pela Assembléia Nacional francesa, não se estendiam às mulheres. Embora não seja muito citado nos livros de História, é sempre bom lembrar o caso de Olympe de Gouges (1748-1793), ativista e dramaturga francesa que, em 1791, propôs uma declaração dos direitos da mulher e acabou na guilhotina.

Vala comum do campo de concentração Beregen-Belsen, Alemanha, fotografada em abril de 1945. Os horrores da Segunda Guerra Mundial, entre os quais o número absurdo de mortes (cerca de 60 milhões), levaram dezenas de países a assinar a Declaração Universal dos Direitos Humanos.

Os documentos originados da Revolução Francesa e da independência dos Estados Unidos são a base da Declaração Universal dos Direitos Humanos, da Organização das Nações Unidas (ONU), criada em 1948. Fortemente influenciada pelo horror e pela violência da primeira metade do século, sobretudo pelas atrocidades cometidas durante a Segunda Guerra Mundial, a Declaração Universal dos Direitos Humanos estendeu a liberdade e a igualdade de direitos, até nos campos econômico, social e cultural, a todos os seres humanos.

De acordo com essa concepção universalista, os direitos humanos estão acima de qualquer poder existente, seja do Estado, seja dos governantes. Em caso de violação, os responsáveis devem ser punidos.

Todos nascem livres e iguais... mas nem tanto

Com diferentes interpretações, muitos pensadores defenderam a idéia de que os seres humanos nascem livres e iguais, e têm garantidos determinados direitos inalienáveis.

De acordo com o pensador inglês Thomas Hobbes (1588-1679), os seres humanos são naturalmente iguais e, por terem excessiva liberdade, lutam uns contra os outros na defesa de interesses individuais, havendo a necessidade de um *acordo* (que ele chamava de contrato) entre as pessoas, a fim de que não se matem. Para evitar a autodestruição, todos os membros da sociedade deveriam renunciar à liberdade e dar ao Estado o direito de agir em seu nome e coibir todos os excessos.

Desigualdades sociais na Europa do século XVII em representação do pintor flamengo Vinckboons David (1576-1629).

Segundo John Locke (1632-1704), também inglês, somente os homens livres e iguais podem fazer um pacto com o objetivo de estabelecer uma sociedade política. Homens livres e iguais são aqueles que têm alguma propriedade a zelar. A propriedade, nessa perspectiva, torna-se o elemento fundamental da sociedade capitalista, ou seja, está acima de todos os demais, já que é o paradigma que define, inclusive, a liberdade dos indivíduos. Aqui já aparece a idéia de que nem todos são iguais desde o nascimento.

Para o pensador francês Jean-Jacques Rousseau (1712-1778), a igualdade só tem sentido se for baseada na liberdade, mas, segundo sua definição, a igualdade só pode ser jurídica. A lei deve ser o parâmetro da igualdade: "todos devem ser iguais perante a lei".

Ora, no final do século XVIII e mais claramente no século XIX, a sociedade européia estruturava-se desigualmente e as diferenças entre as classes já eram evidentes. Ao propor a igualdade de todos perante a lei, criava-se um direito igual para desiguais. Em outras palavras, as pessoas não eram iguais porque nasciam iguais e livres, mas porque tinham direitos iguais perante a lei, feita por quem dominava a sociedade.

A igualdade total apregoada por muitos era realmente a mais grave ameaça aos privilégios sociais da burguesia e da aristocracia, que se mantinham no poder. Discutia-se se a liberdade e a igualdade poderiam conviver ou se eram uma antítese insuperável, sendo necessário escolher entre elas. Como a sociedade capitalista funciona e se desenvolve movida pela desigualdade, a liberdade foi apregoada como o maior valor, deixando-se a igualdade de lado.

Para Karl Marx, o trabalhador, como membro de uma classe, não se identificaria como cidadão, que seria somente a *representação burguesa* do indivíduo. A idéia de democracia passaria pelo critério da *igualdade social*, que só uma revolução social poderia tornar realidade. Mas, recentemente, alguns marxistas afirmaram que a democracia burguesa poderia abrir caminho para uma igualdade formal e espaços de liberdade, além de ser um meio para que o trabalhador, ao lutar por seus direitos e liberdades democráticos, pudesse construir uma sociedade socialista.

Para Émile Durkheim, a idéia de cidadania está vinculada à questão da coesão social estabelecida com base na solidariedade orgânica, que é gerada pela divisão do trabalho e se expressa no direito civil. Assim, quando o indivíduo desempenha diferentes funções sociais, está integrado numa sociedade que se apresenta como um organismo estruturado. Seu papel como cidadão é o de cumprir suas obrigações e desenvolver uma prática social que vise à maior integração possível. Ao participar da solidariedade social, levando em conta as leis e a moral vigentes em uma sociedade, o indivíduo desenvolve plenamente sua cidadania.

Direitos civis, políticos e sociais

Na década de 1960, em seu livro *Cidadania, classe social e status*, o sociólogo inglês T. H. Marshall analisou a relação entre cidadania e direitos no contexto da história. De acordo com esse autor, a questão da cidadania só começou a aparecer nos séculos XVII e XVIII, e ainda assim de forma sutil, por meio da formulação dos chamados *direitos civis*. Naquele momento, procurava-se garantir a liberdade religiosa e de pensamento, o direito de ir e vir, o direito à propriedade, a liberdade contratual, principalmente a de escolher o trabalho, e, finalmente, a justiça, que devia salvaguardar todos os direitos anteriores.

Esses direitos passaram a ser o ideal das épocas seguintes e constaram em todas as legislações européias a partir de então. Isso não significa que os direitos civis chegaram a todas as pessoas. O cidadão no pleno gozo de seus direitos era o indivíduo proprietário de bens e principalmente de terras, o que mostra como a cidadania era restrita.

Os *direitos políticos* estão relacionados com a formação do Estado democrático representativo e envolvem os direitos eleitorais — a possibilidade de o cidadão eleger seus representantes e ser eleito para cargos políticos —, o direito de participar de associações políticas, como os partidos e os sindicatos, e o direito de protestar. Considerados desdobramentos dos direitos civis, os direitos políticos começaram a ser reivindicados por movimentos populares já no século XVIII, mas, na maioria dos países, só se efetivaram no século XX, quando o direito de voto foi estendido às mulheres.

No século XX também chegou a vez de os *direitos sociais* serem postos em prática. As pessoas passaram a ter direito à educação básica, assistência à saúde, programas habitacionais, transporte coletivo, sistema previdenciário, programas de lazer, acesso ao sistema judiciário, etc.

Os direitos civis, políticos e sociais estão assentados no princípio da igualdade, mas não podem ser considerados universais, pois são vistos de modo diferente em cada Estado e em cada época. Convém lembrar que há uma diversidade muito grande de sociedades, que se estruturam de modo diferente e nas quais os valores, os costumes e as regras sociais são distintos daqueles que predominam no Ocidente.

Propaganda anti-semita de candidato às eleições parlamentares de 1889 na França. Exercício dos direitos políticos contra os direitos civis.

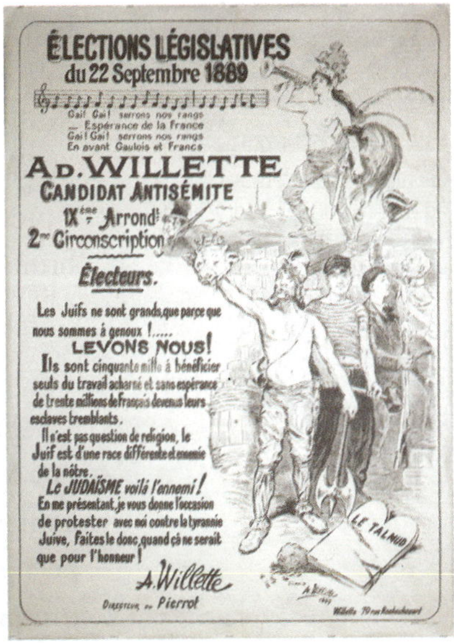

nas palavras
DE MARSHALL

Cidadania e classe social

A cidadania é um *status* concedido àqueles que são membros integrais de uma comunidade. Todos aqueles que possuem o *status* são iguais com respeito aos direitos e obrigações pertinentes ao *status*. Não há nenhum princípio universal que determine o que estes direitos e obrigações serão, mas as sociedades nas quais a cidadania é uma instituição em desenvolvimento criam uma imagem de uma cidadania ideal em relação à qual o sucesso pode ser medido e em relação à qual a aspiração pode ser dirigida. [...] A classe social, por outro lado, é um sistema de desigualdade. E esta também, como a cidadania, pode estar baseada num conjunto de ideais, crenças e valores. É, portanto, compreensível que se espere que o impacto da cidadania sobre a classe social tomasse a forma de um conflito entre princípios opostos. Se estou certo ao afirmar que a cidadania tem sido uma instituição em desenvolvimento na Inglaterra, pelo menos desde a segunda metade do século XVII, então é claro que seu crescimento coincide com o desenvolvimento do capitalismo, que é o sistema não de igualdade, mas de desigualdade. Eis algo que necessita de explicação. Como é possível que estes dois princípios opostos possam crescer e florescer, lado a lado, no mesmo solo? O que fez com que eles se reconciliassem e se tornassem, ao menos por algum tempo, aliados ao invés de antagonistas? A questão é pertinente, pois não há dúvida de que, no século XX, a cidadania e o sistema de classe capitalista estão em guerra.

MARSHALL, T. H. *Cidadania, classe social e status.* Rio de Janeiro: Zahar, 1967. p. 76.

No final do século XX e no início do século XXI, outros direitos relacionados a segmentos e situações sociais específicos — por exemplo, consumidores, idosos, adolescentes, crianças, mulheres, minorias étnicas, homossexuais — consolidaram-se.

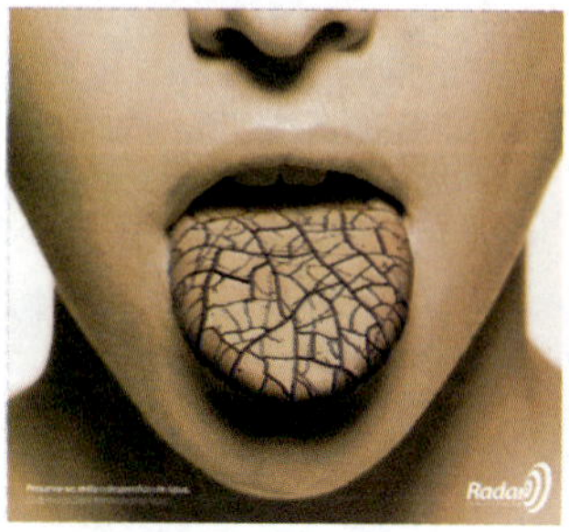

Cartaz do Dia Internacional da Água, em 2005: a proteção do meio ambiente como proteção do direito à vida.

Como ressalta o filósofo Renato Janine Ribeiro, recentemente surgiram direitos difusos, e os mais expressivos são os relativos ao meio ambiente, que beneficiam a todos. Há uma ironia nisso porque a garantia ao ar, à água e ao solo mais limpos protege até os próprios poluidores. Hoje se afirmam também os direitos dos animais ou da natureza em geral. De acordo com a tradição jurídica ocidental moderna, os direitos pertencem aos seres humanos. Assim, a preservação das matas e dos animais em via de extinção garante o direito dos humanos a um ambiente biodiversificado.

Cidadania hoje

Ser cidadão é ter a garantia de todos os direitos civis, políticos e sociais que asseguram a possibilidade de uma vida plena. Esses direitos não foram conferidos, mas exigidos, integrados e assumidos pelas leis, pelas autoridades e pela população em geral. A cidadania também não é dada, mas construída em um processo de organização, participação e intervenção social de indivíduos ou de grupos sociais. Só na constante vigilância dos atos cotidianos o cidadão pode apropriar-se desses direitos, fazendo-os valer de fato. Se não houver essa exigência, eles ficarão no papel.

Manifestação pelas eleições diretas em Belo Horizonte, Minas Gerais, em 1984. Depois de vinte anos de ditadura, a sociedade se mobiliza e exige de volta os seus direitos de participação política.

As duas cidadanias. Como vimos, o conceito de cidadania foi gerado nas lutas que estruturaram os direitos universais do cidadão. Desde o século XVIII, muitas ações e movimentos foram necessários para que se ampliassem o conceito e a prática de cidadania. Nesse sentido, pode-se afirmar que defender a cidadania é lutar pelos direitos e, portanto, pelo exercício da democracia, que é a constante criação de novos direitos.

T. H. Marshall propôs uma análise da evolução da cidadania vinculada a determinados direitos, com base na situação da Inglaterra. Na sociedade contemporânea, porém, há um grau de complexidade e de desigualdade tão grande que a divisão dos direitos do cidadão em civis, políticos e sociais já não é suficiente para explicar sua dinâmica. Como alternativa a essa classificação, podemos pensar em dois tipos de cidadania: o formal e o real (ou substantivo).

A cidadania formal é aquela que está nas leis, principalmente na constituição de cada país. É a que estabelece que todos são iguais perante a lei e garante ao indivíduo a possibilidade de lutar judicialmente por seus direitos. Tal garantia é muito importante: se não houvesse leis para determinar nossos direitos, estaríamos nas mãos de uma minoria. Essa era a situação dos escravos, que não tinham direito algum.

A cidadania substantiva ou real, aquela que vivemos no dia-a-dia, mostra que não há uma igualdade fundamental entre todos os seres humanos — entre homens e mulheres, crianças, jovens e idosos, negros, pardos ou brancos.

Vamos tomar como exemplos o direito à vida e o direito de ir e vir.

O direito à vida é o principal. Sem ele, os demais nada valem. Mas milhares de pessoas, principalmente crianças, morrem de fome todos os dias em vários locais do planeta. Essas pessoas não conseguiram ter o direito à vida, o direito real e substantivo à cidadania.

O segundo direito básico em nossa sociedade, o de ir e vir, é reconhecido desde o século XVII. No dia-a-dia, entretanto, nem sempre as pessoas podem se deslocar para qualquer lugar e ficar onde quiserem. As praias, por exemplo, são todas públicas, mas algumas foram fechadas por pessoas que se consideram proprietárias e não permitem a entrada de ninguém. Há também ruas, vias públicas, que são fechadas e vigiadas por seguranças, os quais impedem a livre circulação dos cidadãos. Nos *shopping centers*, os guardas garantem a segurança dos freqüentadores, mas também evitam o acesso de pessoas que aparentem não ter poder de consumo. Nesses casos, o direito de ir e vir não é respeitado.

Todos são iguais perante a lei, mas nem todos têm seus direitos básicos garantidos. À esquerda, o Tribunal de Justiça de São Paulo em data solene (fotografia de 2004); à direita, sepultamento de criança moradora de rua vítima da chacina da Candelária, no Rio de Janeiro, em 1993.

Se esses direitos básicos ainda não são efetivos para a maioria das pessoas, imagine o que acontece com os demais! Ao analisar os direitos humanos nos dias de hoje, no mundo globalizado, observa-se, por exemplo, que o direito à diferença não é levado em conta, principalmente quando se trata de culturas muito distintas das ocidentais. O sociólogo português Boaventura Souza Santos formula um questionamento importante: como ficam os direitos dos indivíduos que sofreram os efeitos das numerosas guerras que ocorreram depois de

1945, nas quais se envolveram as nações que foram o berço dos documentos de direitos universais — Inglaterra, França e Estados Unidos?

A defesa dos direitos humanos convive com sua violação. A coerência entre os princípios e a prática dos direitos humanos só será estabelecida se houver uma luta constante pela sua vigência, travada por meio de ações políticas ou movimentos sociais. Direitos só se tornam efetivos e substantivos quando são exigidos e vividos cotidianamente.

nas palavras DE BAUMAN

Direitos e comunidade

Somos todos interdependentes neste nosso mundo que rapidamente se globaliza, e devido a essa interdependência nenhum de nós pode ser senhor de seu destino por si mesmo. Há tarefas que cada indivíduo enfrenta, mas com as quais não se pode lidar individualmente. O que quer que nos separe e nos leve a manter distância dos outros, a estabelecer limites e construir barricadas torna a administração destas tarefas ainda mais difícil. Todos precisamos ganhar controle sobre as condições sob as quais enfrentamos os desafios da vida — mas para a maioria de nós esse controle só pode ser obtido *coletivamente*.

Aqui, na realização de tais tarefas, é que a comunidade mais faz falta; mas também aqui reside a chance de que a comunidade venha a se realizar. Se vier a existir uma comunidade no mundo dos indivíduos, só poderá ser (e precisa sê-lo) uma comunidade tecida em conjunto a partir do compartilhamento e do cuidado mútuo; uma comunidade de interesse e responsabilidade em relação aos direitos iguais de sermos humanos e igual capacidade de agirmos em defesa desses direitos.

BAUMAN, Zigmut. *Comunidade*. Rio de Janeiro: Jorge Zahar, 2003. p. 133-4.

Cenário DOS DIREITOS E DA CIDADANIA

O Congresso americano e a redução das liberdades individuais

O Congresso dos Estados Unidos da América (EUA) aprovou, na semana passada (28 de setembro de 2006), um projeto de lei que busca convalidar as práticas atentatórias aos direitos humanos levadas a efeito pelo governo Bush, após decisão adversa da Suprema Corte do país, tomada em junho deste ano, que declarava ilegal o tratamento de combatentes insurgentes e os procedimentos jurídicos daquela administração.

A nova lei rompe com uma tradição de juridicidade que existe há mais de 200 anos no país ao convalidar normas que suspendem o Bill of Rights, acabam com o habeas corpus, convalidam a tortura, cerceiam o direito de defesa, permitem o uso de provas obtidas ilegalmente, autorizam a prisão sem culpa formada e por prazo indeterminado e conferem ao presidente dos EUA o poder de "interpretar" convenções internacionais.

A lei não se restringe aos chamados prisioneiros de Guantánamo e tem uma aplicação ampla a todos que "intencionalmente e materialmente tenham apoiado hostilidades contra os EUA". Essa definição permite uma interpretação extraordinariamente ampla, que poderá inclusive limitar o direito à liberdade de expressão de opiniões. Da mesma forma, ela irá discriminar ainda mais os estrangeiros residentes no território do país norte-americano, ainda que legalmente.

Essa infame lei não é uma iniciativa isolada mas, ao contrário, reforça uma tendência de aumento das restrições ao império da lei e às liberdades civis, nos EUA. De fato, na mesma semana, a Câmara dos Representantes aprovou um projeto do governo de escutas telefônicas. Por sua vez, contemporaneamente, o Senado aprovou a verba de US$ 1,2 bilhão para a construção do muro da infâmia entre os EUA e o México que, com 1300 quilômetros, equivale à cortina de ferro não apenas na extensão, mas também na vergonha.

Manifestação organizada pela Anistia Internacional em Paris, em janeiro de 2007. Diante de uma réplica da Estátua da Liberdade, os ativistas denunciam violações aos direitos humanos na base naval dos Estados Unidos em Guantánamo, no norte de Cuba, onde cerca de quatrocentas pessoas suspeitas de ligação com o terrorismo estavam aprisionadas.

Numa perspectiva institucional interna, os EUA foram, por muitos anos, um farol da liberdade a inspirar a evolução internacional dos direitos humanos, das liberdades democráticas, do estado de Direito e da própria democracia. Hoje, todavia, a lamentável situação jurídica em que se encontra o país evoca mais os tempos sombrios da Alemanha nazista, da União Soviética stalinista e da Itália fascista.

Por outro lado, o poderio militar incontrolado do país não permitia sua categorização precisa como uma república banana, ainda que suas instituições políticas estejam em franco processo de aviltamento.

De fato, para além da crise do poder legislativo dos EUA, o executivo já demonstrou todos os vícios antidemocráticos e o judiciário tornou-se um poder subordinado ao executivo, balizando-se, por enquanto ocasionalmente, na lealdade partidária mais do que na lei.

Assim, o efeito deletério de tais sombrios desdobramentos de ordem interna se fazem sentir nos foros internacionais, nos quais os EUA tornaram-se a força da opressão, do arbítrio e da miséria.

GOYOS, Durval de Noronha. *O Congresso americano e a infame redução das liberdades individuais*. Disponível em: http://ultimainstancia.uol.com.br. Acesso em: 12 abr. 2007.

1. Que princípios da cidadania e que direitos as ações governamentais e a lei estadunidense comentadas no texto desrespeitam?
2. É possível classificar como democrático um regime com essa lei? Explique, comparando com outros regimes citados no texto.

Capítulo

15 Os movimentos sociais

Os movimentos sociais são ações coletivas com o objetivo de manter ou mudar uma situação. Eles podem ser locais, regionais, nacionais e internacionais. Há vários exemplos de movimentos sociais em nosso dia-a-dia: as greves trabalhistas (por melhores salários e condições de trabalho), os movimentos por melhores condições de vida na cidade (por transporte, habitação, educação, saúde, etc.) e no campo (pelo acesso à terra ou pela manutenção da atual situação de distribuição de terras), os movimentos étnicos, feminista, ambiental e estudantil, entre outros.

Ato público de professores da rede municipal em São Paulo, em abril de 2006. Em greve, os manifestantes reivindicavam melhoria nos salários e nas condições de trabalho.

Além desses movimentos organizados, existem outros que podemos chamar de conjunturais. São os que duram alguns dias e desaparecem para, depois, surgir em outro momento, com novas formas de expressão. Por causa dessa diferença e mobilidade, é preciso analisar cada tipo de movimento para entender as idéias que motivam e sustentam as ações, assim como seus objetivos.

Os movimentos sociais não são predeterminados; dependem sempre das condições específicas em que se desenvolvem, ou seja, das forças sociais e políticas que os apóiam ou confrontam, dos recursos existentes para manter a ação e dos instrumentos utilizados para obter repercussão.

Os movimentos sociais que se mantêm durante um longo tempo tendem a criar uma estrutura de sustentação e uma organização burocrática, por mínima que seja, para continuar atuando. Ao se institucionalizar, correm o perigo de perder o vigor, pois, para continuar sua ação, devem também obter recursos e assumir gastos com aluguel de uma sede, telefone, pessoal de apoio fixo e materiais. A preocupação que antes se concentrava em organizar as ações efetivas divide-se assim com a preocupação em manter uma estrutura fixa, deslocando uma parte das energias para outro foco.

Confrontos e parcerias

Os movimentos sociais são sempre de confronto político. Na maioria dos casos eles têm uma relação com o Estado, seja de oposição, seja de parceria, de acordo com seus interesses e necessidades. Observam-se várias formas de atuação dos movimentos sociais:

- contra ações do poder público que sejam consideradas lesivas aos interesses da população ou de um setor dela, como determinada política econômica ou uma legislação que prejudique os trabalhadores;
- para pressionar o poder público a resolver problemas relacionados à segurança, à educação, à saúde, etc. (um exemplo são as ações que exigem do Estado medidas contra a exploração sexual e o trabalho infantil);
- em parceria com o poder público para fazer frente às ações de outros grupos ou empresas privadas (é o caso dos movimentos de proteção ambiental);
- para resolver problemas da comunidade, independentemente do poder público, muitas vezes tomando iniciativas que caberiam ao Estado (por exemplo, as várias ações realizadas por Organizações Não-governamentais — ONGs — e associações de moradores de bairros).

Trabalhadores sem-teto acampam em frente à prefeitura de São Paulo, em maio de 2006, numa ação organizada pela Frente de Luta por Moradia (FLM).

Existem também movimentos cujo objetivo é desenvolver ações que favoreçam a mudança da sociedade com base no princípio fundamental do reconhecimento do outro, do diferente. Por meio desses movimentos, procuram-se disseminar visões de mundo, idéias e valores que proporcionem a diminuição dos preconceitos e discriminações que prejudicam as relações sociais. Exemplos são os movimentos étnico-raciais, *gay*, feminista e pela paz e contra a violência.

Conforme o sociólogo alemão Axel Honneth, as lutas sociais vão além da defesa de interesses e necessidades, tendo como alvo também o reconhecimento individual e social. Quando um indivíduo se engaja num movimento social, procura fazer que suas experiências com os sentimentos de desrespeito, vergonha e injustiça inspirem outros indivíduos, de modo que sua luta se transforme numa ação coletiva, de reconhecimento pessoal e social. Para Honneth, "uma luta só pode ser caracterizada de social na medida em que seus objetivos se deixam generalizar para além dos horizontes das intenções individuais, chegando a um ponto em que eles podem se tornar a base de um movimento coletivo".

Celebração do Dia da Consciência Negra em Salvador, em 2005. Caminhada pela afirmação de valores e práticas religiosas afro-brasileiras.

A greve como elemento central

A greve foi um dos instrumentos mais utilizados pelos trabalhadores na sociedade capitalista. A paralisação das atividades de uma ou mais empresas sempre se apresentou como uma poderosa arma de reivindicação. O movimento operário — e a greve em particular — pode ser analisado pelo menos de acordo com dois pontos de vista: o de Émile Durkheim e o de Karl Marx.

O enfoque de Durkheim tem como ponto de partida a idéia de que todo conflito é resultado da inexistência de regras e normas (anomia) que regulem as atividades produtivas e a organização das várias categorias profissionais. A desordem (greve) é, para ele, um momento especial em uma ordem geral estabelecida e serve apenas para a desintegração da sociedade. Para Durkheim, a questão social é também moral, pois envolve idéias e valores divergentes dos da consciência coletiva. Conforme Durkheim, os desejos de alguns grupos ou de indivíduos devem estar submetidos aos sentimentos gerais da sociedade, e não a eles prevalecer. Assim, uma sociedade dividida não pode ser normal, pois o fundamental é manter a solidariedade orgânica decorrente da divisão do trabalho social.

nas palavras
DE DURKHEIM

A questão social

Não se trata de substituir a sociedade existente por uma totalmente nova, senão adaptar aquela às novas condições de existência social. Não é uma questão de classes, de oposição entre ricos e pobres, de empresários e trabalhadores, como se a única solução possível consistisse em diminuir a parte que corresponde a uns para aumentar a dos outros. O que se requer no interesse de uns e outros é a necessidade de se refrear, desde o alto, os apetites de ambos e assim pôr fim ao estado de desagregação, de agitação maníaca, que não é produto da atividade social e que inclusive provoca sofrimentos. Em outras palavras, a questão social concebida desta maneira não é uma questão de dinheiro ou de força; é uma questão de agentes morais. O que domina não é a situação de nossa economia, senão o estado de nossa moralidade.

Traduzido de: Durkheim, Émile. *El socialismo*. Madrid: Nacional, 1982. p. 287-8.

Karl Marx entende a questão de outra forma. A greve *aparentemente* é apenas um movimento reivindicatório por melhores salários e condições de trabalho. Mas, analisando um pouco melhor, percebe-se que em uma greve operária existem sempre três atores sociais: o trabalhador, o empresário capitalista e o Estado. O trabalhador representa a força de trabalho e só tem isso para defender; assim, sua luta por melhores salários e condições de trabalho o coloca em confronto com o empresário, que representa o capital, e cujo objetivo é conseguir o maior lucro possível. A greve, para Marx, é a expressão mais visível da luta de classes entre a burguesia e o proletariado.

Ao Estado, que aparece na forma da legislação existente, cabe regular a relação entre o trabalho e o capital: as leis que podem proteger o trabalhador e seus direitos (que foram conquistados arduamente) também podem atuar em benefício do capital, o que acontece normalmente quando os tribunais decidem as questões trabalhistas. Mas o Estado age também com a força policial, a qual pode ser acionada para reprimir os trabalhadores em nome da normalidade e da paz social.

Nessa perspectiva, numa greve questionam-se não só as condições de exploração em que vivem os trabalhadores, mas também a ação do Estado e seu caráter de classe. Numa greve operária questiona-se a própria estrutura da sociedade capitalista que, em sua essência, é desigual e perpetua a exploração dos trabalhadores.

Tropa de choque reprime manifestação de funcionários públicos em greve em São Paulo, no ano 2000. Ação do Estado em nome de quê?

A industrialização e as greves. As greves trabalhistas existem desde o início do processo de industrialização. Dos primeiros movimentos até nossos dias, os trabalhadores sempre lutaram por melhores salários. Procuraram também regulamentar o trabalho infantil e feminino, além de reivindicar a diminuição da jornada de trabalho por meio de um movimento internacional pelas oito horas diárias. Os trabalhadores mobilizaram-se pela organização de sindicatos e também por melhores condições de trabalho nas empresas. Pouco a pouco passaram a visar à conquista ou efetivação de direitos, principalmente os sociais, como saúde, transporte, educação, previdência e habitação.

Com essas lutas houve a preocupação de discutir questões mais gerais, como as políticas econômicas que geram desemprego. Em outubro de 2005, por exemplo, milhares de pessoas protestaram na França por meio de uma greve de um dia, que paralisou o transporte público. O objetivo era pressionar o governo por mudanças em suas políticas trabalhistas e econômicas. A greve foi convocada pelas principais centrais sindicais francesas contra os baixos salários, o desemprego, a queda do padrão de vida e uma lei que tornava mais fácil às empresas demitir funcionários.

À esquerda, trabalhadores em greve na França, em outubro de 2005, manifestam sua oposição às políticas econômicas governamentais. À direita, conclamação à greve geral na França em ilustração feita em 1910 pelo cartunista socialista Henri Paul Gassier para folheto contendo a letra da canção "La Gréve Genérale", de Georges Feline.

Os movimentos sociais contemporâneos

Os movimentos sociais surgem nos mais diversos lugares do planeta sempre que um grupo de indivíduos considera seus direitos desrespeitados ou se dispõe a lutar pela aquisição de novos direitos. Vamos analisar dois movimentos com características de nossa época.

O movimento ambiental. Esse movimento é típico da sociedade industrial, porque a industrialização predatória afeta o meio ambiente, contaminando a água, o ar e o solo, e colocando em risco os seres vivos. Isso sem falar no desmatamento desenfreado nas áreas ainda recobertas por florestas.

O movimento ambiental surgiu no século XIX, quando foram percebidos os primeiros sinais de distúrbios ambientais, mas desenvolveu-se lentamente até a década de 1970; desde então, vem crescendo rapidamente. Esse tipo de movimento tem uma característica interessante: envolve desde a ação de um pequeno grupo para salvar uma árvore em área urbana até a ação de grupos e instituições internacionais pela preservação de uma mata inteira. Ou seja, ele vai do local ao global, evidenciando a existência de uma consciência ecológica difusa no mundo todo. Não é um movimento organizado mundialmente, mas um conjunto de movimentos que desenvolveu uma cultura ambientalista e criou um novo direito: o de viver em um ambiente saudável.

Manifestações de duas organizações ambientalistas: à esquerda, evento promovido em 2005, em São Paulo, pela SOS Mata Atlântica, entidade que luta pela recuperação e preservação das florestas litorâneas do Brasil; à direita, ação da ONG internacional Greenpeace na Flórida, em 2006, contra o aquecimento global provocado pela queima de combustíveis (os Estados Unidos são responsáveis por mais de 30% da emissão de gases poluentes na atmosfera).

Organizações locais, regionais ou internacionais lutam para limitar, por meio da legislação, a ação predatória e poluente, principalmente das indústrias. Em várias partes do mundo, movimentos ambientais pressionam os Estados a agir para que o direito a um ambiente sadio seja garantido por meio de leis e de fiscalização. As ações desenvolvidas por movimentos e organizações no mundo todo contribuíram para que a ONU passasse a orientar seus membros a respeito das questões ambientais, tomando medidas urgentes para resolver muitos desses problemas.

Vários são os questionamentos e motivações que animam os movimentos ambientais. Vamos resumir os mais importantes:

- a proteção da diversidade da vida na Terra contra a crescente eliminação de muitas formas de vida animal e vegetal, o que provoca problemas ambientais significativos, gerando a superpopulação de espécies animais e vegetais e alterando o equilíbrio da natureza (o desmatamento desenfreado das florestas, onde estas ainda existem, é o principal foco dessa ação);

- a preservação da qualidade de vida dos habitantes do planeta, que são atingidos por agentes poluidores na água, no ar ou no solo;
- o controle da aplicação industrial de resultados do progresso científico e técnico que possam trazer problemas à humanidade, como os resíduos tóxicos e as conseqüências do uso de energia nuclear, agrotóxicos e, mais recentemente, produtos transgênicos;
- o controle do uso dos recursos naturais, principalmente da água doce e daqueles oriundos da atividade extrativa de produtos não renováveis, como o petróleo e vários minérios (ferro, cobre e bauxita).

Existem problemas ambientais que só podem ser tratados globalmente, como a emissão de gases que provocam o efeito estufa, o aquecimento do planeta e as alterações na camada de ozônio que protege a Terra. As práticas poluidoras têm causado mudanças climáticas sérias no planeta. Outras questões tratadas globalmente são a poluição dos mares pelos navios-tanques de petróleo, a matança de baleias e o despejo de resíduos tóxicos nos milhares de rios do mundo, o que também compromete os oceanos.

Um mergulhão agoniza em praia atingida por derramamento de petróleo na Baía de Guanabara, em 2001. Os poluentes de mares e rios atravessam fronteiras e envolvem muitos países, causando danos irreversíveis em ecossistemas de todo o planeta.

Há também problemas regionais e nacionais, que devem ser resolvidos no local em que surgem. Se uma indústria polui um rio, por exemplo, e este passa por vários países, é necessário que os países discutam as providências a tomar para evitar que todos sofram prejuízos. Existem ainda questões ambientais locais, como o lixo nas cidades, que exigem soluções na coleta, no depósito e na reciclagem.

O mais significativo é que a cultura ambiental, que começou a se formar na década de 1970, está disseminada e tem no cotidiano das pessoas seu ponto fundamental, expressando-se em ações de pessoas que questionam e buscam soluções para problemas que podem prejudicar o modo de vida de cada comunidade. A consciência ambiental tem estimulado pessoas, grupos, escolas e organizações a traduzir as grandes preocupações em práticas e atividades concretas no local em que vivem. Além disso, as ações ambientalistas, em todos os níveis, conquistaram gradativamente um espaço importante nos meios de comunicação de massa, gerando uma pressão social que forçou a apresentação de projetos de lei visando à conservação da natureza em várias partes do mundo.

O Estado não pôde ficar em silêncio e, assim, foi obrigado a controlar e a fiscalizar os processos industriais poluidores, o desmatamento e a proteção ambiental. As empresas antigas fizeram muitas mudanças em seu processo produtivo, tornando-o menos poluidor, e as novas empresas foram obrigadas a apresentar projetos de impacto ambiental.

O movimento feminista. A discussão moderna sobre a posição da mulher nas diferentes sociedades vem sendo travada desde o século XVIII. Como vimos, os direitos do homem e do cidadão referiam-se aos homens e excluíam as mulheres. Mas elas não se calaram, como atesta o exemplo de Olympe de Gouges, já citada no começo da unidade, que encaminhou à Assembléia Nacional da França, em 1791, uma Declaração dos Direitos da Mulher e da Cidadã, pedindo que o documento fosse tomado como fundamento da Constituição. Em outro texto publicado em plena efervescência da Revolução Francesa, ela manifestou nos seguintes termos seu inconformismo com a discriminação da mulher: "Diga-me quem te deu o direito soberano de oprimir o meu sexo? [...] esta Revolução só se realizará quando todas as mulheres tiverem consciência do seu destino deplorável e dos direitos que elas perderam na sociedade".

Capa da partitura do hino "A marcha das mulheres", composta por Ethel Smyth em 1911 e dedicada a Emmeline Pankhurst, uma das pioneiras do movimento sufragista britânico.

Por causa de suas posições políticas, Olympe de Gouges foi guilhotinada em 3 de novembro de 1793. Mas não faltou quem continuasse a lutar contra a condição subalterna da mulher no trabalho, na educação e na participação política. Entre outras, podem ser citadas a inglesa Mary Wollstonecraft (1759-1797), que em 1792 publicou um ensaio sobre a emancipação feminina, *Em defesa dos direitos da mulher*, e as líderes operárias francesas Jeanne Deroin (?-1894) e Flora Tristán (1803-1844), referências importantes para o movimento feminista.

Uma frase de Olympe de Gouges extraída do artigo 10 de sua Declaração dos Direitos da Mulher e da Cidadã tornou-se lema do movimento feminista do século XIX: "A mulher tem o direito de subir no cadafalso; deve ter também o direito de subir numa tribuna". A luta das mulheres adquiriu então uma nova configuração, com a organização de movimentos e campanhas pelo direito de votar. A conquista desse direito, no entanto, só ocorreu no século XX — primeiro nos Estados Unidos, em 1920, e depois na Inglaterra, em 1928.

O segundo sexo

Simone Beauvoir, escrevendo no final da década de 1940 o livro intitulado *O segundo sexo*, é uma voz isolada neste momento de transição. Denuncia as raízes culturais da desigualdade sexual, contribuindo com uma análise profunda na qual trata as questões relativas à biologia, à psicanálise, ao materialismo histórico, aos mitos, à história, à educação para o desenvolvimento desta questão. Afirma ser necessário estudar a forma pela qual a mulher realiza o aprendizado de sua condição, como ela vivencia, qual é o universo ao qual está circunscrita.

Simone Beauvoir estuda a fundo o desenvolvimento psicológico da mulher e os condicionamentos que ela sofre durante o período de sua socialização, condicionamentos que, ao invés de integrá-la a seu sexo, tornam-na alienada, posto que é treinada para ser mero apêndice do homem.

ALVES, Branca Moreira, PITANGUY, Jacqueline. *O que é feminismo*. 8. ed. São Paulo: Brasiliense, 1991. p. 50-2.

Após as lutas pelo direito ao voto, o movimento das mulheres se enfraqueceu, sendo retomado na década de 1960, quando ganhou força e difundiu-se rapidamente. Importantes estudos sobre a condição feminina foram publicados nessa época, entre os quais os de Betty Friedan (*A mística feminina*), Kate Millet (*Política sexual*) e Juliet Mitchell (*A condição da mulher*). Paralelamente, desenvolveu-se um movimento vigoroso de reivindicação de direitos políticos, civis e sociais, além de questionamento das raízes culturais da desigualdade de gênero.

Dizia-se que as mulheres eram inferiores aos homens, isto é, fisicamente mais fracas, além de emocionais e sentimentais demais. Contrapunha-se a essa visão o argumento de que a desigualdade sexual é histórica, e não natural, pois foi sendo construída desde a Antiguidade para manter a opressão dos homens e a condição subalterna da mulher.

Nas décadas posteriores, ocorreu uma grande diversificação das lutas e dos movimentos das mulheres, bem como de suas organizações. Os seguintes temas se destacam hoje no movimento feminista:

- a crítica à sociedade patriarcal, baseada na dominação do homem como cabeça do casal e da família;
- a igualdade de condições e de salários no trabalho;
- o direito à liberdade de uso do corpo, no que se refere a reprodução, contracepção e aborto;
- o questionamento da heterossexualidade como norma e o reconhecimento de outras manifestações da sexualidade, como a bissexualidade e o lesbianismo;
- a especificidade da visão feminina do mundo em todas as áreas do conhecimento;
- a discussão sobre a identidade corporal e a sexualidade feminina.

Características comuns. Os movimentos ambiental e feminista propõem questões importantes para todos nós e podem ser tomados como exemplos de movimentos sociais contemporâneos por duas características comuns:

- não têm uma coordenação única, pois surgem e se desenvolvem a partir de ações coletivas nos planos local, regional e global, e comportam uma diversidade muito grande de idéias e valores, bem como de atuação e organização;
- suas ações se desenvolvem em torno de interesses e necessidades, mas também de reconhecimento, visando criar uma nova sociabilidade.

Ato público de mulheres em Tóquio, em 2005. Para criticar os estereótipos ocidentais de beleza e reafirmar seus próprios padrões, todas vestiram perucas loiras, jogadas para cima ao término da manifestação.

Cenário DOS MOVIMENTOS SOCIAIS

Rebelião contra a desigualdade de direitos na França

Em 27 de outubro de 2006, dois adolescentes franceses, filhos de imigrantes, morreram em circunstâncias que ainda não foram esclarecidas. Diz-se que eles fugiam da polícia e acabaram em um beco sem saída, no final do qual existia uma subestação de eletricidade. Eles foram eletrocutados. Um terceiro rapaz sobreviveu, mas com ferimentos graves. O rumor de que a polícia havia levado os dois à morte rapidamente se espalhou. Desde então, ocorreram distúrbios nas ruas todas as noites. Os manifestantes eram filhos de imigrantes da África do norte e subsaariana.

A situação piorou quando o então ministro do Interior, Nicolas Sarkozy (eleito presidente francês em 2007) chamou as gangues de jovens de "escória" e "gentinha", afirmando que deviam ser enfrentadas com severidade. Durante doze noites consecutivas, recipientes de lixo e veículos foram queimados no departamento de Seine-Saint-Denis. Noite após noite, bandos de adolescentes percorreram os bairros atirando coquetéis Molotov em lojas e veículos — 250 numa noite, 315 na outra, 500 na seguinte.

As divisões na sociedade francesa hoje percorrem linhas étnicas e religiosas, e também refletem profundas diferenças culturais. O ideal da República Francesa — a nação como uma comunidade de cidadãos que desfrutam direitos iguais, independentemente de suas origens étnicas ou crenças religiosas — está dando lugar a uma coexistência volátil entre comunidades que querem manter sua identidade e viver de acordo com as próprias regras.

A escola não consegue reduzir as desigualdades. As discriminações no que diz respeito ao acesso à moradia ou ao emprego são consideráveis. Os que se revoltam perguntam: de que adianta a educação quando não há empregos? E declaram: "Nós queremos ser filhos da República de maneira plena e completa. O que nós não queremos é ser excluídos de maneira plena e completa. Nós queremos ser reconhecidos".

A rebelião daqueles jovens na França foi dirigida contra qualquer coisa que lembrasse mesmo remotamente a autoridade do Estado. Eles estavam além da razão e ninguém — nem seus pais, nem os professores, muito menos as autoridades — conseguia alcançá-los.

Os protestos de 2006 podem lembrar os de estudantes de 1968, mas dessa vez os manifestantes não eram os estudantes universitários de vanguarda e seus líderes não eram intelectuais de esquerda; eram filhos de imigrantes que acreditaram que pudessem ser cidadãos iguais aos outros franceses.

1. As ações praticadas em 2006 pelos jovens filhos de imigrantes na França tiveram conteúdo reivindicatório ou foram apenas uma manifestação de inconformismo com a situação de exclusão e de descrença nas instituições francesas?
2. Se a rebelião tinha um conteúdo reivindicatório, qual era?
3. Qual é a atual configuração da sociedade francesa, em relação às etnias que a formam? Dê exemplos.
4. Ações rebeldes como as descritas no texto podem contribuir para o avanço da luta pelo direito à igualdade numa sociedade como a francesa? Por quê?

Direitos e cidadania no Brasil

Capítulo 16

Pensar em direitos e cidadania no Brasil significa refletir sobre a história da população brasileira e as características das relações políticas e sociais que aqui se estabeleceram. O historiador brasileiro José Murilo de Carvalho diz, em seu livro *Cidadania no Brasil*, que a seqüência histórica da conquista de direitos proposta por T. H. Marshall aconteceu de forma diferente no Brasil. Aqui, primeiro vieram os direitos sociais; depois, os políticos e os civis. Neste capítulo, vamos verificar como isso aconteceu.

Uma sociedade com direitos para poucos

Cem anos após a independência, nos anos 1920, o legado colonial, principalmente da escravidão, continuou presente na sociedade brasileira. Os valores de liberdade individual praticamente inexistiam na sociedade escravocrata e pouco significavam para a maioria da população. Para os não-escravos, os direitos civis só existiam no papel.

Se a maioria estava abaixo da lei, os senhores coronéis estavam acima dela. Os direitos de ir e vir e de propriedade, a inviolabilidade de domicílio e a proteção da integridade física dependiam do poder dos coronéis. São da época dos coronéis, por exemplo, algumas expressões que continuam vivas: "Para os amigos, pão; para os inimigos, pau"; "Para os amigos, tudo; para os inimigos, a lei".

Somente no final da década de 1920, em decorrência da imigração e da luta dos trabalhadores nas grandes cidades, principalmente São Paulo e Rio de Janeiro, algumas pequenas conquistas foram alcançadas, como os direitos de organização, de manifestação, de escolha do trabalho e de fazer greve. Mas, como aos olhos dos governantes a "questão social era uma questão de polícia", houve muita repressão.

Charge de J. Carlos, de 1917, ironiza a ação das autoridades no tratamento da questão social. Preso na porta de uma fábrica de macarrão, o detido esclarece ao delegado: "Eu queria apenas falar às massas".

Os direitos políticos eram igualmente restritos. Considerava-se a Constituição de 1824 liberal, pois permitia que votassem todos os homens (as mulheres não votavam) acima de 25 anos, com renda de 100 mil réis, mesmo que fossem analfabetos; com isso, apenas 13% da população tinha condição de votar. O voto era obrigatório, como é ainda hoje. E, como já vimos, as eleições eram controladas pelos coronéis locais ou pelas oligarquias regionais, o que significava que a decisão do voto estava na mão de quem tinha o poder. Era o chamado *voto de cabresto*.

Em 1881, a Câmara de Deputados votou uma lei que aumentava a renda dos eleitores para 200 mil réis e proibia o voto dos analfabetos. Em decorrência, como somente 15% da população era alfabetizada, 80% da população masculina perdeu o direito de votar. Nas eleições parlamentares de 1886, por exemplo, votaram pouco mais de 100 mil eleitores, ou 0,8% da população brasileira.

Essa situação legal não mudou com a primeira constituição da República, promulgada em 1893; no ano seguinte, apenas 2,2% da população votou e, em 1930, 5,6% dos brasileiros foram às urnas. Como podemos ver, os governantes eram escolhidos por pouquíssimas pessoas, uma minoria que exercia o direito de voto.

Com os direitos civis e políticos tão restritos, os direitos sociais eram quase inexistentes durante o período imperial e a República Velha. A assistência social estava nas mãos das irmandades religiosas ou de sociedades de auxílio mútuo organizadas por pessoas leigas. Essas instituições funcionavam para quem contribuía, fazendo empréstimos, garantindo apoio em casos de doença, auxílio funerário e, em alguns casos, pensão para viúvas e filhos. O Estado não se envolvia nessas questões.

Os direitos dos trabalhadores das cidades não existiam e, quando se estabelecia alguma regulamentação — como a da jornada de trabalho infantil (1891) ou a do direito de férias (1926) —, seu cumprimento não era levado em conta nem cobrado pelas autoridades. Na zona rural, prevalecia a dependência do trabalhador em relação ao grande proprietário, que em geral fornecia alguma assistência médica e remédios, numa atitude paternalista que encobria a exploração.

Na área do ensino, a Constituição de 1824 estabelecia como obrigação do Estado fornecer educação primária, mas essa determinação nunca foi efetivada. A Constituição de 1891 retirou essa obrigação do Estado, ou seja, a educação passou a ser uma questão particular.

Muitos foram os movimentos sociais que surgiram nesse período para modificar o cenário político e social em várias partes do Brasil, o que demonstra que a população tinha noção de seus direitos e dos deveres do Estado. Mas tais movimentos refletiam muito mais reações aos abusos sofridos do que tentativas de proposição de novos direitos.

A cidadania regulada

Entre 1930 e 1964, a situação dos direitos civis e políticos variou bastante, mas na maior parte do tempo eles foram restritos ou abolidos. Os direitos sociais, por sua vez, tiveram uma evolução, embora sob a supervisão do Estado. Configurou-se o que o sociólogo brasileiro Wanderley Guilherme dos Santos chamou de "cidadania regulada", uma cidadania restrita e sempre vigiada pelo Estado, do ponto de vista legal ou policial.

De 1930 a 1945, os direitos civis e os direitos políticos evoluíram pouco porque foi curto o período de vigência de uma constituição liberal: já em 1937 foi implantado o Estado Novo, regime ditatorial que se prolongou até 1945. A participação da população restringiu-se às votações para o Legislativo, pois as eleições para os cargos executivos foram indiretas ou não ocorreram.

De 1945 a 1964, os direitos civis e políticos retornaram a uma situação estável, com liberdade de imprensa, de manifestação e de organização partidária, mas houve exceções: o Partido Comunista do Brasil (PCB), por exemplo, teve seu registro cassado em 1947 e as greves só eram consideradas legais quando autorizadas pela Justiça do Trabalho.

Quanto às eleições, a Constituição de 1946 determinava a extensão do voto a todos os cidadãos (homens e mulheres) maiores de 18 anos, menos os analfabetos. Assim, a participação da população nas eleições cresceu lentamente: em 1945 era de 13,4%; em 1950, subiu para 15,9%; em 1960, o índice de participação chegou a 18% (ainda muito baixa).

Mobilizações e direitos sociais sob o controle do Estado, um cenário montado por Vargas. Na imagem, o presidente em concentração trabalhista no Rio de Janeiro, em 10 de novembro de 1943, dia em que começa a vigorar a CLT, um símbolo dos direitos do trabalhador.

No âmbito dos direitos sociais, o período do governo de Getúlio Vargas, mesmo durante a ditadura do Estado Novo, ficou conhecido como aquele em que se colocaram em prática as reformas trabalhistas no Brasil. Um dos primeiros atos desse governo foi a criação do Ministério do Trabalho, Indústria e Comércio, idéia completada em 1943 com a Consolidação das Leis do Trabalho (CLT). Inédita no Brasil até então, essa legislação continua vigente com poucas alterações importantes. As disposições mais significativas dessas leis foram a jornada de oito horas diárias para os trabalhadores do comércio e da indústria, a regulamentação do trabalho de menores e do trabalho feminino, o direito a férias remuneradas e a implantação do salário mínimo.

Para que esses direitos se efetivassem, foi montada uma estrutura sindical, previdenciária e jurídica que envolveu a criação de diversos órgãos e instituições, entre os quais a Justiça do Trabalho, com tribunais regionais, o Tribunal Superior do Trabalho e os Institutos de Aposentadorias e Pensões (IAPs) por categoria profissional, como a dos industriários, comerciários, ferroviários, bancários, etc. Houve a criação da Carteira de Trabalho como o documento do trabalhador, importante para que fossem esclarecidas pendências jurídicas entre patrões e empregados, e do Imposto Sindical (valor do salário de um dia de trabalho), que serviria para a manutenção dos sindicatos.

A estrutura sindical foi construída como órgão colaborador do Estado. Para que os sindicatos existissem oficialmente, era exigido seu reconhecimento pelo Ministério do Trabalho. Assim, o movimento operário tinha um dilema: ganharia a proteção do Estado e perderia a liberdade. Se quisesse ter liberdade sindical, perderia a proteção do Estado.

Os direitos cassados e a volta da cidadania

Com a implantação da ditadura, em 1964, os direitos civis e políticos foram restringidos. Para isso, o governo militar criou os Atos Institucionais (os AIs), que tornavam lei a falta de direitos. O primeiro deles, o AI-1, cassou por dez anos os direitos de numerosos militares e líderes políticos, sindicais e intelectuais e forçou a aposentadoria de funcionários públicos civis e militares. Por meio do AI-2, editado em 1965, o governo militar aboliu a eleição direta para presidente da República, extinguiu todos os partidos políticos e impôs o bipartidarismo.

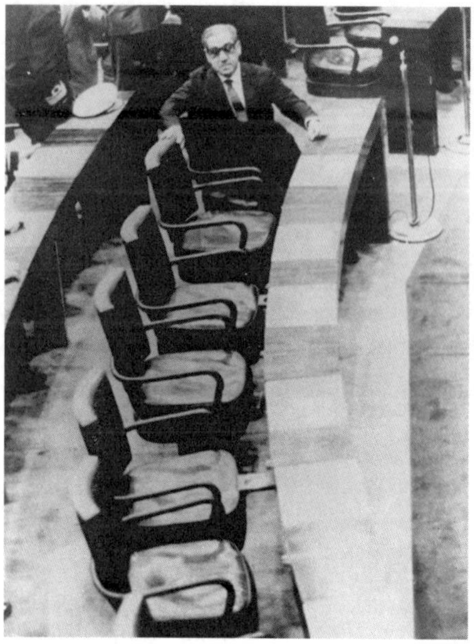

O marechal Arthur da Costa e Silva comparece à sessão do Congresso Nacional, em Brasília, em outubro de 1966, na qual foi eleito indiretamente presidente da República. Em dezembro de 1968, ele promulgaria o AI-5, dando início ao período mais duro do regime militar.

Em dezembro de 1968, após grandes manifestações, principalmente de operários e estudantes, o governo militar, por meio do AI-5, fechou o Congresso Nacional, retomou os processos de cassação e de suspensão dos direitos políticos e aboliu o *habeas corpus* para os crimes considerados contra a segurança nacional. A partir de então, foram impostas a censura prévia à imprensa e restrições à liberdade de reunião.

Nesse período, os direitos civis básicos foram todos violados, com a proibição das greves, a execução de prisões arbitrárias, a violação de domicílios e correspondência e a promoção de tortura nas prisões.

Para que a ditadura parecesse legal, os militares mantiveram em atividade o Congresso Nacional — totalmente vigiado e com interrupções de funcionamento, quando julgavam necessário — e promoveram eleições para o Senado e a Câmara dos Deputados em 1966, 1970, 1974 e 1978. Também contribuindo para a aparência de legalidade, a Constituição de 1946 foi mantida, embora desfigurada pelos Atos Institucionais. Em 1969 foi votada uma nova constituição, que incorporava os dispositivos jurídicos dos Atos Institucionais, menos os do AI-5 e os da Lei de Segurança Nacional, que, de alguma forma, negavam a plena vigência dos direitos civis e políticos no Brasil.

A Lei da Anistia, votada pelo Congresso Nacional em 1979, é um marco do processo de abertura gradual iniciado em 1978, com a revogação do AI-5. Na foto, Leonel Brizola é recebido em sua cidade natal, São Borja, em setembro de 1979, depois de um exílio de quinze anos.

Em 1978 teve início a "abertura" lenta e gradual proposta pelos militares. O Congresso Nacional pôde votar o fim do AI-5 e da censura prévia aos meios de comunicação e o restabelecimento do *habeas corpus* para crimes políticos. Em 1979, foi votada a Lei de Anistia, que permitiu a volta dos brasileiros exilados. Assim continuou o processo de "abertura", sempre conduzido e vigiado pelos governos militares. Somente no governo de José Sarney a abertura efetivou-se. Foi quando o Congresso aprovou a Constituição de 1988, que vale até hoje, apesar das emendas e modificações.

Ao passo que os direitos civis e políticos foram praticamente aniquilados durante a ditadura, os direitos sociais foram utilizados para deixar transparecer um mínimo de cidadania e, como no período anterior, para cooptar setores populares. Assim, houve alguns ganhos nesse setor. O mais importante foi a unificação do sistema previdenciário, com a criação, em 1966, do Instituto Nacional de Previdência Social (INPS), que deixava de fora apenas o funcionalismo público, mantido em regime próprio. Com a criação do INPS, estabeleceram-se regras únicas para os trabalhadores do Brasil.

Em 1971 criou-se o Fundo de Assistência Rural (Funrural) que, pela primeira vez na história do país, dava ao trabalhador rural o direito à aposentadoria, à pensão e à assistência. Em 1972 e 1973 foram incorporadas duas categorias profissionais que estavam fora da previdência: a dos empregados domésticos e a dos trabalhadores autônomos. Assim, só ficavam fora do sistema de previdência nacional os chamados trabalhadores informais.

Entre as ações do governo militar no plano social cabe ainda destacar a tentativa de facilitar a compra da casa própria pela população de baixa renda. Para isso, foram criados o Banco Nacional de Habitação (BNH) e o Sistema Financeiro de Habitação (SFH), que disciplinavam o financiamento de imóveis.

Cidadania hoje

Com a Constituição de 1988, chamada de *Constituição cidadã*, foi possível pela primeira vez na história brasileira haver uma legislação democrática garantindo a plenitude dos direitos civis, políticos e sociais no Brasil. O aspecto mais marcante dessa Carta é que os direitos e garantias fundamentais aparecem antes das disposições sobre o funcionamento dos poderes do Estado. Isso significa que o Estado está a serviço dos cidadãos e que esses direitos não podem ser abolidos por ninguém. Em outras palavras, os direitos humanos — civis, políticos e sociais — estão acima do Estado e legalmente definidos.

Ulysses Guimarães, presidente do Congresso Constituinte, ergue a nova Constituição do Brasil, em 3 de outubro de 1988.

Os direitos humanos ganharam tal posição na constituição porque, nos últimos anos da ditadura militar, ocorreram muitos movimentos sociais em defesa deles. No entanto, para que se tornem realidade, muita luta ainda será necessária.

Como vimos, a questão dos direitos no Brasil parece estar invertida em relação ao que se observou nos Estados Unidos e nos países europeus. Os direitos civis e políticos foram restritos na maior parte de nossa história, e as propostas de direitos sociais tiveram sempre o sentido de aplacar as condições precárias de vida da população. Só recentemente podemos dizer que temos todos os direitos estabelecidos nas leis. Ainda assim, há muito por fazer para que as pessoas possam de fato viver dignamente, com educação de qualidade, sistema de saúde eficiente, direitos trabalhistas permanentes, terra para trabalhar e habitação digna.

Cenários DOS DIREITOS NO BRASIL

Democracia, educação e cidadania

O lado dramático e cruel da situação educacional brasileira está exatamente aí. O homem da camada social dominante tira proveito das deformações de sua concepção de mundo. Ao manter a ignorância, preserva sua posição de mando, com os privilégios correspondentes. O mesmo não sucede com o homem do Povo. As deformações de sua concepção de mundo atrelam-no, indefinidamente, a um estado de incapacidade, miséria e subserviência. Transformar essa condição humana, tão negativa para a sociedade brasileira, não poderia ser uma tarefa exclusiva das escolas. Todo o nosso mundo precisaria reorganizar-se, para atingir-se esse fim. No entanto, é sabido que as escolas teriam uma contribuição específica a dar, como agências de formação do horizonte intelectual dos homens. Cabia à lei fixar certas condições, que assegurassem duas coisas essenciais: a eqüidade na distribuição das oportunidades educacionais; a conversão das escolas em instituições socializadoras, pondo cobro ao divórcio existente entre a escolarização e o meio social. Ainda aqui a lei se mostra parcial e inoperante. Atende aos interesses dos novos círculos de privilegiados da sociedade brasileira, como as classes médias e ricas das grandes cidades, e detém-se diante do desafio crucial: a preparação do homem para a democracia, que exige uma educação que não seja alienada política, social e historicamente.

FERNANDES, Florestan. *Educação e sociedade no Brasil*. São Paulo: Dominus/Edusp, 1966. p. 537.

1. Qual é a função da educação em uma sociedade democrática?
2. Que problemas o autor identifica na educação no Brasil?

Estranho no paraíso

O morador de rua Manoel Menezes da Silva, 68, teve garantido pela Justiça seu direito de transitar livremente pelas ruas de São Paulo e permanecer onde desejar.

O idoso, que costumava dormir em uma praça da Vila Nova Conceição, área nobre da capital paulista, e acabou no Hospital Psiquiátrico Pinel em meio à pressão de alguns vizinhos contra seu mau cheiro, pode agora "ir, vir e ficar sem qualquer restrição ou impedimento por quem quer que seja", conforme decisão da juíza Luciane Jabur Figueiredo, do Dipo (Departamento de Inquéritos Policiais e Polícia Judiciária).

O caso de Silva, que morava havia 20 anos nas ruas do bairro, na praça Pereira Coutinho, onde apartamentos chegam a custar R$ 15 milhões, foi relatado pela Folha no final de maio, quando ele tinha sido encaminhado ao Pinel pela prefeitura. Dois dias após a publicação, foi liberado e levado para a Oficina Boracea, abrigo para moradores de rua, onde não quis ficar e saiu na mesma semana.

[...] A medida é uma garantia individual estabelecida na Constituição para quem sofrer ou estiver ameaçado de sofrer, por ilegalidade ou abuso de poder, restrição a sua liberdade de locomoção.

A juíza do Dipo considerou que "se foi liberado do hospital psiquiátrico é porque não houve conclusão médica de que representasse perigo à própria saúde ou à saúde de outrem". "Somente a ele pode caber a decisão sobre o que seja melhor para si; se quer voltar para as ruas, se quer permanecer no abrigo ou, ainda, se prefere uma outra via pública para estar", escreveu Figueiredo. [...]

IZIDORO, Alencar. Estranho no paraíso. *Folha de S.Paulo*, 19 jul. 2005. Cotidiano, p. C7.

1. De que direitos Manoel Menezes da Silva tem sido privado ao longo de sua vida?
2. Que direitos foram feridos quando ele foi proibido de "morar" na praça?
3. O fato de viver na rua pode retirar de um indivíduo os direitos de cidadão? Os direitos previstos nas leis brasileiras só valem para os que têm boas condições de vida?

Capítulo 17

Os movimentos sociais no Brasil

Há registros de movimentos sociais no Brasil desde o primeiro século da colonização até nossos dias. Esses movimentos demonstram que os que viviam e os que vivem no Brasil nunca foram passivos e sempre procuraram, de uma ou de outra forma, lutar em defesa de suas idéias e interesses.

Lutas no período colonial

Durante o período colonial (1500-1822), os movimentos sociais mais significativos foram os dos indígenas e os dos africanos escravizados. Além disso, ocorreram vários movimentos políticos, dois deles pela independência do Brasil.

Os povos indígenas lutaram do século XVI ao século XVIII para não ser escravizados e para manter suas terras e seu modo de vida. Veja abaixo, no mapa à esquerda, alguns dos principais movimentos.

Os escravos africanos também não ficaram passivos diante das condições em que viviam. A principal forma de resistência eram as revoltas localizadas e a formação de quilombos, que existiram do século XVII até o fim da escravidão.

Os quilombos se estruturaram em várias partes do Brasil. O maior e mais significativo foi o dos Palmares, que se localizava no atual estado de Alagoas. Ele começou a se formar por volta de 1630 e foi mantido até 1694, e teve de 20 a 30 mil habitantes. Mas outros grandes quilombos se formaram em diferentes épocas e lugares da colônia. Veja abaixo alguns deles, no mapa à direita.

Resistência indígena na Colônia

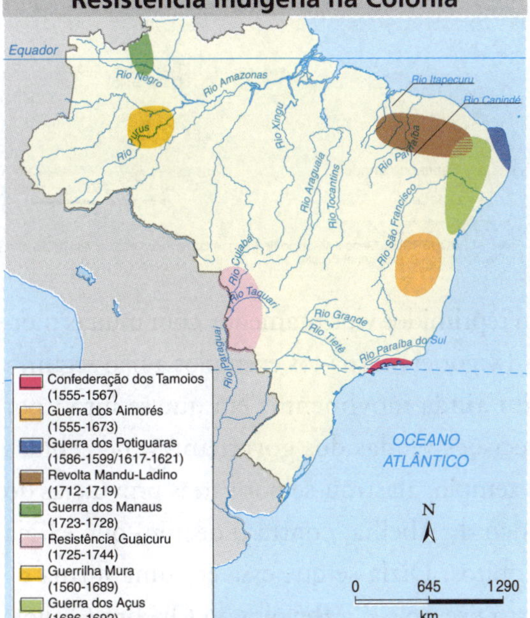

Fonte: ALBUQUERQUE, Manoel Maurício de (org.). *Atlas histórico escolar*. Rio de Janeiro: Fundação Nacional de Material Escolar, 1973.

Grandes quilombos do Brasil escravocrata

Fonte: CAMPOS, Flávio, DOLHNIKOFF, Miriam. *Atlas História do Brasil*. São Paulo: Scipione, 1993.

Além dos movimentos dos indígenas e dos escravos, ocorreram no Brasil colonial dois movimentos pela independência em relação a Portugal: a Inconfidência Mineira (1789-1792) e a Conjuração Baiana (1796-1799). Ambos tinham por base as idéias disseminadas pela Revolução Francesa, mas havia diferenças em seus objetivos. Os inconfidentes mineiros propunham a independência e um governo republicano, mas não o fim da escravidão. Já os conjurados baianos defendiam a independência e o fim da escravidão, um governo republicano, democrático, com liberdades plenas, o livre comércio e a abertura dos portos. Esses movimentos foram reprimidos de modo violento e seus líderes, presos, degredados ou enforcados.

Revoltas regionais, abolicionismo e republicanismo

No período imperial, entre 1822 e 1889, ocorreram movimentos pelo fim da escravidão e contra a monarquia, tendo como objetivo a instauração de uma república no Brasil ou a proclamação de repúblicas isoladas. Os mais expressivos estão indicados no mapa abaixo, com os respectivos objetivos ou ideário.

AVOZ DO BRAZIL

N. 42. Pernambuco 15 de Julho. 1848.

A VOZ DO BRASIL.

Não tenhas minha musa medo delles,
Vai batendo de rijo, fogo nelles.

A VOZ DO BRASIL.

Malaquias de Aguiar Pires Ferreira, actual Vice Presidente do infeliz Pernambuco. O Snr. Aguiar, homem estupido, de mãos

Edição de 15 de julho de 1848 do jornal *A voz do Brasil*, de Recife, que incitava a radicalização da luta popular contra o poder da aristocracia provincial: "Não tenha, minha musa, medo deles – vai batendo de rijo, fogo neles".

Fonte: ALBUQUERQUE, Manoel Maurício de (org.). *Atlas histórico escolar*. Rio de Janeiro: Fundação Nacional de Material Escolar, 1973.

Todos esses movimentos foram reprimidos violentamente, com muitas mortes e prisões. A idéia do governo em vigor era torná-los exemplos a não seguir.

Durante o Império ocorreram ainda movimentos em que se lutou por questões específicas, contra as decisões vindas dos governantes, percebidas como autoritárias. Em 1851, por exemplo, alastrou-se por várias províncias do Nordeste a chamada Revolta Ronco da Abelha, contra o decreto que exigia o registro civil de nascimentos e óbitos. Dizia-se que essa era uma forma de escravizar os recém-nascidos. Outro exemplo é a Revolta do Quebra-Quilos, que começou na Paraíba em 1874 e se espalhou por todo o Nordeste, contra as arbitrariedades dos cobradores de impostos e contra os novos padrões de pesos e medidas de acordo com o sistema decimal. Também aconteceu em várias províncias do Nordeste, em 1875, a Revolta das Mulheres, contra um decreto que alterava a forma de recrutamento para o serviço militar.

Além das revoltas regionais, dois grandes movimentos sociais, a partir de 1850, alcançaram âmbito nacional: o movimento abolicionista e o republicano. Eles se desenvolveram paralelamente, mas com composições diferentes, e foram fundamentais para a queda do Império e a instauração da República no Brasil.

O movimento abolicionista agregou políticos, intelectuais, poetas e romancistas, mas também muitos negros e pardos libertos. Cresceu lentamente, pois sofria a oposição dos grandes proprietários de terras e escravos. Por isso, quando finalmente ocorreu a abolição, os ex-escravos foram deixados à própria sorte, o que criou uma questão social que até hoje está presente no país.

O movimento republicano foi dominado pelos segmentos mais ricos da sociedade. A organização buscava uma nova forma de acomodar os grupos que desejavam o poder sem a presença do imperador e da monarquia. Houve a participação de liberais que defendiam uma república democrática, mas eles foram afastados e os conservadores se apossaram do poder.

Tanto o movimento abolicionista quanto o republicano utilizaram a imprensa e a discussão em vários níveis sociais; ambos conseguiram seus objetivos ao mesmo tempo, de tal modo que o fim da escravidão no Brasil, em 1888, abriu as portas para a implantação da República, em 1889.

Charge *A pátria repele os escravocratas*, de Angelo Agostini, publicada na Revista *Ilustrada*, no Rio de Janeiro, nos anos 1880.

De Canudos à Coluna Prestes

Os movimentos sociais que ocorreram entre o final do século XIX e os primeiros anos do século XX mostravam um caráter político e social marcante, mesmo com vigilância rígida sobre a população do campo e da cidade. Dois movimentos dessa época podem ser lembrados pela denúncia da miséria, da opressão e das injustiças da República dos Coronéis: a Guerra de Canudos e a Guerra do Contestado.

A Guerra de Canudos aconteceu entre 1893 e 1897, na Bahia. O movimento foi liderado por Antônio Conselheiro. Com ele, sertanejos baianos estabeleceram-se em Canudos, um lugarejo no nordeste da Bahia, e constituíram uma comunidade de cerca de 30 mil habitantes. Viviam num sistema comunitário: não havia propriedade privada e todos os frutos do trabalho eram repartidos.

Igreja de Santo Antônio, Canudos, em 1897. A fachada crivada de balas e em ruínas mostra a violência dos ataques desfechados pelas forças oficiais contra a comunidade messiânica liderada por Antônio Conselheiro.

Temendo o poder de Antônio Conselheiro e a possibilidade de que a experiência se estendesse a outros lugares, os donos das terras, os coronéis, exigiram que os poderes estadual e federal acabassem com aquela comunidade. A história desse movimento ficou eternizada no livro *Os sertões* (1902), de Euclides da Cunha.

O outro movimento que marcou a época, a Guerra do Contestado, ocorreu entre 1912 e 1916, no Paraná e em Santa Catarina. Seus integrantes eram sertanejos revoltados com as condições de opressão impostas pelos coronéis locais, posseiros expulsos de suas terras pela empresa britânica Brazil Railway Company, que tinha obtido a concessão para montar serrarias na região e construir a ferrovia ligando São Paulo ao Rio Grande do Sul, e ex-empregados dessa companhia, demitidos sumariamente quando a obra foi concluída. Liderados por João Maria e depois por José Maria, perto de 20 mil pessoas envolveram-se na rebelião.

Os dois movimentos, após anos de resistência e muitas batalhas, foram massacrados pela força do Exército nacional, em uma matança indiscriminada.

Outros movimentos sociais, de caráter urbano, marcaram as primeiras décadas do século XX. Foi o caso das greves operárias, que emergiram de modo significativo nesse período e, mesmo proibidas por lei, tomaram conta das fábricas no Sudeste do país. Eram comandadas principalmente por imigrantes italianos, no Rio de Janeiro e em São Paulo, com forte influência anarquista. Esses movimentos grevistas denunciavam as péssimas condições de vida dos trabalhadores, as longas jornadas de trabalho, os baixos salários, a inexistência de leis trabalhistas e a exploração do trabalho feminino e infantil.

A repressão aos operários, sempre dura, apoiava-se em uma legislação que permitia expulsar trabalhadores imigrantes e condená-los por "delitos ideológicos", de acordo com critérios que eram sempre estabelecidos pelos governantes.

No meio militar, inicialmente centralizado no Rio de Janeiro e em São Paulo, desenvolveu-se um movimento que teve grande alcance em termos políticos, por colocar em discussão as bases de sustentação do regime republicano: o Tenentismo. Esse movimento político-militar estendeu-se por vários anos, e teve como objetivo conquistar o poder para promover as reformas necessárias à modernização da sociedade. Os tenentes rebeldes eram contra as oligarquias políticas regionais e a estrutura de poder que as sustentava. Viam por trás delas a corrupção na administração pública e as fraudes eleitorais. Além disso, defendiam um sistema econômico que não se sustentasse no setor agroexportador e uma educação pública abrangente. Consideravam-se responsáveis pela salvação nacional, pois ainda julgavam o povo incapaz de promover a mudança para outro regime político. Nesse sentido, tinham uma tendência autoritária.

Caminhada dos tenentes rebelados pela Avenida Atlântica, Copacabana, no dia 6 de julho de 1922. O pequeno grupo dos cerca de trezentos revoltosos do Forte de Copacabana, que ficaria conhecido como os 18 do Forte, não aceitou a rendição e saiu à rua para enfrentar as tropas do governo. Só dois deles sobreviveriam, Siqueira Campos e Eduardo Gomes.

O primeiro levante dos tenentistas ocorreu em 5 de julho de 1922, no Forte de Copacabana, no Rio de Janeiro. Nessa ação, para tentar impedir a posse do presidente eleito Arthur Bernardes, os oficiais rebelados ameaçaram bombardear o Rio de Janeiro. A reação foi rápida e o movimento foi controlado pelo Exército.

O segundo levante ocorreu em 1924, em São Paulo, e reuniu cerca de mil homens. Eles ocuparam os pontos estratégicos da capital paulista, fazendo com que os governantes fugissem da cidade. A reação também foi rápida e, com a ajuda de tropas do Rio de Janeiro, a situação foi controlada.

O líder da revolta, general Isidoro Dias Lopes, dirigiu-se com uma tropa numerosa para o Sul do país, com a determinação de continuar a luta contra o governo. Assim nasceu a Coluna Paulista, que, ao se encontrar com outros militantes revoltosos, liderados por Luís Carlos Prestes, formou a Coluna Prestes. Esta percorreu mais de 20 mil quilômetros do território brasileiro, do Sul ao Nordeste, atravessando doze estados, com o objetivo de levantar a população contra o poder das oligarquias regionais. Os integrantes da Coluna Prestes defendiam muitos princípios que seriam a base para as mudanças que ocorreram no governo de Getúlio Vargas.

A República varguista

De 1930 a 1964, os movimentos sociais no Brasil passaram por dois momentos distintos. O primeiro, de 1930 a 1945, foi marcado por um forte controle do Estado sobre a sociedade e pouco espaço para manifestações. Mesmo assim, dois movimentos buscaram alcançar o poder do Estado: o Movimento da Ação Integralista Nacional e a Aliança Nacional Libertadora (ANL).

Encerramento de congresso integralista em Blumenau, Santa Catarina, em 1935. Plínio Salgado aparece ao centro, sentado.

Também conhecido como Integralismo, o Movimento da Ação Integralista Nacional, de tendência fascista, foi liderado por Plínio Salgado. Sob o lema "Deus, Pátria e Família", reuniu os setores conservadores da classe média, da Igreja e do Exército, e apoiou o governo de Getúlio Vargas, até que foi extinto em 1937. Tentou um golpe, fracassado, em 1938.

A ANL, liderada por Luís Carlos Prestes, era de tendência socialista. Seus membros defendiam o cancelamento da dívida externa, a nacionalização das empresas estrangeiras e o combate ao latifúndio. Em 1935, a ANL foi proibida por Vargas e tentou um golpe militar que fracassou. O episódio serviu como pretexto para que Getúlio desse o seu próprio golpe em 1937, instaurando o regime ditatorial do chamado Estado Novo.

Rebeldes da ANL no Rio de Janeiro, em novembro de 1935. Assinalado com um x, o capitão Agildo Ribeiro, que comandou o levante no 3º Regimento de Infantaria, situado na praia Vermelha. O movimento foi sufocado em algumas horas pelas forças leais ao governo. Detido, Agildo Ribeiro cumpriu uma condenação de dez anos de prisão.

O segundo momento dessa história, de 1946 a 1964, foi inaugurado pela promulgação de uma nova constituição, que estabelecia uma democracia no país. Vários movimentos eclodiram nesse período, mas vale lembrar alguns em especial, como a campanha pela nacionalização do petróleo e os movimentos agrários.

A campanha "O petróleo é nosso" nasceu em 1948 e prolongou-se até 1953. Tinha cunho nacionalista e reuniu os mais diversos segmentos da sociedade, de estudantes a militares, na defesa do monopólio de extração e refino do petróleo, exceto a distribuição. A campanha foi vitoriosa: por lei de 3 de outubro de 1953, definiu-se que a Petróleo Brasileiro S.A. (Petrobras) seria a empresa estatal que controlaria a produção e o refino do petróleo no Brasil.

No mesmo período, por meio dos movimentos agrários, os camponeses começavam a responder à exploração que sofriam. Os mais expressivos, na década de 1950, foram os movimentos de posseiros e pequenos proprietários em Porecatu, no Paraná, e em Trompas e Formoso, no estado de Goiás. A partir de 1955, começaram a ser organizadas em Pernambuco as Ligas Camponesas, movimento que se estendeu pelo Brasil até 1964. Essas ações populares denunciavam as condições precárias das populações rurais, bem como a estrutura da propriedade rural no Brasil.

Manifestação de trabalhadores rurais em Santa Catarina, 1955.

As greves, como já vimos, foram consideradas ilegais e sempre reprimidas, na maior parte do período. Com o processo de industrialização crescente, formaram-se sindicatos e centrais sindicais de âmbito nacional. Em 1962, ocorreu a primeira greve nacional contra o custo de vida, pela realização do plebiscito para o retorno ao presidencialismo e por reformas de base.

A eclosão de movimentos urbanos e rurais no Brasil, a partir de então, deixou os setores conservadores da sociedade, civis e militares, em franca oposição ao governo de João Goulart e apressou o golpe de Estado em 1º de abril de 1964.

A República fardada

A Passeata dos Cem Mil, em junho de 1968, no Rio de Janeiro, foi a maior manifestação pública até então realizada contra a ditadura militar. No mesmo ano, o governo decretou o AI-5, que, entre outras disposições, proibia manifestações públicas.

Apesar do golpe militar promovido em 1964, os movimentos dos estudantes e dos trabalhadores continuaram atuantes e criaram uma situação de contestação aberta ao regime, até dezembro de 1968, quando foi decretado o AI-5, que cassou todos os direitos do cidadão, inclusive o de manifestação. Esses movimentos foram então tirados da cena à força da violenta repressão colocada em prática pelos militares. Entretanto, surgiram os movimentos armados (rurais e urbanos) de contestação ao regime, pois essa foi a única alternativa encontrada por muitos grupos organizados para protestar.

Os seqüestros (que visavam trocar prisioneiros do regime pelo seqüestrado) e os roubos a bancos (para sustentar as ações contra o regime) foram as ações mais utilizadas nas cidades. No campo, foram montados movimentos de guerrilheiros que procuravam organizar a população para fazer frente ao regime militar — o mais conhecido é a Guerrilha do Araguaia, apoiada pelo Partido Comunista do Brasil (PCdoB). A repressão aos movimentos armados ocorreu de modo extensivo e cruel.

Após o governo de Ernesto Geisel, de acordo com o projeto dos militares de fazer um retorno à democracia de modo lento e gradual e sob vigilância, foram organizados grandes movimentos políticos pela democratização da sociedade: o movimento pela anistia, que resultou na assinatura da Lei de Anistia pelo presidente-general João Baptista Figueiredo, em 1979; o movimento Diretas Já, entre 1983 e 1984, pelas eleições diretas, que não foram aprovadas pelo Congresso Nacional, e o movimento pela Constituinte, entre 1985 e 1986, que conseguiu a aprovação de instauração de uma Assembléia Constituinte a partir de 1986.

Nessa fase também foram importantes outros movimentos, que se caracterizaram pela resistência ao regime e pelas propostas que permitiram um grande avanço democrático nos anos seguintes. Destacam-se, entre eles, os movimentos grevistas em São Paulo, principalmente no chamado ABCD (Santo André, São Bernardo, São Caetano e Diadema), região que concentrava o maior parque industrial do Brasil e, portanto, o maior número de trabalhadores industriais. Eles questionavam não só as condições salariais e de trabalho, mas também a legislação que não permitia a livre organização dos trabalhadores e o direito de manifestação. Desses movimentos nasceram a Central Única dos Trabalhadores (CUT) e, logo depois, o Partido dos Trabalhadores (PT).

No campo, desempenhou importante papel no questionamento da situação da terra no Brasil e no enfrentamento do regime militar o Movimento dos Trabalhadores Rurais Sem Terra (MST). Organizado no Sul do país, a partir de 1979, com apoio de parte da Igreja Católica (Pastoral da Terra), do PT e da CUT, o MST tinha como objetivo fundamental criticar a estrutura da propriedade da terra no Brasil (onde o latifúndio é dominante) e as condições de vida dos trabalhadores rurais. Suas ações foram mais marcantes no período seguinte.

Goiás, maio de 2005. Trabalhadores do MST rumam a Brasília em marcha nacional pela reforma agrária.

Além desses movimentos surgiram outros, como o Movimento contra o Custo de Vida (MCV), criado em 1973, em São Paulo, e ativo por vários anos. O MCV chegou ao fim com o Plano Cruzado (1986), que reduziu por pouco tempo os preços dos alimentos.

Movimentos sociais hoje

De 1988 aos dias atuais, podemos observar uma série de movimentos pela efetivação de direitos existentes e pela conquista de novos direitos. Vivemos sob uma constituição que privilegia os direitos humanos (civis, políticos e sociais) sobre a ação do Estado, e os movimentos sociais devem ser instrumentos para o questionamento das muitas desigualdades existentes no país.

Esses movimentos desenvolveram algo muito importante: a politização da esfera privada, ao tornar as carências das populações pobres (urbanas e rurais), dos negros, das mulheres, das crianças, entre outras, uma preocupação de toda a sociedade, e não somente do Estado. Abriu-se no Brasil a possibilidade de se desenvolverem movimentos sem o controle do Estado, dos partidos políticos ou de qualquer instituição. Podemos citar, entre outros, os movimentos dos negros, das mulheres, dos indígenas, dos ambientalistas, dos sem-terra, dos sem-teto, etc.

Nenhum desses movimentos tem a preocupação de alcançar o poder do Estado, mas sim de fazer valer os direitos existentes nas leis e criar outros, isto é, eles são um meio de a população organizada participar politicamente, sem que precise estar ligada às estruturas estatais de poder. O que importa é ir além da legislação existente, procurando construir espaços políticos públicos, nos quais possam ser debatidas todas as questões importantes para uma sociedade politizada.

Cenários DOS MOVIMENTOS SOCIAIS NO BRASIL

MST urbano ou Movimento dos Sem-Teto

Há no Brasil um movimento social que não aparece muito nos jornais e na televisão: o Movimento dos Sem-Teto, atuante principalmente nos grandes centros urbanos, como São Paulo, Rio de Janeiro e Belo Horizonte. Os sem-teto agem de modo organizado. Uma das formas de pressão que adotam é a ocupação de imóveis. As ações envolvem de cem a duzentas famílias, que se instalam no local escolhido e informam às autoridades que passarão a viver ali, mesmo em condições precárias, até que lhes seja propiciada uma opção de moradia.

Prédio na Avenida Prestes Maia, no centro de São Paulo, ocupado por grupo do Movimento dos Sem-Teto em 2006.

Quando a polícia, em conseqüência de uma ação judicial, força a desocupação do local, os sem-teto procuram outro imóvel e organizam nova ocupação. Os alvos mais freqüentes são imóveis velhos desocupados, em geral edifícios abandonados por proprietários que deixaram de pagar o Imposto Predial e Territorial Urbano (IPTU), forçando o poder público a desapropriá-los. Em alguns casos, sob a pressão dos sem-teto, os governos declaram esses edifícios de interesse social, possibilitando que se tornem moradia para quem não a tem.

A maioria dos participantes do Movimento dos Sem-Teto são trabalhadores que não têm condições de pagar um aluguel, mínimo que seja, ou que não querem morar na periferia, pois não têm recursos para pagar aluguel e transporte até seus postos de trabalho. Há entre os sem-teto trabalhadores que ganham no máximo um salário mínimo, e muitos desempregados.

A revolta dos estudantes

Na terceira semana de setembro de 2003, milhares de estudantes de 12 a 22 anos paralisaram por três dias a capital da Bahia, Salvador, manifestando-se contra o aumento das passagens de ônibus. Em ações relâmpago, eles invadiam as principais ruas e avenidas e bloqueavam o trânsito, sentando-se no chão para impedir a passagem dos veículos.

A manifestação ocorreu sem nenhuma articulação de organizações estudantis; muito ao contrário, os estudantes negaram a possibilidade de liderança tanto da União Nacional dos Estudantes (UNE) quanto da União Baiana dos Estudantes Secundaristas (UBES), pois não queriam ser acusados de servir como instrumentos políticos dessas organizações, que, na expressão deles, possuem vinculações partidárias. As ações relâmpago eram definidas em miniassembléias e em cada ponto da cidade decidia-se quem podia passar ou não. A preocupação era não prejudicar as pessoas que necessitavam chegar ao local de trabalho, além de garantir o livre trânsito de mulheres grávidas, idosos e portadores de alguma deficiência.

Em sua maioria, os participantes das manifestações eram alunos que viviam na periferia da cidade, o que significa que os gastos com transporte tinham um peso importante no orçamento familiar. Com o movimento, eles conseguiram que o prefeito e seus auxiliares sentassem para discutir o aumento e a implantação da meia passagem para os estudantes.

1. Os dois movimentos focalizados são diferentes, mas têm pelo menos um ponto em comum: a pressão para que as ações governamentais sejam direcionadas em favor dos que mais necessitam de apoio no Brasil. O que você pensa sobre esse tipo de pressão? Ela pode ser eficaz na consecução de determinados objetivos?
2. A propriedade de um imóvel abandonado pode ser usada como argumento para não permitir que pessoas sem moradia o ocupem? A ocupação é a melhor forma de forçar uma tomada de decisão por parte dos governantes?
3. Você considera os movimentos dos estudantes por transporte mais barato importantes como experiência de participação na definição de políticas públicas para o setor? Você já participou de movimentos desse tipo? Em caso afirmativo, comente sua experiência.

PARA REFLETIR

Site alemão oferece "manifestantes de aluguel"

Sergio Correa, de Berlim

Promotores de causas perdidas ou simplesmente movimentos políticos sem apoio suficiente na Alemanha podem a partir de agora alugar seus próprios manifestantes

Desde dançarinas de strip-tease até exuberantes Ferraris figuram na relação do *erento.com*, um site alemão especializado em alugar qualquer coisa imaginável. Mas, a partir deste ano, a empresa começou a oferecer "manifestantes profissionais", homens e mulheres, geralmente estudantes, desocupados e aposentados, que por um pagamento especial se transformam em defensores de qualquer causa que se possa imaginar.

"Abrimos o serviço devido à crescente demanda", dizem os responsáveis pelo Erento, Chris Möller e Uwe Kampschulte. "Em geral, não sabemos o que os manifestantes contratados acabam fazendo, mas naturalmente rechaçamos qualquer forma de agressividade ou extremismo de direita", afirmam. [...]

Um manifestante não sai barato. Cada um custa em torno de US$ 150 por dia. Alguns manifestantes, porém, cobram honorários reduzidos por causas que os interessam. A empresa fica com 4,9% dos honorários de cada pessoa contratada. Criar uma manifestação de caráter massivo pode custar uma fortuna. Mesmo assim, a Erento afirma que apenas na primeira semana de janeiro foi consultada por cerca de 50 clientes sobre os serviços desses "mercenários da opinião".

No final do ano, soube-se que uma manifestação em frente ao Parlamento, que reuniu cerca de 200 membros da Associação de Médicos Alemães contra uma nova lei de saúde, havia sido coberta por 150 manifestantes alugados e rapidamente disfarçados com o avental branco. Alugar manifestantes também pode trazer benefícios de imagem. Se a causa carece de apoio jovem ou de adultos, de imigrantes ou de estudantes, o cliente pode pesquisar as fotos e os perfis de cada "manifestante" na página da Erento para escolher o que mais lhe favorece. A empresa também se encarrega de alugar equipamentos como megafones, apitos, caminhões e todo o resto necessário para uma verdadeira manifestação.

A crescente despolitização da população parece fazer com que nem mesmo aqueles afetados diretamente em seus interesses reúnam forças nem ânimo suficientes para sair às ruas. Os responsáveis pela empresa garantem, no entanto, que é impossível distinguir um manifestante real de um alugado. Com uma carteira recheada, muitas iniciativas poderiam simular um apoio popular inexistente, um problema que já começa a preocupar juristas e políticos na Alemanha.

CORREA, Sergio. Site alemão oferece "manifestantes de aluguel". Disponível em: www.bbc.co.uk Acesso em: 1º fev. 2007.

Depois de ler essa notícia, você acredita que os fatos narrados refletem uma despolitização da população ou o oportunismo de empresários que procuram diversificar suas fontes de rendimento? Você acha que vale a pena lutar para que os direitos das pessoas sejam mantidos e até ampliados ou considera inútil se manifestar, pois tudo "está dominado"?

PARA ORGANIZAR O CONHECIMENTO

Os movimentos sociais e as transformações recentes

[...] O universo dos movimentos sociais se amplia e se restringe ao mesmo tempo.

Ampliam-se as formas e restringem-se as esperanças quanto a suas potencialidades transformadoras. A defesa dos particularismos, os radicalismos e a intolerância de alguns têm levado analistas e militantes a repensar a questão da transformação social. A liberdade, a igualdade, a solidariedade e a fraternidade estão a merecer novas reflexões sobre que trilhas seriam necessárias para alcançá-las.

Muitos movimentos se institucionalizaram em organizações por meio de políticas sociais. A grande novidade passou a ser a centralidade das ONGs no cenário das demandas sociais [...]. O perfil do militante dos movimentos também se alterou. Nos anos 60, 70 e 80 os militantes não dissociavam sua vida particular da atuação nos movimentos, e estes eram associados à política. [...]

Nos anos 90, os antigos militantes envelheceram, ou cansaram-se, ou tornaram-se dirigentes de organizações, parlamentares etc. E não se formaram novos quadros de militantes. Os poucos novos que surgiram passaram a atuar de forma radicalmente diferente. O *slogan* "o importante é ser feliz" é bastante ilustrativo. Ninguém quer mais sobrepor os interesses do movimento aos de sua vida pessoal, particular. A militância passou a ser mais seletiva e qualitativa. A militância quantitativa — que dava visibilidade aos movimentos nas ruas, na mídia etc. — reduziu-se consideravelmente ou simplesmente desapareceu. Estamos apenas constatando as novas opções dos mais jovens. Usualmente, nos anos 90 se participa de causas coletivas quando essas causas têm a ver com o mundo vivido pelas pessoas, e não porque estejam motivadas pelas ideologias que fundamentam aquelas causas. [...]

Quanto a nós, preferimos continuar acreditando na necessidade das utopias e esperando que as lições que os movimentos sociais democráticos e progressistas têm dado ao mundo venham a contribuir para a redefinição dessas utopias, a reinstaurar a esperança e a crença de que vale a pena lutar por uma sociedade mais justa e igualitária.

[...] Os movimentos são fluidos, fragmentados, perpassados por outros processos sociais. Como numa teia de aranha eles tecem redes que se quebram facilmente, dada a sua fragilidade; como as ondas do mar que vão e voltam eles constroem ciclos na história, ora delineando fenômenos bem configurados, ora saindo do cenário e permanecendo nas sombras e penumbras, como névoa esvoaçante. Mas sempre presentes.

GOHN, Maria da Glória. *Teorias dos movimentos sociais: paradigmas clássicos e contemporâneos.* São Paulo: Loyola, 2006. p. 339 a 342.

Como vimos nesta unidade, muitos são os movimentos sociais em defesa da manutenção e da criação de direitos. Mas eles foram mudando no decorrer do tempo. Que mudanças você percebe nos movimentos sociais divulgados pelos meios de comunicação? Como os classifica? São fluidos ou permanentes? São passageiros e frágeis ou envolvem causas mais gerais que dizem respeito a uma sociedade ou a toda a humanidade?

LIVROS RECOMENDADOS

Cidadania no Brasil: o longo caminho, de José Murilo de Carvalho. Civilização Brasileira. Análise esclarecedora da situação da cidadania no Brasil desde a colônia até os dias de hoje, em uma linguagem simples.

O que é cidadania, de Maria de Lourdes M. Covre. Brasiliense.

Breve texto analisando os elementos fundamentais para se entender a questão da cidadania.

SUGESTÃO DE FILMES

O que é isso, companheiro? (Brasil, 1997). Direção: Bruno Barreto. Elenco: Fernanda Torres, Pedro Cardoso e Luiz Fernando Guimarães.
Uma interpretação ficcional do movimento de resistência à ditadura implantada no Brasil a partir do golpe militar de 1964. Em 1969, ano seguinte à decretação do AI-5, que suprimiu a liberdade de imprensa e os direitos civis, um grupo de jovens guerrilheiros seqüestra o embaixador dos Estados Unidos no Brasil para trocá-lo por prisioneiros políticos.

O Velho (Brasil, 1997). Direção: Toni Venturi.
Documentário sobre as lutas conduzidas por Luís Carlos Prestes (1898-1990), abrangendo momentos importantes de quase setenta anos da história do Brasil.

Sacco e Vanzetti (Itália, 1972). Direção: Umberto Marino. Elenco: Riccardo Cucciolla, Gian Maria Volontè, Rosanna Fratello e Cyril Cusack.
Esse é um dos melhores filmes do cinema político italiano da década de 1970. A trama é a reconstituição de uma história real envolvendo imigrantes italianos anarquistas que lutaram pelos direitos dos trabalhadores nos Estados Unidos no início do século XX.

Spartacus (EUA, 1960). Direção: Stanley Kubrick. Elenco: Kirk Douglas, Laurence Olivier e Jean Simmons.

O filme apresenta a história de Spartacus, o gladiador que levou para Roma a revolta dos escravos, e Varinia, a mulher que acreditou em sua causa. Inspirador conto da eterna luta do ser humano pela liberdade.

Unidade 6

Cultura e ideologia

É comum ouvirmos dizer que um indivíduo é culto porque fala vários idiomas ou conhece muitas obras de literatura e de arte. Costuma-se dizer, ainda, que uma pessoa não é culta se não domina determinados conhecimentos. Indo além do plano individual, há quem compare diferentes povos e afirme que a cultura de um é mais sofisticada e complexa que a de outro. Esse tipo de avaliação, baseada no senso comum, comporta elementos ideológicos que nos levam a pensar na possível superioridade de alguns indivíduos ou de determinados povos em relação a outros.

Afinal, o que significam cultura e ideologia, termos tão usados em nosso cotidiano e nas ciências humanas?

Capítulo

18 Dois conceitos e suas definições

Cultura e ideologia talvez sejam os conceitos mais amplos das ciências sociais, com diferentes definições. Neste capítulo, vamos examinar os significados e usos desses dois conceitos de acordo com diferentes autores.

Os significados de *cultura*

O emprego da palavra *cultura*, no cotidiano, é objeto de estudo de diversas ciências sociais. Félix Guattari, pensador francês (1930-1992) interessado nesse tema, reuniu os diferentes significados de "cultura" em três grupos, por ele designados *cultura-valor*, *cultura-alma coletiva* e *cultura-mercadoria*.

À esquerda, cavalhada em Pirenópolis, Goiás: cultura como marca de identidade. À direita, cena do filme *Cruzada*, sucesso de bilheteria dirigido por Ridley Scott (2005): cultura como mercadoria.

Cultura-valor é o sentido mais antigo e aparece claramente na idéia de "cultivar o espírito". É o que permite estabelecer a diferença entre quem tem cultura e quem não tem ou determinar se o indivíduo pertence a um meio culto ou inculto, definindo um julgamento de valor sobre essa situação. Nesse grupo inclui-se o uso do termo para identificar, por exemplo, quem tem ou não cultura clássica, artística ou científica.

O segundo significado, designado *cultura-alma coletiva*, é sinônimo de "civilização". Ele expressa a idéia de que todas as pessoas, grupos e povos têm cultura e identidade cultural. Nessa acepção, pode-se falar de cultura negra, cultura chinesa, cultura marginal, etc. Tal expressão presta-se assim aos mais diversos usos por aqueles que querem dar um sentido para a ação dos grupos aos quais pertencem, com a intenção de caracterizá-los ou identificá-los.

O terceiro sentido, o de *cultura-mercadoria*, corresponde à "cultura de massa". Ele não comporta julgamento de valor, como o primeiro significado, nem delimitação de um território específico, como o segundo. Nessa concepção, cultura compreende bens ou equipamentos — como os centros culturais, os cinemas, as bibliotecas e as pessoas que trabalham nesses estabelecimentos — e conteúdos teóricos e ideológicos de produtos — como filmes, discos e livros — que estão à disposição de quem quer e pode comprá-los, ou seja, que estão disponíveis no mercado.

As três concepções de cultura estão presentes em nosso dia-a-dia, marcando sempre uma diferença bastante clara entre as pessoas — seja no sentido mais elitista (entre as que têm e as que não têm uma cultura clássica e erudita, por exemplo), seja no sentido de identificação com algum grupo específico, seja ainda em relação à possibilidade de consumir bens culturais. Todas essas concepções trazem uma carga valorativa, dividindo indivíduos, grupos e povos entre os que têm e os que não têm cultura ou, mesmo, entre os que têm uma cultura superior e os que têm uma cultura inferior.

Cultura segundo a Antropologia

O conceito de cultura com freqüência é vinculado à Antropologia, como se fosse específico dessa área do conhecimento. Por isso, vamos verificar como os antropólogos, partindo de uma visão universalista para uma visão particularista, definiram esse conceito.

Uma das primeiras definições de cultura apareceu na obra do antropólogo inglês Edward B. Tylor (1832-1917). De acordo com esse autor, cultura é o conjunto complexo de conhecimentos, crenças, arte, moral e direito, além de costumes e hábitos adquiridos pelos indivíduos em uma sociedade. Trata-se de uma definição universalista, ou seja, muito ampla, com a qual se procura expressar a totalidade da vida social humana, a cultura universal.

Já o antropólogo alemão Franz Boas (1858-1942), que desenvolveu a maior parte de seus trabalhos nos Estados Unidos, tinha uma visão particularista. Ele pesquisou as diferentes formas culturais e demonstrou que as diferenças entre os grupos e sociedades humanas eram culturais, e não biológicas. Por isso, recusou qualquer generalização que não pudesse ser demonstrada por meio da pesquisa concreta.

Bronislaw Malinowski (1884-1942), antropólogo inglês, afirmava que, para fazer uma análise objetiva, era necessário examinar as culturas em seu estado atual, sem preocupações com suas origens. Concebia as culturas como sistemas funcionais e equilibrados, formados por elementos interdependentes que lhes davam características próprias, principalmente no tocante às necessidades básicas, como alimento, proteção e reprodução. Por ser interdependentes, esses elementos não poderiam ser examinados isoladamente.

Duas antropólogas estadunidenses, Ruth Benedict (1887-1948) e Margareth Mead (1901-1978), procuraram investigar as relações entre cultura e personalidade.

Benedict desenvolveu o conceito de *padrão cultural*, destacando a prevalência de uma homogeneidade e coerência em cada cultura. Em suas pesquisas, identificou dois tipos culturais extremos: o *apolínico*, representado por indivíduos conformistas, tranqüilos, solidários, respeitadores e comedidos na expressão de seus sentimentos, e o *dionisíaco*, que reunia os ambiciosos, agressivos, individualistas, com uma tendência ao exagero afetivo. De acordo com ela, entre os apolínicos e os dionisíacos haveria tipos intermediários que mesclariam algumas características dos dois tipos extremos.

Tampão de flauta usada em cerimônias dos Mundugumor, povo da Nova Guiné estudado pela antropóloga Margareth Mead em sua pesquisa sobre a relação entre cultura e personalidade.

Mead, por sua vez, investigou o modo como os indivíduos recebiam os elementos de sua cultura e a maneira como isso formava sua personalidade. Suas pesquisas tinham como objeto as condições de socialização da personalidade feminina e da masculina. Ao analisar os Arapesh, os Mundugumor e os Chambuli, três povos da Nova Guiné, na Oceania, Mead percebeu diferenças significativas. Entre os Arapesh não havia diferenciação entre homens e mulheres, pois ambos eram educados para ser dóceis e sensíveis e para servir aos outros. Também entre os Mundugumor não havia diferenciação: indivíduos de ambos os sexos eram treinados para a agressividade, caracterizando-se por relações de rivalidade, e não de afeição. Entre os Chambuli, finalmente, havia diferença entre homens e mulheres, mas de modo distinto do padrão que conhecemos: a mulher era educada para ser extrovertida, empreendedora, dinâmica e solidária com os membros de seu sexo. Já os homens eram educados para ser sensíveis, preocupados com a aparência e invejosos, o que os tornava inseguros. Isso resultava em uma sociedade em que as mulheres detinham o poder econômico e garantiam o necessário para a sustentação do grupo, ao passo que os homens se dedicavam às atividades cerimoniais e estéticas.

Baseada em seus achados, Mead afirmou que a diferença das personalidades não está vinculada a características biológicas, como o sexo, mas à maneira como em cada sociedade a cultura define a educação das crianças.

Para Claude Lévi-Strauss, antropólogo que nasceu na Bélgica, mas desenvolveu a maior parte de seu trabalho na França, a cultura deve ser considerada como um conjunto de sistemas simbólicos, entre os quais se incluem a linguagem, as regras matrimoniais, a arte, a ciência, a religião e as normas econômicas. Esses sistemas se relacionam e influenciam a realidade social e física das diferentes sociedades.

A grande preocupação de Lévi-Strauss foi analisar o que era comum e constante em todas as sociedades, ou seja, as regras universais e os elementos indispensáveis para a vida social. Um desses elementos seria a proibição do incesto (relações sexuais entre irmãos ou entre pais e filhos), presente em todas as sociedades. Partindo dessa preocupação, ele desenvolveu amplos estudos sobre os mitos, demonstrando que os elementos essenciais da maioria deles se encontram em todas as sociedades ditas primitivas.

nas palavras
DE LÉVI-STRAUSS

Universalidade e particularidade das culturas

O homem é como um jogador que tem nas mãos, ao se instalar à mesa, cartas que ele não inventou, pois o jogo de cartas é um *dado* da história e da civilização [...]. Cada repartição das cartas resulta de uma distinção contingente entre os jogadores e se faz à sua revelia. Quando se dão as cartas, cada sociedade assim como cada jogador as interpreta nos termos de diversos sistemas, que podem ser comuns ou particulares: regras de um jogo ou regras de uma tática.

E sabe-se bem que com as mesmas cartas, jogadores diferentes farão partidas diferentes, ainda que, limitados pelas regras, não possam fazer qualquer partida com determinadas cartas.

LÉVI-STRAUSS, Claude. Antropologia estrutural. In: CUCHE, Denys. *A noção de cultura nas ciências sociais*. Bauru: Edusc, 1999. p. 98.

Convivência com a diferença: o etnocentrismo

Ter uma visão de mundo, avaliar determinado assunto de certa ótica, nascer e conviver em uma classe social, pertencer a uma etnia, ser homem ou mulher são algumas das condições que nos levam a pensar na diversidade humana, cultural e ideológica, e, conseqüentemente, na alteridade, isto é, no outro ser humano, que é igual a cada um de nós e, ao mesmo tempo, diferente.

Observa-se, no entanto, grande dificuldade na aceitação das diversidades em uma sociedade ou entre sociedades diferentes, pois os seres humanos tendem a tomar seu grupo ou sociedade como medida para avaliar os demais. Em outras palavras, cada grupo ou sociedade considera-se superior e olha com desprezo e desdém os outros, tidos como estranhos ou estrangeiros. Para designar essa tendência, o sociólogo estadunidense William G. Summer (1840-1910) criou em 1906 o termo *etnocentrismo*.

Manifestações de etnocentrismo podem ser facilmente observadas em nosso cotidiano. Quando lemos notícias sobre crises enfrentadas por povos de outros países, por exemplo, com freqüência estabelecemos comparações entre a cultura deles e a nossa, considerando a nossa superior, principalmente se as diferenças forem muito grandes. Na história não faltam exemplos desse tipo de comparação: na Antiguidade os romanos chamavam de "bárbaros" aqueles que não eram de sua cultura; no Renascimento, após os contatos com culturas diversas propiciados pela expansão marítima, os europeus passaram a chamar os povos americanos de "selvagens", e assim por diante.

"Exotismo" para consumo europeu: índios Umauás nas margens do rio Japurá, na Amazônia, fotografados em 1865 pelo alemão Albert Frisch. Novidade no mercado, imagens como esta foram reproduzidas às centenas pela Casa Leuzinger, a maior empresa de impressão e artes gráficas do Brasil no século XIX. Não só fizeram um grande sucesso comercial, como valeram ao editor, o suíço Georges Leuzinger, uma menção honrosa na Exposição Universal de Paris de 1867.

O etnocentrismo foi um dos responsáveis pela geração de intolerância e preconceito — cultural, religioso, étnico e político —, assumindo diferentes expressões no decorrer da história. Em nossos dias ele se manifesta, por exemplo, na ideologia racista da supremacia do branco sobre o negro ou de uma etnia sobre as outras. Manifesta-se, também, num mundo que é globalizado, na idéia de que a cultura ocidental é superior, e os povos de culturas diferentes devem assumi-la, modificando suas crenças, normas e valores. Essa forma de etnocentrismo pode levar a conseqüências sérias em nossa convivência com os outros e nas relações entre os povos.

Trocas culturais e culturas híbridas

No mundo globalizado em que vivemos, tendo nosso cotidiano invadido por situações e informações provenientes dos mais diversos lugares, é possível afirmar que haja uma cultura "pura"? Até que ponto chegou o processo de mundialização da cultura?

Em seu livro *Culturas híbridas*, o pensador argentino Néstor García Canclini analisa essas questões. Lançando um olhar sobre a história, ele declara que, até o século XIX, as relações culturais ocorriam entre os grupos próximos, familiares e vizinhos, com poucos contatos externos. Os padrões culturais resultavam de tradições transmitidas oralmente e por meio de livros, quando alguém os tinha em casa, porque bibliotecas públicas ou mesmo escolares eram raras. Os valores nacionais eram quase uma abstração, pois praticamente não havia a consciência de uma escala tão ampla.

Já no século XIX e início do século XX, cresceu a possibilidade de trocas culturais, pois houve um grande desenvolvimento dos meios de transporte, do sistema de correios, da telefonia, do rádio e do cinema. As pessoas passaram a ter contato com situações e culturas diferentes. As trocas culturais efetivadas a partir de então ampliaram as referências para avaliar o passado, o presente e o futuro. O mundo não era mais apenas o local em que um grupo vivia. Tornou-se muito mais amplo, assim como as possibilidades culturais. A cultura nacional passou a ter determinada constituição e os valores e bens culturais de vários povos ou países cruzaram-se, com a conseqüente ampliação das influências recíprocas.

No decorrer do século XX, com o desenvolvimento das tecnologias de comunicação, o cinema, a televisão e a internet tornaram-se instrumentos de trocas culturais intensas, e os contatos individuais e sociais passaram a ter não um, mas múltiplos pontos de origem. Desde então as trocas culturais são feitas em tal quantidade que não se sabe mais a origem delas. Elementos de culturas antes pouco conhecidas aparecem com força em muitos lugares, ao mesmo tempo. As expressões culturais dos países centrais, como os Estados Unidos e algumas nações da Europa, proliferam-se em todo o mundo. As culturas de países distantes ou próximos se mesclam a essas expressões, construindo culturas híbridas que não podem ser mais caracterizadas como de um país, mas como parte de uma imensa cultura mundial.

Primeiro número em português do mangá japonês *Inu-Yasha*, lançado no Brasil em 2002. No mundo globalizado, os produtos culturais circulam sem fronteiras.

Isso não significa que as expressões representativas de grupos, regiões ou até de nações tenham desaparecido. Elas continuam presentes e ativas, mas coexistem com essas culturas híbridas que atingem o cotidiano das pessoas por meios diversos, como a música, a pintura, o cinema e a literatura, normalmente fomentadas pela concentração crescente dos meios de comunicação.

Alguém poderia perguntar: Por que essas formas particulares, grupais, regionais ou nacionais deveriam existir no universo cultural mundial, já que vivemos num mundo globalizado? Em seu livro *Artes sob pressão: promovendo a diversidade cultural na era da globalização*, o sociólogo holandês Joost Smiers responde que assim haveria a possibilidade de uma diversidade cultural ainda maior e mais significativa; haveria uma democracia cultural de fato à disposição de todos. Em suas palavras: "A questão central é a dominação cultural, e isso precisa ser discutido com propostas alternativas para preservar e promover a diversidade no mundo".

Cultura erudita e cultura popular

A separação entre cultura popular e erudita, com a atribuição de maior valor à segunda, está relacionada à divisão da sociedade em classes, ou seja, é resultado e manifestação das diferenças sociais. Há, de acordo com essa classificação, uma cultura identificada com os segmentos populares e outra, superior, identificada com as elites.

A cultura erudita abrangeria expressões artísticas como a música clássica de padrão europeu, as artes plásticas — escultura e pintura —, o teatro e a literatura de cunho universal. Esses produtos culturais, como qualquer mercadoria, podem ser comprados e, em alguns casos, até deixados de herança como bens físicos.

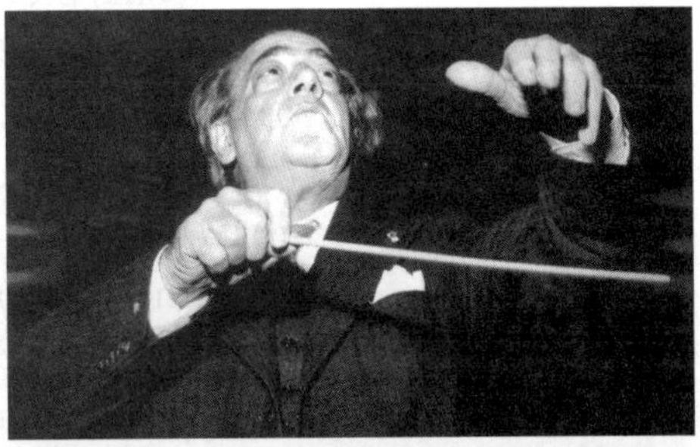

A chamada cultura popular encontra expressão nos mitos e contos, danças, música — de sertaneja a cabocla —, artesanato rústico de cerâmica ou de madeira e pintura; corresponde, enfim, à manifestação genuína de um povo. Mas não se restringe ao que é tradicionalmente produzido no meio rural. Inclui também expressões urbanas recentes, como os grafites, o *hip-hop* e os sincretismos musicais oriundos do interior ou das grandes cidades, o que demonstra haver constante criação e recriação no universo cultural de base popular. Nesse universo quem cria é o povo, nas condições possíveis. A palavra *folclore* (do inglês *folklore*, junção de *folk*, "povo", e *lore*, "saber") significa "discurso do povo", "sabedoria do povo" ou "conhecimento do povo".

No alto, o maestro Villa-Lobos rege a orquestra da Rádio Gazeta em São Paulo, em 1957. Na foto abaixo, o *rapper* Mano Brown, do grupo Racionais MC's, apresenta *show* na mesma cidade, em 2003. Imagens do universo erudito e do universo popular, segundo classificação que exprime a diferenciação social.

Para examinar criticamente essa diferenciação, voltemos ao termo *cultura*, agora segundo a análise do pensador brasileiro Alfredo Bosi. De acordo com Bosi, não há no grego uma palavra específica para *cultura*; há, sim, uma palavra que se aproxima desse conceito, que é *paidéia*, "aquilo que se ensina à criança", "aquilo que deve ser trabalhado na criança até que ela se transforme em adulta". A palavra *cultura* vem do latim e designa "o ato de cultivar a terra", "de cuidar do que se planta", ou seja, é o trabalho de preparar o solo, semear e fazer tudo para que uma planta cresça e dê frutos.

Cultura está assim vinculada ao ato de trabalhar, a determinada ação, seja a de ensinar uma criança, seja a de cuidar de um plantio. Se pensarmos nesse sentido original, todos têm acesso à cultura, pois todos podem trabalhar. Para escrever um romance, é preciso trabalhar uma narrativa; para fazer uma toalha de renda, uma música, uma mesa de madeira ou uma peça de mármore, é necessário trabalhar. Para Bosi, isso é cultura. E é por essa razão que os produtos culturais gerados pelo trabalho chamam-se *obras*, que vem de *opus*, derivado do verbo *operar*, ou seja, é o processo de fazer, de criar algo.

Se uma pessoa compra um livro, um disco, um quadro ou uma escultura, vai ao teatro ou a exposições, adquire, mas não produz cultura, ou seja, ela pode possuir ou ter acesso aos bens culturais gerados pelo trabalho, sem produzi-los. Esses bens servem para proporcionar deleite e prazer, e são usados por algumas pessoas para afirmar e mostrar que "possuem cultura", quando são apenas consumidoras de uma mercadoria como qualquer outra. Não ter acesso a esses bens não significa, portanto, não ter cultura.

Bosi chama a atenção para o fato de haver em muitos países órgãos públicos que procuram desenvolver ações para "conservar a cultura popular original", com certo receio de que ela não resista ao avanço da indústria cultural. Ora, os produtos culturais são criados em determinadas condições, remodelando-se continuamente, como ocorre com as festas, as músicas, as danças, o artesanato e outras tantas manifestações. Nesse sentido, é necessário analisar a cultura como processo, como ato de trabalho no tempo que não se extingue. A criação cultural não morre com seus autores, e basta que o povo exista para que ela sobreviva. Entenda-se aqui povo não como uma massa amorfa e homogênea de oprimidos submissos, mas como um conjunto de indivíduos, com idéias próprias e capacidade criativa e produtiva, que resiste muitas vezes silenciosamente, sobretudo por meio da produção cultural, como seus cantos e festas.

Para Bosi, a cultura é alguma coisa que se faz, e não apenas um produto que se adquire. É por isso que não tem sentido comparar cultura popular com cultura erudita. Quando afirmamos que *ter* cultura significa ser superior e *não ter* cultura significa ser inferior, utilizamos a condição de *posse* de cultura como elemento para diferenciação social e imposição de uma superioridade que não existe. Isso é *ideologia*.

Frontispício de *Instauratio Magna*, nome dado por Francis Bacon a um projeto que incluía vários estudos orientados para a promoção de uma ampla reorganização do conhecimento. *Novum Organum* foi publicado como parte desse projeto, que não chegou a ser concluído.

A ideologia, suas origens e perspectivas

A idéia de cultura nasce da análise das sociedades antigas, mas o conceito de ideologia é um produto essencialmente moderno, pois antes da Idade Moderna as explicações da realidade eram dadas pelos mitos ou pelo pensamento religioso.

Uma das primeiras idéias sobre ideologia foi expressa por Francis Bacon (1561-1626), em seu livro *Novum organum* (1620). Ele não utilizava o termo ideologia, mas, ao recomendar um estudo baseado na observação, declarava que, até aquele momento, o entendimento da verdade estava obscurecido por ídolos, ou seja, por idéias erradas e irracionais.

O termo ideologia foi utilizado inicialmente pelo pensador francês Destutt de Tracy (1754-1836), em seu livro *Elementos de ideologia* (1801), no sentido de "ciência da gênese das idéias". Tracy procurou elaborar uma explicação para os fenômenos sensíveis que interferem na formação das idéias, ou seja, a vontade, a razão, a percepção e a memória.

Um segundo sentido de ideologia, o de "idéia falsa" ou "ilusão", foi utilizado por Napoleão Bonaparte num discurso perante o Conselho de Estado, em 1812. Napoleão afirmou nesse discurso que seus adversários, que questionavam e perturbavam a sua ação governamental, eram apenas metafísicos, pois o que pensavam não tinha conexão com o que estava acontecendo na realidade, na história.

Auguste Comte (1798-1857), em seu *Curso de filosofia positiva* (1830-1842), retomou o sentido de ideologia utilizado por Tracy — o de estudo da formação das idéias, partindo das sensações (relação do corpo com o meio) — e acrescentou outro, o de conjunto de idéias de determinada época.

Karl Marx também não apresentou uma única definição de ideologia. No livro *A ideologia alemã* (1846), ele se referiu à ideologia como um sistema elaborado de representações e de idéias que correspondem a formas de consciência que os homens têm em determinada época. Ele afirmou ainda que as idéias dominantes em qualquer época são sempre as de quem domina a vida material e, portanto, a vida intelectual.

Marx desenvolveu a concepção de que a ideologia é a inversão da realidade, no sentido de reflexo, como na câmara fotográfica, em que a imagem aparece "invertida". Contrapondo-se a muitos autores que acreditavam que as idéias transformavam e definiam a realidade, Marx afirmava que a existência social condicionava a consciência dos indivíduos sobre a situação em que viviam. Assim, para Marx, as ideologias não são meras ilusões e aparências — e muito menos o fundamento da história —, mas são uma realidade objetiva e atuante.

No mesmo livro de Marx, pode-se encontrar a explicação de que a ideologia é resultante da divisão entre o trabalho manual e o intelectual. O trabalho intelectual esteve nas mãos da classe dominante e, assim, à medida que pôde "emancipar-se" da realidade concreta em que foi produzido e se transformar em teoria pura, pôde também transformar-se em teoria geral para todas as sociedades, sem levar em conta a história de cada uma delas. Essa emancipação das idéias é muito bem exemplificada por Marx. Ele se refere a um indivíduo que afirmava que os homens só se afogavam porque estavam possuídos pela *idéia de gravidade.* Se abandonassem essa idéia, estariam livres de qualquer afogamento. Marx não diz se esse homem foi bem-sucedido na luta contra a ilusão de gravidade nem se tentou testar sua teoria.

Émile Durkheim, ao discutir a questão da objetividade científica em seu livro *As regras do método sociológico* (1895), afirma que, para ser o mais preciso possível, o cientista deve deixar de lado todas as *pré-noções*, as noções vulgares, as idéias antigas e pré-científicas e as idéias subjetivas. São essas idéias que ele entende por ideologia, ou seja, o contrário de ciência.

Karl Mannheim (1893-1947) talvez seja o sociólogo depois de Marx que mais tenha influenciado a discussão sobre ideologia. No livro *Ideologia e utopia* (1929), ele conceitua duas formas de ideologia: a particular e a total. A particular corresponde à ocultação da realidade, incluindo mentiras conscientes e ocultamentos subconscientes e inconscientes, que provocam enganos ou mesmo auto-enganos. A ideologia total é a visão de mundo (cosmovisão) de uma classe social ou de uma época. Nesse caso, não há ocultamento ou engano, apenas a reprodução das idéias próprias de uma classe ou idéias gerais que permeiam toda a sociedade.

Para Mannheim, as *ideologias* são sempre conservadoras, pois expressam o pensamento das classes dominantes, que visam à estabilização da ordem. Em contraposição, ele chama de *utopia* o que pensam as classes oprimidas, que buscam a transformação.

A ideologia e o grupo social

Todos nós participamos de certos grupos de idéias [...]. São espécies de "bolsões" ideológicos, onde há pessoas que dizem coisas em que nós também acreditamos, pelas quais também lutamos, que têm opiniões muito parecidas com as nossas. Há alguns autores que dizem que na verdade nós não falamos de fato o que acreditamos dizer, haveria certos mecanismos, certas estruturas que "falariam por nós". Ou seja, quando damos nossas opiniões, quando participamos de algum acontecimento, de alguma manifestação, temos muito pouco de *nosso* aí, reproduzimos conceitos que já circulam nesses grupos.

> Ideologia não é, portanto, um fato individual, não atua inclusive de forma consciente na maioria dos casos. Quando pretendemos alguma coisa, quando defendemos uma idéia, um interesse, uma aspiração, uma vontade, um desejo, normalmente não sabemos, não temos consciência de que isso ocorre dentro de um esquema maior, [...] do qual somos apenas representantes — repetimos conceitos e vontades, que já existiam anteriormente.
>
> MARCONDES FILHO, Ciro. *Ideologia: o que todo o cidadão precisa saber sobre*. São Paulo: Global, 1985. p. 20.

Depois de Mannheim, muitos outros pensadores estudaram e utilizaram o conceito de ideologia, mas todos eles tiveram como referência os autores que citamos.

A ideologia no cotidiano

O jovem fotografado no canavial precisa cortar 300 metros de cana-de-açúcar para ganhar 9 reais ao fim do dia. Não sobra tempo para estudar, ao contrário da vestibulanda, que teve a oportunidade de se dedicar aos estudos e procura seu nome na lista dos aprovados da Unesp em 200[illegible] [illegible]entude, como [illegible]so ideológico, ou [illegible]ções diversas?

Em nosso cotidiano, ao nos relacionarmos com as outras pessoas, exprimimos por meio de ações, palavras e sentimentos uma série de elementos ideológicos. Como vivemos em uma sociedade capitalista, a lógica que a estrutura, a da mercadoria, permeia todas as nossas relações, sejam elas econômicas, políticas, sociais ou sentimentais. Podemos dizer que há *um modo capitalista de viver*, de sentir e de pensar.

A expressão da ideologia na sociedade capitalista pressupõe a elaboração de um discurso homogêneo, pretensamente universal, que, buscando identificar a realidade social com o que as classes dominantes pensam sobre ela, oculta as contradições existentes e silencia outros discursos e representações contrárias.

Esse discurso não leva em conta a história e destaca categorias genéricas — a família ou a juventude, por exemplo —, passando, em cada caso, uma idéia de unidade, de uniformidade. Ora, existem famílias com constituições diferentes e em situações econômicas e sociais diversas. Há jovens que vivem nas periferias das cidades ou na zona rural, enfrentando dificuldades, bem como jovens que moram em bairros luxuosos ou condomínios fechados, desfrutando de privilegiada situação econômica ou educacional. Portanto, não existe *a família* e *a juventude*, mas famílias e jovens diversos, cada qual com sua história.

Outra manifestação ideológica na sociedade capitalista é a idéia de que vivemos em uma comunidade sem muitos conflitos e contradições. As expressões mais claras disso são as concepções de nação ou de região como determinado país ou dado espaço geográfico. Essas concepções passam a visão de que há uma comunidade de interesses e propósitos partilhados por todos os que vivem num país ou num espaço específico. Ficam assim obscurecidas as diferenças sociais, econômicas e culturais, os conflitos entre os vários grupos e classes, enfatizando-se uma unidade que não existe. Um exemplo disso é a atribuição de determinadas características a toda uma região que tem em seu interior uma diversidade muito grande.

Mas existem outras formas ideológicas que são desenvolvidas sem muito alarde e que penetram nosso cotidiano. Uma delas é a idéia de felicidade. Felicidade, para muitos, é um estado relacionado ao amor, mas também significa estabilidade financeira e profissional, bem-estar existencial e material. É um conjunto de situações, mas normalmente a mais focalizada é a amorosa. E os filmes, as novelas, as revistas, apesar de todas as condições adversas que um indivíduo possa enfrentar, estão sempre reforçando o lema: "o amor vence todas as dificuldades".

Talvez a maior de todas as expressões ideológicas que encontramos em nosso cotidiano seja a idéia de que o conhecimento científico é verdade inquestionável. Muitas pessoas podem não acreditar em uma explicação oferecida por campos do conhecimento que não são considerados científicos, mas basta dizer que se trata de resultado de pesquisa ou informação de um cientista para que a tomem como verdade e passem a orientar suas práticas cotidianas por ela. Isso aparece principalmente quando as informações e notícias são veiculadas pelos meios de comunicação e se referem à saúde. Da busca do sentido da vida às possibilidades de sucesso, a ciência é vista como uma grande solução para todos os problemas, males e enigmas.

Ora, nada está mais distante do conhecimento científico do que a idéia de verdade absoluta e a pretensão de explicar todas as coisas. A ciência nasceu e se desenvolveu questionando as explicações dadas a situações e fenômenos, e continua se desenvolvendo com base no questionamento de seus próprios resultados. O pensamento científico é histórico e tem sua validade temporária, sendo a dúvida seu valor maior.

Mas o conhecimento científico, quando analisado da perspectiva de um pensamento hegemônico ocidental, torna-se colonialista, pois o que é particular (ocidental) se universaliza e se transforma em um paradigma que nega outras formas de explicar e conhecer o mundo. Assim, desqualifica outras culturas e saberes, tidos como inferiores e exóticos, como o conhecimento das civilizações ameríndias, orientais e árabe.

O bombardeio de livros, revistas, filmes, novelas e imagens que celebram a felicidade e garantem que todos podem ser felizes obscurece as diferentes dificuldades que cada um enfrenta em seu cotidiano.

Cenários DA CULTURA E DA IDEOLOGIA CONTEMPORÂNEAS

O culto ao sucesso

"Seja uma pessoa de sucesso!" Quantas vezes ouvimos essa afirmação nos últimos tempos? A maioria das propagandas da sociedade atual leva-nos a acreditar que só existe o caminho da vitória.

Devemos sempre ser vencedores, jamais vencidos; para isso é preciso ter sempre a melhor *performance*, seja corporal, seja intelectual. Ou temos um belo corpo ou um currículo composto somente de vitórias. Quem estiver fora desse conceito é considerado perdedor, uma pessoa que não corresponde às expectativas sociais de sucesso e, portanto, não merece estar entre os vencedores. No Japão, por exemplo, alguns jovens que não conseguem aprovação na escola ou na universidade, sentindo-se perdedores, se suicidam.

O culto ao sucesso afeta desde cedo a vida das crianças, que acabam se tornando "pequenos adultos superocupados". Na ânsia de fabricar futuros vencedores, os pais inscrevem os filhos em toda sorte de atividade — além da escola formal —, pois estes precisam estar preparados para o sucesso. As crianças, então, deixam de brincar e passam a ter uma agenda com atividades como inglês, informática, natação, judô, música... tudo ao mesmo tempo.

O sucesso ao alcance do consumidor em livrarias, bancas de revistas e supermercados.

Na juventude e na idade adulta, o culto à *performance* continua de várias formas. Cuidar do corpo, por exemplo, deixa de ser uma questão de saúde e bem-estar e passa a ser um princípio exclusivo da estética. É comum vermos academias lotadas de pessoas à procura da tão sonhada *performance*. Essa busca leva alguns jovens ao absurdo de tomar remédios indicados para bois e cavalos, buscando aumento da massa muscular. As jovens querem ter o padrão de beleza mostrado na mídia, mesmo que isso signifique ficar sem comer e debilitar-se fisicamente. É comum ver os garotos alardeando seu desempenho sexual, mesmo que para isso usem medicamentos do tipo Viagra para demonstrar sua (im)potência.

O currículo "vitaminado"

Você já deve estar pensando em fazer o seu *curriculum vitae* e sabe o que deverá incluir nele. Ora, nós só colocamos aquilo que deu certo em nossa carreira. O documento que registra nossa passagem pela vida produtiva foi bem analisado por Leandro Konder, filósofo brasileiro, em um artigo intitulado "*Curriculum Mortis* e a reabilitação da autocrítica". Nesse artigo, Konder diz que o *curriculum vitae* é a ponta do *iceberg* de nossa visão triunfalista da vida, pois nele só colocamos aquilo que consideramos um sucesso em nossa carreira. Em suas palavras, "o *curriculum vitae* é o elemento mais ostensivo de uma ideologia que nos envolve e nos educa nos princípios do mercado capitalista; é a expressão de uma ideologia que inculca nas nossas cabeças aquela mentalidade de cavalo de corrida... O que aconteceu de errado, os tropeços, as quedas e os fracassos não aparecem nele, quando na maioria das vezes essas são a maior parte das ocorrências de nosso viver".

Por isso, o filósofo propõe que, com o *curriculum vitae*, façamos também o nosso *curriculum mortis*, no qual registremos tudo o que não deu certo. Será uma maneira de fazer autocrítica: o primeiro passo para desenvolver a capacidade de criticar e ser criticado e, ainda, ampliar a auto-estima.

1. Como considerar o culto ao sucesso pessoal e a necessidade de desenvolver um *curriculum vitae* expressivo em um país como o nosso, com tantas desigualdades sociais e com tão poucas possibilidades de a maioria da população chegar a um curso universitário e, quando isso acontece, conseguir um emprego compatível com o nível de conhecimento adquirido?

2. Dê exemplos de coisas fundamentais em nossa vida que não se resumem à *performance* e ao sucesso.

Como seria o seu *curriculum mortis*, ou seja, a relação do que não deu certo em sua vida?

Mesclando cultura e ideologia

Capítulo 19

Vivemos num mundo de comunicações, uma realidade que faz parte da nossa vida desde pequenos: cotidianamente, entre outras atividades, vemos televisão, fazemos pesquisas na internet, contatamos amigos por *e-mail*, MSN ou *sites* de relacionamento, ouvimos música em fones de ouvido enquanto andamos nas ruas, vemos filmes e propagandas, lemos jornais e revistas, escutamos rádio. Estamos mergulhados tanto na cultura como na ideologia.

Vamos tentar entender essa realidade à luz da Sociologia.

Dominação e controle

Ao analisar a cultura e a ideologia, vários autores procuram demonstrar que não se podem utilizar esses dois conceitos separadamente, pois há uma profunda relação entre eles, sobretudo no que diz respeito ao processo de dominação nas sociedades capitalistas.

O pensador italiano Antonio Gramsci (1891-1937) analisa essa questão com base no conceito de *hegemonia* (palavra de origem grega que significa "supremacia", "preponderância") e no que ele chama de aparelhos de hegemonia.

Por hegemonia pode-se entender o processo pelo qual uma classe dominante consegue fazer que o seu projeto seja aceito pelos dominados, desarticulando a visão de mundo autônoma de cada grupo potencialmente adversário. Isso é feito por meio dos aparelhos de hegemonia, que são práticas intelectuais e organizações no interior do Estado ou fora dele (livros, jornais, escolas, música, teatro, etc.). Nesse sentido, cada relação de hegemonia é sempre pedagógica, pois envolve uma prática de convencimento, de ensino e aprendizagem.

Para Gramsci, uma classe se torna hegemônica quando, além do poder coercitivo e policial, utiliza a persuasão, o consenso, que é desenvolvido mediante um sistema de idéias muito bem elaborado por intelectuais a serviço do poder, para convencer a maioria das pessoas, até as das classes dominadas. Por esse processo, cria-se uma "cultura dominante efetiva", que deve penetrar no senso comum de um povo, com o objetivo de demonstrar que a forma como aquele que domina vê o mundo é a única possível.

A ideologia não é o lugar da ilusão e da mistificação, mas o espaço da dominação, que não se estabelece somente com o uso legítimo da força pelo Estado, mas também pela direção moral e intelectual da sociedade como um todo, utilizando os elementos culturais de cada povo.

Mas Gramsci aponta também a possibilidade de haver um processo de contra-hegemonia, desenvolvido por intelectuais orgânicos, vinculados à classe trabalhadora, na defesa de seus interesses. Contrapondo-se à inculcação dos ideais burgueses por meio da escola, dos meios de comunicação de massa, etc., eles combatem nessas mesmas frentes, defendendo outra forma de "pensar, agir e sentir" na sociedade em que vivem.

O sociólogo francês Pierre Bourdieu desenvolveu o conceito de violência simbólica para identificar formas culturais que impõem e fazem que aceitemos como normal, como verdade que sempre existiu e não pode ser questionada, um conjunto de regras não escritas nem ditas. Ele usa a palavra *doxa* para designar esse tipo de pensamento e prática social estável, tradicional, em que o poder aparece como natural.

Dessa idéia nasce o que Bourdieu define como a naturalização da história, condição em que os fatos sociais, independentemente de ser bons ou ruins, passam por naturais e tornam-se uma "verdade" para todos. Um exemplo evidente é a dominação masculina, vista em nossa sociedade como algo "natural", já que as mulheres são "naturalmente" mais fracas e sensíveis e, portanto, devem se submeter aos homens. E todos aceitam essa idéia e dizem que "isso foi, é e será sempre assim".

Naturalização da corrupção: "isso foi, é e será sempre assim"...

Bourdieu declara que é pela cultura que os dominantes garantem o controle ideológico, desenvolvendo uma prática cuja finalidade é manter o distanciamento entre as classes sociais. Assim, existem práticas sociais e culturais que distinguem quem é de uma classe ou de outra: os "cultos" têm conhecimentos científicos, artísticos e literários que os opõem aos "incultos". Isso é resultado de uma imposição cultural (violência simbólica) que define o que é "ter cultura".

A violência simbólica ocorre de modo claro no processo educacional. Quando entramos na escola, em seus diversos níveis, devemos obedecer sempre a um conjunto de regras e absorver um conjunto de saberes predeterminados, aceitos como o que se deve ensinar. Essas regras e esses saberes não são questionados e normalmente não se pergunta quem os definiu.

Theodor Adorno (1903-1969) e Max Horkheimer (1895-1973), pensadores alemães, procuraram analisar a relação entre cultura e ideologia com base no conceito de indústria cultural. Apresentaram esse conceito em 1947, no texto *A indústria cultural: o esclarecimento como mistificação das massas*. Nele, afirmavam que o conceito de indústria cultural permitia explicar o fenômeno da exploração comercial e a vulgarização da cultura, como também a ideologia da dominação. A preocupação básica era com a emergência de empresas interessadas na produção em massa de bens culturais, como qualquer mercadoria (roupas, automóveis, sabonetes, etc.), visando exclusivamente ao consumo, tendo como fundamentos a lucratividade e a adesão incondicional ao sistema dominante.

Adorno e Horkheimer apontaram a possibilidade de homogeneização das pessoas, grupos e classes sociais; esse processo atingiria todas as classes, que seriam seduzidas pela indústria cultural, pois esta coloca a felicidade imediatamente nas mãos dos consumidores mediante a compra de alguma mercadoria ou produto cultural. Cria-se assim uma subjetividade uniforme e, por isso, massificada.

Nos mais diversos filmes de ação, somos tranqüilizados com a promessa de que o vilão terá um castigo merecido. Tanto nos sucessos musicais quanto nos filmes, a vida parece dizer que tem sempre as mesmas tonalidades e que devemos nos habituar a seguir os compassos previamente marcados. Dessa forma, sentimo-nos integrados numa sociedade imaginária, sem conflitos e sem desigualdades.

A diversão, nesse sentido, é sempre alienante, conduz à resignação e em nenhum momento nos instiga a refletir sobre a sociedade em que vivemos. A indústria cultural transforma as atividades de lazer em um prolongamento do trabalho, promete ao trabalhador uma fuga do cotidiano e lhe oferece, de maneira ilusória, esse mesmo cotidiano como paraíso. Por meio da sedução e do convencimento, a indústria cultural vende produtos que devem agradar ao público, não para fazê-lo pensar com informações novas que o perturbem, mas para propiciar-lhe uma fuga da realidade. Tal fuga, segundo Adorno, faz que o indivíduo se aliene, para poder continuar aceitando com um "tudo bem" a exploração do sistema capitalista.

Shopping center na Malásia: alienação pelo consumo e pelo lazer.

Os meios de comunicação e a vida cotidiana

Entre todos os meios de comunicação, a televisão é o mais forte agente de informações e de entretenimento, embora pesquisas recentes já demonstrem que ela pode ser desbancada pela internet na massificação da informação. Diante disso, pode-se declarar que a análise de Adorno e Horkheimer, desenvolvida em 1947, está ultrapassada ou mantém seu poder de explicação?

Observando que o que mudou foi a tecnologia dos meios de comunicação, as formas de mistificação que adotam e a apresentação e embalagem dos produtos, podemos afirmar que o conceito de indústria cultural conserva o mesmo poder de explicação. Os produtos culturais aparecem com invólucros cada vez mais esplendorosos, pois cada dia são maiores as exigências para prender a atenção dos indivíduos. Produtos de baixa qualidade têm a oferta justificada pelo argumento de que atendem às necessidades das pessoas que desejam apenas entretenimento e diversão, não estando preocupadas com o caráter educativo ou cultural do que consomem. Mas isso é falso, pois esses produtos são oferecidos tendo em vista as necessidades das próprias empresas, cujo objetivo é unicamente o lucro.

O "mundo maravilhoso" e sem diferenças está presente nos programas de televisão, que mostram guerras, mortes, miséria e opressão de outros povos, nunca do nosso, e demonstram que isso sempre foi assim, e, portanto, é inútil e desnecessário melhorar o que aí está. Preocupado com o que a televisão vem fazendo em termos culturais, o cientista social italiano Giovanni Sartori, em seu livro *Homo videns* (2001), reflete sobre esse meio de comunicação.

Retomando a história das comunicações, ele destaca o fato de que as civilizações se desenvolveram quando a transmissão de conhecimento passou da forma oral para a escrita. Até o surgimento da imprensa, em 1440, a transmissão de conhecimentos era muito restrita. Foi com Johannes Gutenberg e a invenção da imprensa que ocorreu o grande salto tecnológico que permitiu a muitas pessoas o acesso à cultura escrita.

No século XIX, além do desenvolvimento da imprensa, com jornais e livros, outros avanços tecnológicos permitiram a diversificação das comunicações. Foram então inventados o telégrafo e o telefone, que permitiram a comunicação oral e escrita entre pessoas a grandes distâncias. Com o rádio, apareceu o primeiro meio capaz de eliminar as distâncias em termos sociais mais amplos. Mas todos esses meios mantinham-se no universo da comunicação puramente lingüística, escrita ou falada.

Já no final do século XIX e início do século XX apareceu o cinema, primeiro mudo e depois falado, inaugurando um outro universo de comunicação, no qual a imagem se tornou fundamental. A televisão, nascida em meados do século XX, como o próprio nome indica (*tele-visão* = "ver de longe"), criou um elemento completamente novo, em que o *ver* tem preponderância sobre o *ouvir*. A voz dos apresentadores é secundária, pois é subordinada às imagens que comenta e analisa. As imagens contam mais do que as palavras. Nisso o indivíduo volta à sua condição animal.

A televisão nos dá a possibilidade de *ver tudo* sem sair do universo local. Assim, para Sartori, além de um meio de comunicação, a televisão é um elemento que participa da formação das pessoas e pode gerar um novo tipo de ser humano. Essa afirmação está baseada na observação de que as crianças, em várias partes do mundo, passam muitas horas diárias vendo televisão antes de saber ler e escrever. Isso dá margem a um novo tipo de formação, centralizado na capacidade de ver.

Se o que nos torna diferentes dos outros animais é nossa capacidade de abstração, a televisão, para Sartori, "inverte o progredir do sensível para o inteligível, virando-o em um piscar de olhos [...] para um retorno ao puro ver. Na realidade, a televisão produz imagens e apaga os conceitos; mas desse modo atrofia a nossa capacidade de abstração e com ela toda a nossa capacidade de compreender". Então, o *Homo sapiens* está sendo substituído pelo *Homo videns*, ou seja, o que importa é a imagem, é o ver sem entender.

nas palavras DE IANNI

O mundo das imagens

Talvez se possa dizer que o que predomina na mídia mundial, no fim do século XX, é a imagem. Com freqüência, as outras "linguagens" aparecem de maneira complementar, [...] ou propriamente subordinada à imagem. Tanto assim que a mídia apresenta aspectos e fragmentos das configurações e movimentos da sociedade global como se fosse um vasto espetáculo de videoclipe. [...] Ao lado da montagem, colagem, bricolagem, simulacro e virtualidade, muitas vezes combinando tudo isso, a mídia parece priorizar o espetáculo videoclipe. Tanto é assim que guerras e genocídios parecem festivais pop, departamentos do shopping center global, cenas da Disneylândia mundial. Os mais graves e dramáticos acontecimentos da vida de indivíduos e coletividades aparecem, em geral, como um videoclipe eletrônico informático, desterritorializado entretenimento de todo o mundo.

IANNI, Octávio. O mundo do trabalho. In: FREITAS, Marcos Cezar de (org.). *A reinvenção do futuro.* São Paulo: Cortez, 1996. p. 39.

Está tudo dominado?

Publicações vendidas em bancas de revista. Massificação ou difusão da cultura?

Várias críticas foram feitas à idéia de que a indústria cultural estaria destruindo nossa capacidade de discernimento. Uma delas foi formulada por Walter Benjamin (1886-1940), um companheiro de trabalho de Theodor Adorno. Benjamin achava que não era preciso ser tão radical na análise e que a indústria cultural poderia ajudar a desenvolver o conhecimento, pois levaria a arte e a cultura a um número maior de pessoas. Ele declarava que, anteriormente, as obras de arte estavam a serviço de um grupo pequeno de pessoas, de uma classe privilegiada. Com as novas técnicas de reprodução — como a fotografia e o cinema —, essas obras poderiam ser difundidas entre outras classes sociais, contribuindo para a emancipação da arte de seu papel ritualístico. A imagem em uma pintura, que tinha unidade e duração, foi substituída pela fotografia, que pode ser reproduzida indefinidamente. Mas Benjamin não era ingênuo ao afirmar isso: analisava a questão com mais abertura, sem perder a consciência de que o capitalismo utilizava as novas técnicas a seu favor.

Que a ideologia dominante está presente em todos os produtos da indústria cultural é evidente, mas não se pode dizer que exista uma manipulação cultural integral e avassaladora, pois isso significa declarar que os indivíduos não pensam e apenas absorvem e reproduzem automaticamente o que recebem. É verdade que muitos indivíduos tendem a reproduzir o que vêem na televisão ou lêem nas revistas semanais de informação, mas a maioria seleciona o que recebe, filtra e reelabora a informação; além disso, nem todos recebem as mesmas informações.

As relações sociais cotidianas são muito diversas e envolvem laços de parentesco, de vizinhança, de amizade. Formam uma rede de informação mesclando várias fontes. Pesquisando a ação da indústria cultural, percebe-se que os indivíduos não aceitam pacificamente tudo o que lhes é imposto. Exemplo disso é a dificuldade que essa indústria tem de convencer as pessoas, evidenciada pela necessidade de inventar e reinventar constantemente campanhas publicitárias.

Capa da revista *Time*, de dezembro de 2006. A publicação elegeu como personalidade do ano o internauta, ressaltando a importância dos usuários que geram conteúdo em *blogs*, *fotologs*, *videologs* e afins, criando uma rede alternativa de informação.

Numa perspectiva de enfrentamento ou de resistência, pode-se pensar, conforme Antonio Gramsci, na possibilidade de haver um processo de contra-hegemonia, mesmo que pequeno, que ocorre dentro e fora da indústria cultural. Nas empresas há trabalhadores que desenvolvem suas atividades nos meios de comunicação e que procuram apresentar críticas ao que se faz na indústria cultural.

Fora dessas empresas, há intelectuais que, individualmente ou em organizações, criticam o que se faz na televisão, no cinema e em todas as áreas culturais. Outros procuram criar canais alternativos de informação sobre o que acontece no mundo, desenvolver produções culturais não massificadas ou manter canais de informação e crítica constantes em *sites* e *blogs* na internet. Não se pode esquecer também dos movimentos culturais de milhares de pequenos grupos no mundo que desenvolvem produções culturais específicas de seus povos e grupos de origem.

O universo da internet

A internet originou-se de um projeto militar dos Estados Unidos, na década de 1960. Naquele período, questionava-se como as autoridades estadunidenses poderiam comunicar-se caso houvesse uma guerra nuclear. Se isso acontecesse, toda a rede de comunicações poderia ser destruída e haveria necessidade de um sistema de comunicação sem controle central, baseado numa rede em que a informação circularia sem uma autoridade única.

Assim nasceu um sistema no qual as informações são geradas em muitos pontos e não ficam armazenadas num único lugar, mas em todos os pontos de contato possíveis. Estes, por sua vez, podem gerar informações independentes, de tal modo que, se fossem destruídos um ou mais pontos, os outros continuariam retendo e gerando informações independentes. Posteriormente, esse modelo foi utilizado para colocar em contato pesquisadores de diferentes universidades e acabou se expandindo até atingir a maioria dos lugares.

Hoje, a internet é o espaço onde há mais liberdade de produção, veiculação de mensagens, notícias, cultura e tudo o que possa ser transmitido por esse sistema. É um meio de comunicação em que se utilizam a palavra escrita ou falada, as imagens, a música e outras tantas formas de comunicação, com muita rapidez e para todos na rede. Existe, é verdade, um vocabulário restrito e mínimo para se comunicar (conversar por escrito), o que empobrece muito a linguagem escrita, além de uma série de ícones que indicam se a pessoa está alegre, triste, nervosa, o que reduz a capacidade de expressar verbalmente esses sentimentos.

Essa nova tecnologia de informação oferece possibilidades quase infinitas de pesquisa. É fato que há dados demais para a capacidade humana de processamento, mas, se você tiver o mínimo conhecimento do funcionamento da internet e seus instrumentos, poderá obter excelentes informações e com uma diversidade nunca imaginada. Portanto, dependendo de como é utilizada, a internet pode empobrecer a capacidade de pensar ou ser um instrumento para a obtenção de conhecimento. Nessa grande rede, encontram-se muitas das versões de um mesmo fato, cabendo a nós descobrir bons *sites* e profissionais que mostrem ângulos diversos de determinado fenômeno.

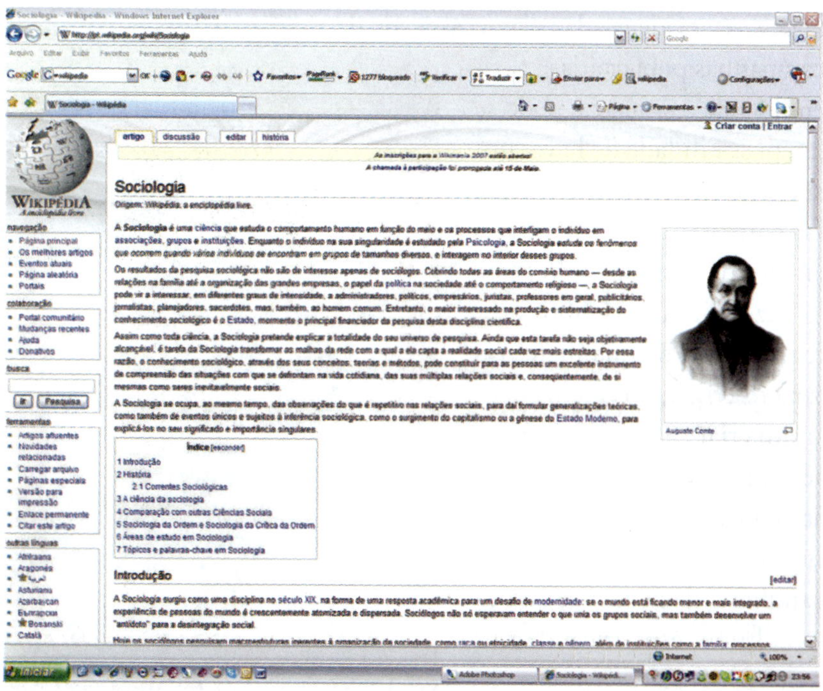

Liberdade de consulta e produção: em *sites* como o Wikipedia, acessado de qualquer computador conectado à rede, o internauta pode não só pesquisar como editar informações. A contrapartida dessa liberdade é a limitada confiabilidade do conteúdo disponibilizado.

Cenário DA INDÚSTRIA CULTURAL

Sanduíche de música e literatura

Para termos uma idéia do que faz a indústria cultural, vamos tomar como exemplo uma música erudita e examinar como a massificação transforma um prato original, rico e saboroso em apenas um ingrediente de um grande sanduíche, distribuído nos quatro cantos do mundo. É a obra de arte transformada numa mercadoria sem qualidade.

Podemos ver e ouvir a Orquestra Sinfônica do Estado de São Paulo (OSESP) interpretando uma obra de Mozart ou de qualquer outro autor erudito, com todos os instrumentos, para que ela seja fruída em seu máximo esplendor. Mas, se essa mesma obra for filmada e exibida no cinema com todos os seus componentes, a experiência de quem assiste a ela já será diferente. E a sensação será outra se a mesma apresentação for assistida em casa, em DVD.

Muitas pessoas não apreciam música erudita, pois normalmente a obra é longa, mas gostam de um ou outro trecho mais conhecido. Podem então ouvir no rádio ou comprar um CD com uma parte da obra, mas não toda ela. Temos aí mais um corte das possibilidades iniciais. Esse CD pode ser ouvido em casa ou no carro, e em cada caso as sensações serão diferentes. Se a opção for comprar um CD com os movimentos mais conhecidos interpretados por apenas um pianista a sensação será ainda outra.

O indivíduo que compra esse último CD ou que ouve no rádio essa interpretação vai ter a certeza de estar ouvindo uma obra de Mozart e pode até sair assobiando pelas ruas as partes que "comprou". Mas o que ouviu é algo bem diferente da obra original.

Observa-se fato semelhante quando uma obra literária de grande expressão, como a de Machado de Assis, por exemplo, é reduzida a pedaços ou a resumos, como os difundidos nos cursinhos para que os alunos obtenham alguma informação que lhes permita resolver as questões propostas nos vestibulares. Eles não terão o conhecimento ou a sensação que decorre da leitura integral de um livro desse autor, mas até poderão "achar" que leram e conhecem Machado de Assis, quando apenas tiveram contato com resumos e pedaços desconectados de uma obra inteira. Esses alunos estão consumindo um sanduíche quando poderiam estar saboreando com prazer um jantar bem elaborado.

Público de 80 mil pessoas assiste à filarmônica de Nova York no parque do Ibirapuera, em São Paulo: o prazer de ouvir uma peça musical tal qual foi concebida pelo autor.

1. Obras musicais e literárias são criadas para ser apreciadas na integralidade, pois só assim se pode perceber, sentir e conhecer o que o autor de fato produziu. O que você pensa e como se sente quando só tem acesso a um pedaço ou arremedo de um livro ou uma peça musical?

2. A indústria cultural, principalmente por meio da televisão e da internet, procura formar futuros clientes para os produtos de seus patrocinadores, incentivando desejos e necessidades que parecem naturais. Aponte exemplos disso no seu cotidiano.

Capítulo 20 Cultura e indústria cultural no Brasil

Escrever sobre cultura no Brasil significa trabalhar com uma quantidade e diversidade imensa de expressões — como festas, danças, músicas, esculturas, pinturas, gravuras, literatura (contos, romances, poesia, cordel), mitos, superstições, alimentação — presentes no cotidiano das pessoas e incorporadas ou não pela indústria cultural.

Se alguém tem dúvida a respeito dessa diversidade, deve consultar os trabalhos de Luís da Câmara Cascudo (1898-1986), principalmente o *Dicionário do folclore brasileiro*, no qual está registrado um pouco de todas as expressões culturais brasileiras, ou o livro de Fernando de Azevedo (1894-1974), *A cultura brasileira*, que apresenta um amplo panorama de nossa cultura, envolvendo uma análise histórica da vida intelectual no Brasil. Ao mostrar nossa grande diversidade cultural, esses dois autores, entre outros, nos ajudam a entender a dificuldade que é formular uma única definição de cultura brasileira.

O que caracteriza nossa cultura?

Na América portuguesa, no século XVI, as culturas indígenas e africanas, apesar da presença marcante, não eram reconhecidas pelos colonizadores e expressavam-se à margem da sociedade que se constituía sob o domínio lusitano. Tal sociedade tinha como principal referência a cultura européia, que procurava imitar. Nas palavras do sociólogo Antonio Candido, "imitar, para nós, foi integrar, foi nos incorporarmos à cultura ocidental, da qual a nossa era um débil ramo em crescimento. Foi igualmente manifestar a tendência constante de nossa cultura, que sempre tomou os valores europeus como meta e modelo".

No entanto, se o Ocidente e, depois, o Oriente nos forneceram elementos essenciais para a construção de uma cultura difusa, esta não pode ser compreendida sem suas raízes indígenas e africanas, que impregnaram nosso cotidiano, desde a comida, a vestimenta e a habitação até a dança, a pintura e a música.

Se ficarmos apenas com a música brasileira, encontraremos uma variedade imensa de ritmos, que são puros ou misturados, cópias ou (re)elaborações constantes, invenções e inovações, com os mais diversos instrumentos, sejam eles extremamente simples e artesanais, sejam sofisticados e eletrônicos. Para citar alguns ritmos, temos o lundu, a modinha, o choro, o maxixe, o samba (e suas vertentes, como samba-canção, samba-exaltação, samba de carnaval), a marcha, o frevo, o baião, a valsa, a valsinha, o acalanto, a lambada, o pagode, o *samba-reggae*, o *axé music*, o *tchê music*, o *mangue beat*, a cantiga infantil, a música clássica, a ópera, a música contemporânea, além de ritmos estrangeiros como *rock*, *blues*, *jazz*, *rap*, *fox*, bolero e tango.

Lembrando que a cultura é o resultado de um trabalho, é uma obra, pode-se observar que o trabalho cultural brasileiro é desenvolvido tanto por músicos analfabetos, sem nenhuma formação musical, como por pessoas com formação clássica, conhecidos ou anônimos. A produção musical brasileira tem traços de origem marcadamente africana, indígena, sertaneja e européia (sem classificar o que é mais ou menos importante, simples ou complexo). Ela é fruto do trabalho de milhares de pessoas.

Ainda que se possa afirmar que alguns ritmos são marcadamente brasileiros, como o maxixe, o chorinho, o frevo ou o samba, nenhum deles é "puramente brasileiro", pois as influências recebidas são as mais variadas possíveis, desde a música medieval até a contemporânea. Genuínas mesmo são as músicas, as danças e a arte plumária ou a cerâmica dos povos indígenas. As demais manifestações culturais são fusões, hibridações, criações de uma vasta e longa herança de muitas culturas. Talvez seja essa a característica que podemos chamar de "brasileira".

A fusão de elementos culturais de origens diversas é evidente em vários ritmos da música brasileira. O lundu, por exemplo, é um tipo de música e de dança que mistura ritmos portugueses com os batuques dos africanos escravizados. Acima, a dança do lundu em representação de Rugendas (1802-1858).

Indústria cultural no Brasil

O desenvolvimento da indústria cultural no Brasil ocorreu paralelamente ao desenvolvimento econômico e teve como marco a introdução do rádio, na década de 1920, da televisão, na década de 1950, e, recentemente, nos anos 1990, da internet. Os outros campos da indústria cultural, como cinema, jornais e livros, não são tão expressivos quanto a televisão e o rádio. O cinema atinge, no máximo, 10% da população e pouco mais de 20% dos brasileiros têm acesso às produções escritas (livros, revistas e jornais).

A primeira transmissão de rádio no Brasil ocorreu em 1922, inaugurando uma fase de experimentação, voltada principalmente para atividades não comerciais. A programação veiculada incluía recitais de poemas, música erudita, óperas e palestras científicas. Era mantida por associações e clubes de amigos do rádio. As emissoras eram poucas, precariamente equipadas e com transmissão irregular, pois não havia muitos aparelhos receptores. No final de 1923, existiam apenas 536 aparelhos receptores no Brasil.

Programa de auditório comandado por Emilinha Borba (1923-2005). Estrela da Rádio Nacional, onde atuou por 27 anos, no período áureo do rádio, Emilinha começou sua carreira no Cassino da Urca, em 1939, apadrinhada por Cármem Miranda. Gravou mais de cem discos, participou de dezenas de filmes e seu rosto é um dos recordistas de capas de revista.

A segunda fase começou na década de 1930, quando foi autorizada a publicidade no rádio. Isso permitiu a ampliação da difusão para ouvintes que antes estavam impossibilitados de sintonizar os programas. Por causa do alto custo, os programas ficavam restritos às cidades em que eram produzidos, como Rio de Janeiro, São Paulo, Recife e Fortaleza. O dinheiro arrecadado com a publicidade foi o que possibilitou manter a programação no ar.

Entre as décadas de 1930 e 1950, o rádio alcançou seu apogeu de audiência, principalmente com os programas de auditório e as radionovelas, além de programas jornalísticos e humorísticos, transmissões esportivas e grandes musicais. O sucesso era tanto que cada emissora de rádio possuía sua própria orquestra e cantores próprios. Os cantores e cantoras mais conhecidos eram contratados como grandes estrelas, pois proporcionavam audiência e, conseqüentemente, mais anunciantes e patrocinadores à emissora. O desenvolvimento econômico possibilitava a ampliação do número de emissoras e de receptores por todo o Brasil. Nas cidades do interior era muito comum a programação de rádio ser retransmitida por alto-falantes nas ruas e praças.

Foi nesse período que o Estado passou a controlar as atividades do rádio com as leis e a censura. Durante a ditadura de Getúlio Vargas (1937-1945), o governo fazia sua propaganda e tentava desenvolver uma cultura nacionalista por meio do rádio; por isso, as empresas comerciais eram obrigadas a manter um aparelho ligado durante todo o tempo em que estivessem abertas ao público.

Com a chegada da televisão, o rádio começou a decair, principalmente nas décadas de 1960 e 1970. A televisão iniciava, de modo mais intensivo, sua programação, e com isso retirava do rádio não só a audiência, mas também os profissionais (programadores, artistas, locutores, redatores, atores) e, principalmente, os patrocinadores, os anunciantes. Foi o fim dos auditórios, dos programas musicais ao vivo, das radionovelas e programas humorísticos, principal conteúdo das rádios. As emissoras passaram a ser reprodutoras musicais da indústria de discos e produtoras de noticiários locais, regionais e nacionais, além de transmitir programas esportivos. Isso significou um redirecionamento dos investimentos em pessoal e equipamentos. É importante lembrar que nesse período a ditadura militar mantinha uma censura à programação, o que limitava as poucas alternativas das emissoras.

O rádio tomou novo impulso somente a partir da segunda metade da década de 1980, com a introdução das emissoras FM (que permitiam melhor recepção), o fim da censura e a disponibilidade de mais investimentos oriundos da publicidade. Foram então desenvolvidos programas para públicos específicos e constituídas grandes redes de rádio com abrangência de recepção nacional. O quadro a seguir mostra o crescimento das emissoras e de aparelhos receptores no Brasil desde 1922.

População, emissoras e aparelhos receptores de rádio no Brasil

Ano	População do Brasil (em milhões de habitantes)	Emissoras AM	Emissoras FM	Total de emissoras	Total de aparelhos receptores
1922	32	1	-	1	80
1930	40	65	-	65	30 mil
1945	41,1	117	-	117	3 milhões
1950	51,9	243	-	243	3,5 milhões
1960	70	934	-	934	4,7 milhões
1970	93,1	956	-	956	34 milhões
1980	119	1 151	152	1 303	52 milhões
1990	146,8	1 505	410	1 915	63 milhões
2000	169,8	1 687	1 338	3 025	90 milhões

Fontes: Instituto Brasileiro de Geografia e Estatística (IBGE), Ministério das Comunicações e Associação Brasileira das Emissoras de Rádio e Televisão (Abert), 2001.

Além das emissoras relacionadas, existem em torno de 10 mil rádios comunitárias que produzem programações específicas e com pouca abrangência, além das rádios piratas, presentes em muitos lugares, mas ausentes das estatísticas, já que são clandestinas. Hoje, muitas rádios são acessadas pela internet, o que significa uma nova forma de recepção dos programas. Essa união do rádio com a internet propiciou às emissoras uma nova forma de chegar a públicos variados, com notícia ou música.

Em vários lugares do mundo, desde as primeiras décadas do século XX, o rádio foi utilizado como um instrumento de dominação e reprodução ideológica e de sustentação do poder central. Isso aconteceu nos Estados Unidos, no Canadá, no Japão e em países europeus. O mesmo ocorreu no Brasil, especialmente sob o governo autoritário de Getúlio Vargas e no período ditatorial instalado de 1964 a 1985.

Hoje, aproximadamente 85% das emissoras comerciais em operação no Brasil estão em mãos de políticos de carreira que usam as transmissões de acordo com os interesses próprios e dos patrocinadores. Estes pressionam, por exemplo, para que sua empresa não seja relacionada a alguma notícia que a prejudique. A indústria de discos (CDs) também faz pressão para que seus produtos sejam agraciados com mais tempo de execução. Isso significa que os programas musicais ou jornalísticos das rádios não são independentes, pois estão vinculados aos interesses pessoais dos proprietários das emissoras, dos patrocinadores ou da indústria fonográfica.

São, assim, as rádios comunitárias, públicas e mesmo as piratas que criam espaços radiofônicos alternativos e podem desenvolver uma programação sem as limitações e os constrangimentos mencionados.

Rádio comunitária da favela Heliópolis, em São Paulo, fundada e dirigida por moradores do bairro. Com programação voltada para os interesses da comunidade, transmite as criações de grupos de *rap*, axé e música sertaneja que não têm espaço nas rádios comerciais.

A televisão brasileira

A televisão chegou ao Brasil no início da década de 1950, quando o jornalista Assis Chateaubriand inaugurou a primeira emissora brasileira, a TV Tupi, de São Paulo. No início, a emissora contava com a assessoria de técnicos estadunidenses e com profissionais oriundos das redes de rádio. Ela expandiu-se e, em 1955, os Diários e Emissoras Associadas (nome do grupo de Chateaubriand) já possuíam estações no Rio de Janeiro, Porto Alegre, Curitiba, Salvador, Recife, Campina Grande, Fortaleza, São Luís, Belém, Goiânia e Belo Horizonte. Assim, nos primeiros 20 anos de história, a rede de Chateaubriand liderou o mercado de televisão, mas enfrentou a concorrência de outras emissoras praticamente desde o início da empreitada.

Em seguida à implantação da TV Tupi, foram inauguradas a TV Paulista, em 1952, a Record de São Paulo, em 1955, e a TV Itacolomi de Belo Horizonte e a TV Rio, em 1958. Isso não significou, entretanto, uma grande expansão junto ao público: em 1960, apenas 4,60% dos domicílios brasileiros possuíam um aparelho de televisão, a maioria deles no Sudeste, o que correspondia a 12,44% dos domicílios da região. Veja a evolução posterior dessas porcentagens no quadro a seguir.

Domicílios brasileiros com televisão (em %)

Região	1960	1970	1980	1990	2000
Norte	0,00	8,00	33,90	48,70	69,70
Nordeste	0,26	6,00	28,10	47,20	78,50
Centro-Oeste	0,34	10,50	44,70	69,70	87,10
Sudeste	12,44	38,40	74,10	84,40	94,20
Sul	0,80	17,30	60,50	79,70	91,50
Brasil	4,60	22,80	56,10	71,00	89,10

Fonte: Instituto Brasileiro de Geografia e Estatística (IBGE). 2006

Ao longo dos mais de cinqüenta anos de história da televisão no Brasil, o Estado, por intermédio dos sucessivos governos, influiu diretamente nessa indústria. Sempre deteve o poder de conceder e cancelar concessões, mas nunca deixou de estimular as emissoras comerciais. Nas décadas de 1950 e 1960, o poder público contribuiu de forma substancial para o crescimento da televisão mediante empréstimos concedidos por bancos públicos a emissoras privadas.

De pé: Jorge Ben Jor, Caetano Veloso, Gilberto Gil, Rita Lee e Gal Costa; agachados: Sérgio e Arnaldo Baptista. Essa era a escalação de músicos para a estréia do programa "Divino, maravilhoso" na TV Tupi, em outubro de 1968. Apesar do sucesso, o programa durou pouco, por causa das sucessivas censuras a ele impostas pela ditadura.

Foi a partir de 1964, no entanto, com o início do regime militar, que a interferência do Estado na televisão aumentou de forma quantitativa e qualitativa. As telecomunicações foram consideradas estratégicas pelos militares, pois serviriam de instrumento para colocar em prática a política de desenvolvimento e integração nacional. Os militares fizeram os investimentos necessários em infra-estrutura para viabilizar a ampliação da abrangência da televisão e aumentaram seu poder na programação por meio de novas regulamentações, forte censura e políticas culturais normativas.

Em 1968 foi inaugurado um sistema de transmissão de microondas e, em 1974, foram criadas novas estações via satélite. Em 1981, um acordo da Empresa Brasileira de Telecomunicações (Embratel) com as redes Bandeirantes e Globo permitiu às emissoras transmitir sua programação para todo o território nacional. Os sinais podiam ser captados por qualquer antena parabólica, o que facilitou muito o acesso de regiões distantes de estações repetidoras e estimulou o surgimento de uma indústria de antenas parabólicas. A comunicação via satélite foi incrementada em 1985 e 1986, com o lançamento dos dois primeiros satélites brasileiros.

O projeto de integração nacional pretendido pelo regime militar, alicerçado numa política cultural específica, alcançou êxito graças à televisão. Ao espalhar antenas e lançar satélites que cobriam todo o território brasileiro, o projeto oferecia a infra-estrutura para que o país fosse integrado, via televisão.

Durante o regime militar, as redes de televisão — que eram privadas — obedeciam fielmente às determinações do Estado (que tinha o poder de conceder e retirar concessões quando bem entendesse), cumprindo à risca o que mandava o governo militar. Os programas transmitidos passavam a impressão de que o governo era legítimo e vivíamos numa democracia. A maior beneficiária desse modelo foi a Rede Globo. Fundada em 1965, cresceu rapidamente, apoiada nas relações amistosas com o regime militar, em sintonia com o incremento do mercado de consumo. Internamente, contava com uma equipe de produção e administração preocupada em otimizar o *marketing* e a propaganda. O programa de maior audiência foi a telenovela, que se tornou um "produto cultural brasileiro", criado por um grupo de artistas e diretores nascidos no cinema e no teatro.

Parabólicas em palafita no rio Negro, Amazônia: a televisão presente em todas as paisagens do território nacional. Em 2003, 90% das residências do país dispunham de pelo menos um aparelho de TV.

O modelo de televisão estabelecido pela ditadura sobreviveu ao regime militar e ganhou ainda mais poder. Com o fim do regime, as emissoras continuaram atendendo aos governos seguintes, sempre dando a impressão de ser livres e democráticas. A televisão converteu-se, enfim, em fonte de poder político.

As relações entre o Estado e as emissoras modificaram-se na década de 1990, quando os investimentos públicos diminuíram, a censura foi abolida e o mercado se alterou com a introdução da transmissão a cabo. O aumento da competição entre as redes de televisão aberta poderia ter levado as emissoras, independentemente de sua orientação política, a adotar uma postura mais autônoma em relação aos governos e aos partidos políticos, mas não foi o que se viu: elas continuaram a seguir o pensamento e as orientações de quem estava no poder.

Regina Duarte em cena da novela *Selva de pedra*, da Rede Globo. Levada ao ar entre 1972 e 1973, a novela atingiu 100% de audiência, segundo o Ibope, no capítulo do dia 4 de outubro de 1972.

Como o rádio, a televisão é controlada pelo poder público por meio das regulamentações e também da propaganda oficial. O governo é um grande "patrocinador" até de jornais e outros veículos de comunicação que se dizem independentes. Embora esses veículos tenham grande liberdade, o controle do poder público se manifesta quando, por força do "patrocínio", não permite que sejam feitas críticas ao governo, ou que se divulguem os protestos contra ele, ou ainda que sejam discutidas de modo mais aprofundado as questões políticas fundamentais do país. Às vezes há pressão direta do governo sobre determinados jornais (televisivos ou não) para que cessem críticas e até demitam jornalistas.

Existem, é verdade, redes de televisão pública que apresentam programação de boa qualidade, mas atingem apenas uma pequena parcela da população. Além disso, há uma diversidade muito grande na forma de administrar esses veículos, que podem ser federais, estaduais e até locais, como as redes universitárias. Isso gera uma situação difícil no processo de construção de uma televisão que veicule programas de boa qualidade em nível nacional, já que os interesses são múltiplos.

A programação da televisão. A televisão é, no Brasil, o meio de comunicação com presença mais marcante, sendo o principal veículo de difusão cultural e de informação. Apesar de o rádio ter maior abrangência, principalmente por causa do baixo custo e do pequeno porte dos aparelhos, a televisão atinge quase a totalidade do território nacional. Os produtos que ela desenvolve de alguma forma definem o que é importante e o que não é, ou seja, o gosto, a sexualidade, a opção política, o desejo de consumo e outros sentimentos são promovidos prioritariamente pela televisão comercial.

Ana Paula Arósio vive uma imigrante italiana em *Terra nostra*, da Rede Globo. No período em que a novela esteve no ar, entre 1999 e 2000, o sotaque italiano ganhou as ruas.

A influência da televisão pode ser facilmente constatada nas conversas do dia-a-dia, nas quais se observa a freqüente adoção de gírias, expressões e gracejos criadas por personagens dos programas de maior audiência. Quem não ouviu, por exemplo, a expressão "é *vero*", quando fazia sucesso a novela *Terra Nostra*, da Rede Globo, que mostrava a presença de imigrantes italianos no Brasil?

Essa influência é bastante preocupante, pois existem graves problemas relacionados à informação e à formação de opinião. Há, por exemplo, programas de crônica urbana e policial nos quais julgamentos são feitos sem nenhuma possibilidade de revisão. Alguns deles apresentam e analisam (sem pesquisar) os fatos, e normalmente formulam um veredicto para os casos policiais, ou seja, fazem julgamento precipitado e muitas vezes errado. Outros reconstituem casos policiais (assassinatos, normalmente) não resolvidos. Os produtores desse tipo de programa fazem um trabalho de detetives e, por meio de delações, conseguem "resolver" casos considerados impossíveis. Não se sabe se resolvem de fato ou não; só chega ao conhecimento do telespectador o que o programa afirma que aconteceu.

E o jornalismo? Os programas desse gênero pouco informam, já que as notícias precisam ser rápidas e, quase sempre, variadas: um terremoto na China, uma festa no Haiti, um campeonato esportivo na Espanha, uma situação inusitada na Venezuela, um ato governamental no Brasil. Situações completamente diferentes aparecem com a mesma importância e como se estivessem acontecendo no mesmo momento e num mesmo lugar, deslocando-se a historicidade dos fatos para um mundo e seqüência que não existem.

Os programas de domingo, para comentar um último exemplo, são de qualidade tão deplorável que só reforçam a idéia de Theodor Adorno de que o entretenimento é utilizado para anestesiar a capacidade das pessoas de pensar e refletir sobre a vida e as condições reais de existência.

É possível uma televisão diferente? Embora a programação e os comerciais da televisão brasileira influenciem os hábitos e costumes da população, favorecendo uma homogeneização de comportamentos, não se pode pensar que os indivíduos sejam receptores passivos que gravam as mensagens e passam automaticamente a repeti-las. Há sempre uma (re)elaboração do que se vê e escuta, além de muitos outros elementos que influenciam o comportamento e a opinião pública. Se não fosse assim, o regime militar instalado em 1964 teria total aceitação da população brasileira e até poderia ter sobrevivido ao fim do milagre econômico, pois os meios de comunicação, em especial a televisão, com seus programas e noticiários, eram plenamente favoráveis a ele, principalmente a Rede Globo, emissora que detinha na época (e detém até hoje) a maior audiência nacional.

O filósofo brasileiro Renato Janine Ribeiro, em seu livro *O afeto autoritário*: *televisão, ética e democracia*, analisa a televisão brasileira de um ângulo muito interessante. Deve-se levar em conta, diz ele, a importância que a televisão tem no Brasil, pois ela dá para a sociedade uma pauta de conversa. Basta ouvir o que as pessoas estão falando numa segunda-feira para saber o que foi ao ar nos principais programas dominicais. Se você não viu nenhum, é bem possível que nada tenha para dizer.

Grafite do projeto "Mídia de quem?", do grupo de ativistas Street Art Workers. Intervindo nas ruas de várias cidades dos Estados Unidos, o grupo critica a falta de conteúdo dos programas televisivos. Essa crítica também vale para o Brasil?

A televisão também desempenha um papel na reflexão do Brasil atual, principalmente por meio das telenovelas, que levam para um público de 80 milhões de telespectadores algumas questões pouco discutidas ou até silenciadas — como o homossexualismo, por exemplo, que de "assunto proibido" tornou-se objeto de ampla discussão por ter sido abordado em novelas.

Outros temas, como os direitos da mulher, o preconceito racial, a violência e os direitos dos portadores de necessidades especiais, tornam-se objetos de discussão pela população porque as telenovelas os colocam em pauta. Pode-se dizer que as discussões são superficiais e não levam a uma crítica mais ampla da sociedade; entretanto, elas são importantes pelo simples fato de trazerem à luz aqueles temas, pois é melhor falar sobre eles do que ficar em silêncio.

Janine Ribeiro deixa claro, também, que há alguns assuntos que as novelas não discutem, como as questões sociais, a desigualdade de classes e o autoritarismo do patrão sobre o empregado. São problemas que ainda não conseguimos resolver nem discutir, mas não interessa às empresas de comunicação que isso seja feito. Como as relações de desigualdade estão internalizadas no imaginário popular, os espectadores, que muitas vezes agem da mesma forma, passam até a achar agradáveis e positivas as personagens autoritárias e despóticas, tomando a afirmação da desigualdade como algo natural. Isso fica evidenciado de modo muito claro quando se trata das relações entre patrão e empregado.

E qual seria a alternativa para melhorar pelo menos um pouco a programação da televisão? Uma possibilidade estaria na criação de mecanismos de democratização dos meios de comunicação, de modo que não houvesse uma concentração tão grande nas mãos de poucos. No caso da televisão, um dos caminhos seria a concessão de canais para centrais sindicais, Organizações Não Governamentais (ONGs) e outras instituições de caráter público que pudessem transmitir informação e cultura, pulverizando as transmissões no Brasil.

Quanto aos excessos da programação — de sensacionalismo, de informações tendenciosas, de baixa qualidade dos programas, de manipulação do público, de violência —, muitos pensam que a solução seja a censura. Mas quem define o que é excesso? A história tem comprovado que censurar não é o caminho. Para Janine Ribeiro, o essencial é a formação de um público crítico. E a própria televisão pode colaborar nesse sentido, como ele destaca no trecho de seu livro apresentado no quadro a seguir.

nas palavras
DE JANINE RIBEIRO

Público crítico

[...] O melhor modo de controlar os excessos da TV é ter um público que seja crítico. E o único modo de tê-lo é fazendo que ele conheça os vários meios — que seja alfabetizado em livros, em jornais, em rádios, em computação, em artes. A própria TV, a TV boa, como a cultural, ou os nichos de inteligência que há nos canais comerciais, pode ajudar nisso. Não precisa dar aulas. Mas pode aprofundar questões, mostrar dois lados da mesma situação, dar a seu público um pouco do grande patrimônio mundial. Pode também vencer seu complexo de inferioridade e parar de falar mal da "velha" mídia, dos livros e bibliotecas. Há lugar para tudo na cultura, e só ganha quem aposta em tudo.

RIBEIRO, Renato Janine. *O afeto autoritário: televisão, ética e democracia.* Cotia: Ateliê Editorial, 2004. p. 35.

A inclusão digital

O caminho mais rápido e tranqüilo para a democratização dos meios de comunicação de massa no Brasil ainda é o desenvolvimento da internet. É necessário, no entanto, que o acesso a esse meio seja ampliado de modo significativo. Isso feito, poderemos ter um canal diferenciado de informação e cultura.

O acesso à internet no Brasil ainda é bastante restrito, o que constitui mais um aspecto das desigualdades no país. Dados de pesquisa realizada em 2006 pelo Comitê Gestor da Internet no Brasil (CGIBr) mostram que a imensa maioria da população nunca acessou a rede mundial de computadores. Somente 33,3% dos brasileiros tiveram contato com a internet. Entre os mais ricos, 95% já acessaram a rede, mas, entre os mais pobres, apenas 12,2%.

O acesso residencial é outro índice que revela a maciça exclusão do direito de uso das tecnologias de informação e comunicação. De acordo com a pesquisa, mais de 85% da população não tem acesso à internet em suas casas. Entre os mais ricos, 81,5% acessam a rede mundial em suas residências e, entre os mais pobres (classes D e E), somente 1,6%.

Essa desigualdade aparece também entre as diversas regiões brasileiras. No Sudeste, 18,74% das residências têm algum tipo de acesso à internet. Na região Norte, esse número cai para 6,15% e, na região Nordeste, para 5,54%. No Nordeste, 77,6% das pessoas nunca navegaram na internet, independentemente do local do acesso.

Também há desigualdade racial: 39% dos brancos já acessaram a rede contra 26,8% dos negros, 28% dos pardos e 29,9% dos indígenas.

Como vimos, a indústria cultural no Brasil desenvolveu boa parte de sua trajetória à sombra de governos autoritários ou sob regras rígidas, que não permitiram sua democratização até os dias de hoje, mas sempre houve brechas nas quais se pôde veicular conteúdos críticos e de boa qualidade. Autores e atores, jornalistas e comentaristas demonstraram, por meio de filmes, novelas e debates, que não há espaço totalmente controlado. A própria concorrência entre os meios de comunicação muitas vezes propicia a veiculação de produtos que instigam a reflexão sobre a situação nacional.

Nesse processo, a internet caracteriza-se como um meio que proporciona uma liberdade sem igual. Pode-se dizer, assim, que existe um potencial de liberdade em cada meio de comunicação e, principalmente, na internet, que nenhum sistema de dominação pode conter ou calar.

Para a grande maioria da população brasileira, o computador ainda é um equipamento inacessível. Charge de Laerte.

Cenários DA CULTURA E DA INDÚSTRIA CULTURAL NO BRASIL

Antes o mundo não existia

Quando eu vejo as narrativas, mesmo as narrativas chamadas antigas, do Ocidente, as mais antigas, elas sempre são datadas. Nas narrativas tradicionais do nosso povo, das nossas tribos, não tem data, é quando foi criado o fogo, é quando foi criada a Lua, quando nasceram as estrelas, quando nasceram as montanhas, quando nasceram os rios. Antes, antes, já existe uma memória puxando o sentido das coisas, relacionando o sentido dessa fundação do mundo com a vida, com o comportamento nosso, com aquilo que pode ser entendido como o jeito de viver. Esse jeito de viver que informa nossa arquitetura, nossa medicina, a nossa arte, as nossas músicas, nossos cantos.

[...]

Alguns anos atrás, quando eu vi o quanto que a ciência dos brancos estava desenvolvida, com seus aviões, máquinas, computadores, mísseis, eu fiquei um pouco assustado. Eu comecei a duvidar que a tradição do meu povo, que a memória ancestral do meu povo, pudesse subsistir num mundo dominado pela tecnologia pesada, concreta. E que talvez a gente fosse um povo como a folha que cai. E que a nossa cultura, os nossos valores, fossem muito frágeis para subsistirem num mundo preciso, prático: onde os homens organizam seu poder e submetem a natureza, derrubam as montanhas. Onde um homem olha uma montanha e calcula quantos milhões de toneladas de cassiterita, bauxita, ouro ali pode ter. Enquanto meu pai, meu avô, meus primos, olham aquela montanha e vêem o humor da montanha e vêem se ela está triste, feliz ou ameaçadora, e fazem cerimônia para a montanha, cantam para ela, cantam para o rio... mas o cientista olha o rio e calcula quantos megawatts ele vai produzir construindo uma hidrelétrica, uma barragem.

Nós acampamos no mato, e ficamos esperando o vento nas folhas das árvores, para ver se ele ensina uma cantiga nova, um canto cerimonial novo, se ele ensina, e você ouve, você repete muitas vezes esse canto, até você aprender. E depois você mostra esse canto para os seus parentes, para ver se ele é reconhecido, se ele é verdadeiro. Se ele é verdadeiro ele passa a fazer parte do acervo dos nossos cantos.

Mas um engenheiro florestal olha a floresta e calcula quantos milhares de metros cúbicos de madeira ele pode ter. Ali não tem música, a montanha não tem humor, e o rio não tem nome. É tudo coisa. Essa mesma cultura, essa mesma tradição, que transforma a natureza em coisa, ela transforma os eventos em datas, tem antes e depois.

KRENAK, Ailton. Antes, o mundo não existia. In: NOVAES, Adauto (org.). *Tempo e história*. São Paulo: Companhia das Letras, 1992. p. 202-3.

1. O texto de Krenak indica outra forma de pensar o mundo da cultura. Você acredita que o tipo de cultura defendido por ele tem condições de sobreviver num mundo cada dia mais tecnificado?

2. O que esse tipo de visão de mundo pode ensinar para as pessoas que vivem em nossa sociedade, no século XXI?

Estragou a televisão

— Iiiih...

— E agora?

— Vamos ter que conversar.

— Vamos ter que o quê?

— Conversar. É quando um fala com o outro.

— Fala o quê?

— Qualquer coisa. Bobagem.

— Perder tempo com bobagem?

— E a televisão, o que é?

— Sim, mas aí é a bobagem dos outros. A gente só assiste. Um falar com o outro, assim, ao vivo... Sei não...

— Vamos ter que improvisar nossa própria bobagem.

— Então começa você.

— Gostei do seu cabelo assim.

— Ele está assim há meses, Eduardo. Você é que não tinha...

— Geraldo.

— Hein?

— Geraldo. Meu nome não é Eduardo, é Geraldo.

— Desde quando?

— Desde o batismo.

— Espera um pouquinho. O homem com quem eu casei se chamava Eduardo.

— Eu me chamo Geraldo, Maria Ester.

— Geraldo Maria Ester?!

— Não, só Geraldo. Maria Ester é o seu nome.

— Não é não.

— Como não é não?

— Meu nome é Valdusa.

— Você enlouqueceu, Maria Ester?

— Por amor de Deus, Eduardo...

— Geraldo.

— Por amor de Deus, meu nome sempre foi Valdusa. Dusinha, você não se lembra?

— Eu nunca conheci nenhuma Valdusa. Como é que eu posso estar casado com uma mulher que eu nunca... Espera. Valdusa. Não era a mulher do, do... Um de bigode.

— Eduardo.

— Eduardo!

— Exatamente. Eduardo. Você.

— Meu nome é Geraldo, Maria Ester.

— Valdusa. E, pensando bem, que fim levou o seu bigode?

— Eu nunca usei bigode!

— Você é que está querendo me enlouquecer, Eduardo.

— Calma. Vamos com calma.

— Se isso for alguma brincadeira sua...

— Um de nós está maluco. Isso é certo.

— Vamos recapitular. Quando foi que nós casamos?

— Foi no dia, no dia...

— Arrá! Está aí. Você sempre esqueceu o dia do nosso casamento. Prova de que você é o Eduardo e a maluca não sou eu.

— E o bigode? Como é que você explica o bigode?

— Fácil. Você raspou.

— Eu nunca tive bigode, Maria Ester!

— Valdusa!

— Está bom. Calma. Vamos tentar ser racionais. Digamos que o seu nome seja mesmo Valdusa. Você conhece alguma Maria Ester?

— Deixa eu pensar. Maria Ester... Nós não tivemos uma vizinha chamada Maria Ester?

— A única vizinha de que eu me lembro é a tal de Valdusa.

— Maria Ester. Claro. Agora me lembrei. E o nome do marido dela era... Jesus!

— O marido se chamava Jesus?

— Não. O marido se chamava Geraldo.

— Geraldo...

— É.

— Era eu. Ainda sou eu.

— Parece...

— Como foi que isso aconteceu?

— As casas geminadas, lembra?

— A rotina de todos os dias...

— Marido chega em casa cansado, marido e mulher mal se olham...

— Um dia marido cansado erra de porta, mulher nem nota...

— Há quanto tempo vocês se mudaram daqui?

— Nós nunca nos mudamos. Você e o Eduardo é que se mudaram.

— Eu e o Eduardo, não. A Maria Ester e o Eduardo.

— É mesmo...

— Será que eles já se deram conta?

— Só se a televisão deles também quebrou.

VERISSIMO, Luis Fernando. Estragou a televisão. In: *Histórias brasileiras de verão: as melhores crônicas da vida íntima.* Rio de Janeiro: Objetiva, 1999. p. 83-6.

A televisão é um dos meios de comunicação de maior penetração nas casas de pessoas de todas as classes sociais no Brasil. Você acha que ela tem a capacidade de isolar as pessoas ou define o espaço de uma nova sociabilidade no interior das famílias? Ela pode gerar discussões sobre temas importantes, de comportamento ou políticos, ou apenas distrai e aliena as pessoas?

PARA REFLETIR

Televisão e sexualidade

O famoso autor de novelas Agnaldo Silva, ao responder se o bombardeio de sexo na televisão aberta pode, de alguma maneira, estimular a sexualidade precoce nas crianças, respondeu da seguinte forma:

> Não é só na TV aberta. No Brasil, houve um momento em que esse negócio de sexo exacerbou de tal maneira que as meninas de 12 anos agora são moças! Houve uma mudança hormonal qualquer nas meninas — não nos meninos, que continuam meninos até os 18 anos — e elas, aos dez anos, começam a virar mulheres. É uma coisa pavorosa, porque você vê crianças com um apelo sexual incrível! Está errado! Isso foi uma mudança cultural no Brasil dos anos 1980 para cá que ainda não foi devidamente estudada pelos antropólogos e sociólogos de plantão, que estão mais preocupados com a política do que com qualquer outra coisa e não percebem que isso também é política. [...] A brasileira não é diferente de nenhuma outra mulher do mundo, mas a levaram a acreditar que ela é um vulcão de sensualidade, e agora a maioria se comporta como tal. Vi em várias ocasiões pais que incentivavam filhas de 7 anos a dançar na boquinha da garrafa! Essas coisas estão na TV, nas revistas, em todos os lugares! Aonde é que vamos parar? Foi por isso que botei aquela personagem adolescente grávida na novela, porque passei três vezes na frente de uma maternidade do Estado e vi que na fila das grávidas, onde havia umas 30 mulheres, pelo menos 20 eram adolescentes, e pelo menos duas não teriam mais que 11 anos. Todas lá, com o barrigão de fora, como se dissessem com orgulho "olha até onde me levou a minha sensualidade!".

SILVA, Agnaldo. In: DANNEMANN, Fernanda. A próxima atração. *Cult: revista brasileira de literatura*, São Paulo, n. 91, p. 8-11, abr. 2005.

1. Você acha que a situação descrita por Agnaldo Silva é apenas uma visão pessoal ou é algo concreto, que pode ser observado no cotidiano?
2. Você acredita que a televisão tem o poder de afetar o comportamento das jovens porque elas são "socializadas" desde pequenas por programas de auditório?
3. Ao explorar cenas de sexo, as novelas formam uma visão distorcida da vida sexual do brasileiro? Que interesse haveria em construir a imagem da mulher brasileira como "um vulcão de sensualidade"?

PARA ORGANIZAR O CONHECIMENTO

1. Verifique no quadro abaixo os equipamentos culturais e meios de comunicação que se tornaram mais ou menos presentes nos municípios brasileiros no período de 1999 a 2005. Utilize os conceitos de cultura, ideologia e indústria cultural para analisar o significado do maior ou menor crescimento dos diferentes itens.

Percentual de municípios que possuem os equipamentos culturais e meios de comunicação no Brasil

Equipamentos culturais e meios de comunicação	1999	2001	2005
Bibliotecas públicas	76,3	78,7	85,0
Cinemas	7,2	7,5	9,1
Teatros ou salas de espetáculos	9,1	8,4	10,7
Museus	13,7	18,8	20,9
Estações de rádio AM	20,2	20,6	21,7
Estações de rádio FM	33,9	38,2	51,3
Livrarias	35,5	42,7	31,0
Provedores de internet	16,4	22,7	46,0
Unidades de ensino superior	—	19,6	31,1
Videolocadoras	63,9	64,1	77,5
Estádios e ginásios esportivos	65,0	75,9	77,4
Lojas de CDs, fitas cassete, e DVDs	34,4	49,2	54,8

Fonte: Informações Básicas Municipais do Instituto Brasileiro de Geografia e Estatística (IBGE), 2006.

2. Vimos que no Brasil os meios de comunicação estão nas mãos de empresas privadas, em sua maioria controladas por grupos que não querem mudança social, isto é, que desejam que tudo fique como está, preocupando-se apenas em manter seus lucros e seu domínio. Relacionando o poder dos grupos econômicos, do Estado e das empresas de comunicação, responda: Quem tem mais poder, as empresas de comunicação ou o governo?

3. Quem decide o que vai ser veiculado no rádio e na televisão tem a preocupação de desenvolver uma visão crítica e elevar o conhecimento das pessoas? Cite exemplos e desenvolva argumentos que fundamentem sua resposta.

LIVROS RECOMENDADOS

Consumidores e cidadãos, de Néstor García Canclini. Ed. UFRJ.
Uma análise atual e original das relações entre o consumo de bens culturais, o alcance da indústria cultural, a democratização e a participação política no mundo globalizado.

O que é cultura, de José Luiz dos Santos. Brasiliense.
O autor trabalha com o conceito de cultura histórica e criticamente. Analisa os conceitos de evolucionismo, relativismo e diversidade cultural de maneira didática. Critica a oposição entre cultura erudita e cultura popular, além de analisar a cultura de massa e a cultura nacional.

O que é ideologia, de Marilena Chaui. Brasiliense.
A leitura não é muito simples, mas, se for bem orientada, poderá ser compensadora.
Dos gregos, passando pelos iluministas, a autora chega ao conceito de ideologia em Marx, explicando-o com base em elementos cotidianos.

SUGESTÃO DE FILMES

Cidadão Kane (EUA, 1941). Direção: Orson Welles. Elenco: Joseph Cotten, Orson Welles e Dorothy Comingore.
Reconstrução da trajetória do empresário da imprensa Charles Foster Kane, que, ao herdar uma fortuna, passa a se dedicar à construção de um império jornalístico. Um filme que desvenda as práticas desenvolvidas por muitos proprietários de meios de comunicação na busca do sucesso.

Violação de privacidade (EUA, 2004). Direção: Omar Naim. Elenco: Robin Williams, Mira Sorvino e James Caviezel.
Por meio de *microchips* implantados no cérebro dos bebês, tudo o que eles vêem, ouvem, dizem e fazem, da hora em que nascem à hora em que morrem, é registrado e posteriormente editado e transformado em um filme, que a família e os amigos podem guardar como recordação. Ao abrir os registros da memória de um executivo de uma poderosa empresa, um profissional que edita o passado das pessoas descobre informações que acabam colocando sua própria vida em perigo.

Unidade 7

Mudança e transformação social

Não existem sociedades sem mudanças. Às vezes não percebemos as alterações, mas elas acontecem a todo momento, em toda parte. Há transformações maiores, que atingem toda a humanidade, e menores, que acontecem no cotidiano das pessoas. Normalmente elas estão interligadas.

Duas grandes transformações vividas pela humanidade, mais tarde conhecidas como revolução agrícola e revolução industrial, não foram percebidas de imediato pelas pessoas, pois aconteceram lentamente. Hoje, há mudanças provocadas pela engenharia genética, pela nanotecnologia, pela robótica, pelos sistemas de comunicação ou pela busca de alternativas energéticas, mas não conseguimos enxergar todos os seus efeitos em nossa vida.

Existem, porém, transformações mais evidentes, como as relacionadas às revoluções políticas e sociais dos séculos XVIII e XIX, na Europa. Essas transformações suscitaram a reflexão de vários pensadores e o próprio desenvolvimento da Sociologia. Outras revoluções aconteceram no século XX, como a mexicana, a russa, a chinesa e a cubana, e repercutiram em todo o mundo.

Mudança social e Sociologia

Capítulo 21

A Sociologia nasceu da crise provocada pela desagregação do sistema feudal e pelo surgimento do capitalismo. As transformações decorrentes desse processo abalaram todos os setores da sociedade européia e depois atingiram a maior parte do mundo. Muitos autores se esforçaram para entender o que estava ocorrendo.

A mudança social para os clássicos da Sociologia

Como a Sociologia é fruto de mudanças sociais, um de seus pontos fortes é a discussão sobre as transformações e crises nas diversas sociedades. No século XIX uma das idéias que orientava as discussões era a de progresso. Conforme Robert Nisbet, sociólogo estadunidense, a idéia de progresso tinha raízes no pensamento grego e, desde a Antiguidade, esteve presente no imaginário de todas as sociedades, mas no século XVIII, com o surgimento do Iluminismo, e no XIX ela ocupou um lugar destacado e permeou o pensamento de muitos autores.

Auguste Comte. Dos pensadores do século XIX, Comte foi um dos que mais influenciou o pensamento social posterior. Desde cedo rompeu com a tradição familiar, monarquista e católica, tornou-se republicano, adotando as idéias liberais, e passou a desenvolver uma atividade política e literária que lhe permitiu elaborar uma proposta para resolver os problemas da sociedade de sua época. Toda sua obra está permeada pelos acontecimentos da França pós-revolucionária. Defendendo sempre o espírito da Revolução Francesa de 1789 e criticando a restauração da monarquia, Comte se preocupou fundamentalmente com a organização da nova sociedade que estava em ebulição e em grande confusão.

Comte acreditava que a mudança social estava situada na mente, na qualidade e quantidade de conhecimentos sobre as sociedades. Com base nisso, ele afirmou que a humanidade percorreu três estágios no processo da evolução do conhecimento:

- Primeiro estágio — teológico. As pessoas atribuíam a entidades e forças sobrenaturais as responsabilidades pelos acontecimentos. Essas entidades podiam ser os espíritos existentes nos objetos, animais e plantas (fetichismo), vários deuses (politeísmo) ou um deus único e onipotente (monoteísmo).
- Segundo estágio — metafísico. Surgiu quando as entidades sobrenaturais foram substituídas por idéias e causas abstratas e, portanto, racionais. Seria o momento da Filosofia.
- Terceiro estágio — positivo. Corresponde à era da ciência e da industrialização, na qual se invocam leis com base na observação empírica, na comparação e na experiência. Seria o momento da Sociologia.

Esse último estágio foi ampliado porque a ciência tem desenvolvimento contínuo, sempre em busca de mais conhecimentos, que geram um crescimento quantitativo e qualitativo constante.

Obras de arte de diferentes autores e épocas evocam o espírito dominante em cada estágio da evolução do conhecimento. Da esquerda para a direita, os estágios teológico, metafísico e positivo, representados, respectivamente, pelas telas de Giotto (*Crucifixo*, 1320-1325), Rafael (*A escola de Atenas*, 1511) e Daumier (*O encontro dos advogados*, 1880).

Em termos sociológicos, Comte dividiu seu sistema em dois campos: o estático e o dinâmico, que estariam expressos nas palavras *ordem* e *progresso*. Toda mudança, isto é, o progresso, deveria estar condicionada pela manutenção da ordem social. Nesse sentido, sua opção era conservadora, pois admitia a mudança (progresso), mas limitava-a a situações que não alterassem profundamente a situação vigente (ordem). A expressão que pode resumir bem seu pensamento é: "nem restauração nem revolução", isto é, não devemos voltar à situação feudal nem querer uma sociedade diferente desta em que vivemos.

Para nós, brasileiros, isso é muito claro, pois, desde a instauração da República, assumiu-se no país o lema positivista, "ordem e progresso", que norteia as ações dos que dominam nossa sociedade.

Karl Marx. Em seus estudos sobre as transformações sociais, Marx também analisou a Revolução Francesa, mas a considerou puramente política, já que não alterou substancialmente a vida dos que nada tinham. De acordo com ele, apesar de ter sido fundamental para o fim do feudalismo, essa revolução foi parcial, pois, realizada por uma minoria, não emancipou a sociedade toda.

Para Marx o radicalismo de uma revolução está no fato de ela ser realizada por quem é maioria na sociedade. Só uma classe capaz de representar os interesses de libertação para todos pode liderar uma transformação, pois esta é sempre o resultado dos conflitos entre as classes fundamentais da sociedade. No capitalismo essas classes são a burguesia e o proletariado. E só o proletariado pode transformar essa sociedade.

Mas por que a teoria marxista atribuía ao proletariado o poder revolucionário? O sociólogo francês Robert Castel, esclarece isso no seu livro *As metamorfoses da questão social*: "A constituição de uma força de contestação e de transformação social supõe a reunião de pelo menos três condições: uma organização estruturada em torno de uma condição comum, a posse de um projeto alternativo de sociedade, o sentimento de ser indispensável para o funcionamento da máquina social. Se a história social gravitou durante mais de um século em torno da questão operária, é porque o movimento operário realizava a síntese dessas três condições: tinha seus militantes e seus aparelhos, era portador de um projeto de futuro, e era o principal produtor da riqueza social na sociedade industrial".

Revolução e violência: segundo Marx, a primeira não se realiza sem a segunda. À esquerda, representação da invasão do Palácio das Tulherias pela multidão insurgente no dia 10 de agosto de 1792. Nesse mesmo dia a Assembléia Legislativa suspendeu os poderes de Luís XVI. Em janeiro do ano seguinte o rei seria guilhotinado. À direita, Guarda Nacional reprime revoltosos em Paris, em 1848.

Entretanto, para Marx, a transformação não parte do zero. Ela sempre nega e supera uma situação anterior; os participantes de uma revolução utilizam a cultura e as tecnologias transmitidas pelas gerações anteriores para criar novas formas de organização produtiva e política.

As transformações sempre incorporam alguma coisa do passado. A parte do passado que é incorporada e a maneira como isso ocorre muitas vezes condicionam o resultado das mudanças futuras. Há um processo de continuidade e ruptura que depende das forças sociais em conflito. Tais forças definem o que será preservado e o que será abandonado.

Marx destacou que na atividade revolucionária os indivíduos se transformam para mudar as condições sociais em que vivem. Observou, ainda, que as revoluções só seriam possíveis por meio da violência, a "parteira da história", pois os que detinham o poder jamais abririam mão dele e de seus privilégios pacificamente.

Émile Durkheim. Outro autor clássico da Sociologia, Durkheim procurou analisar a questão da mudança social. Ele observou que, na história das sociedades, houve uma evolução da solidariedade mecânica para a orgânica por causa da crescente divisão do trabalho. Isso se deveu a fatores demográficos: o crescimento populacional, que gerava uma concentração de pessoas em determinados territórios, ocasionava intensidade de interações, complexidade de relações sociais e aumento da qualidade dos vínculos sociais. Essa visão dicotômica e evolutiva pode ser resumida no quadro a seguir, elaborado pelo sociólogo polonês Piotr Sztompka:

Mudança social

Característica	Solidariedade mecânica	Solidariedade orgânica
Caráter das atividades	Similar, uniforme	Altamente diferenciada
Principal vínculo social	Consenso moral e religioso	Complementaridade e dependência mútua
Posição do indivíduo	Coletivismo, com ênfase no grupo	Individualismo, com ênfase em indivíduos autônomos
Estrutura econômica	Grupos isolados, autárquicos, auto-suficientes	Divisão do trabalho, dependência mútua entre grupos, intercâmbio
Controle social	Leis repressivas para a punição de ofensas (Direito Criminal)	Leis restitutivas para a salvaguarda de contratos (Direito Civil)

SZTOMPKA, Piotr. *A sociologia da mudança social.* Rio de Janeiro: Civilização Brasileira, 1998. p. 188.

Como se pode perceber, a maior preocupação de Durkheim eram as questões que envolviam a integração e as formas como ela ocorria em cada tipo de sociedade.

Max Weber. Weber analisou a mudança social relacionada ao nascimento da sociedade capitalista. Além das condições econômicas, procurou centrar sua análise no plano das idéias, das crenças e dos valores que permitiram a mudança.

No livro *A ética protestante e o espírito do capitalismo* (1904-1905), Weber desenvolveu a idéia de que a ética protestante foi fundamental para a existência do capitalismo, pois propiciou maior acumulação de capital ao valorizar o trabalho e um modo de vida disciplinado, responsável e racional, sem gastos ostentatórios. Ele enfatizou o esforço individual dos capitalistas, que procuravam utilizar o cálculo racional para garantir a eficiência na produção de mercadorias, tendo por objetivo o ganho monetário. Os trabalhadores, por sua vez, passaram a ver o trabalho como um valor em si mesmo. Assim, além das condições econômicas, determinadas idéias e valores explicariam por que só no Ocidente desenvolveu-se o capitalismo.

Feira da Antuérpia, importante centro portuário e comercial da Europa no século XVI. Compatível com o "espírito do capitalismo", a ética protestante valoriza o trabalho e as atividades da vida secular.

Weber também analisou a mudança social com base em tipos ideais de ação e de dominação (que já estudamos na unidade 1). Dessa perspectiva, as sociedades caracterizadas por ação afetiva e dominação tradicional passariam por outras combinações de tipos de ação e de dominação até chegarem a formas sociais com o predomínio da ação racional vinculada a fins e dominação legal-burocrática. Haveria, então, tendência a um aumento na racionalização das ações sociais e na burocratização da dominação. Para Weber, a burocratização crescente seria um entrave a qualquer processo de mudança social. Em uma sociedade administrada por diversos instrumentos controladores, a mudança estaria sempre limitada pela ação burocrática.

Burocracia e mudança

O mundo da burocracia — acumulado que está de "pequenas engrenagens, homenzinhos aferrados a seus mesquinhos postos e dedicados a disputar os melhores postos" — tende a transformar todos em homens que necessitam de "ordem", que estremecem e se acovardam se por um momento esta "ordem" se transforma, que se sentem desamparados se são "privados de uma incorporação total a ela". Trata-se de um mundo que convida o tempo todo à integração em estruturas reducionistas, racionalizadoras e absorventes, cujos princípios de funcionamento, regras e ambientação — marcados pela hierarquia, pelo cálculo, pela rotina — não são propriamente favoráveis à mudança, embora sejam, como se sabe, extremamente favoráveis à reprodução extensiva da própria burocracia enquanto tal, insaciável em seu apetite "racionalizador".

[...] seja por sua própria natureza de corpo fechado, frio e impessoal, voltado inteiramente para sua auto-reprodução, seja pelo peso que adquiriu no Estado e na sociedade moderna, a burocracia tende a ser um imponente pólo de resistência à mudança, ou, no mínimo, um fator a ser contornado nos processos de mudança. [...] Justamente por estar cravada no coração mesmo do Estado, acumular um não-desprezível poder e deter o controle de boa parte do processo normativo da sociedade, a burocracia é um protagonista estratégico de qualquer projeto de execução de uma mudança centralmente planejada ou induzida.

NOGUEIRA, Marco Aurélio. *As possibilidades da política*. Rio de Janeiro: Paz e Terra, 1998. p. 260.

Modernização, desenvolvimento e dependência

Progresso e *desenvolvimento* talvez sejam as palavras que melhor expressam, em nosso cotidiano, uma possível mudança social. Já vimos como pensavam os autores clássicos sobre este tema. Vamos examinar a seguir como a questão foi colocada a partir de meados do século XX.

Após a Segunda Guerra Mundial (1939-1945) passou-se a perceber que as desigualdades entre as sociedades do mundo eram gritantes, e algumas grandes vertentes teóricas se propuseram analisar esse fenômeno, isto é, tentaram explicar por que algumas sociedades eram desenvolvidas e outras, subdesenvolvidas. É sobre essas teorias que vamos refletir um pouco.

Teorias da modernização. A visão evolucionista da história ganhou novo alento com as teorias da modernização, de acordo com as quais as mudanças movem as sociedades de um estágio inicial (tradicional) para um estágio superior (moderno), numa escala de aperfeiçoamento contínuo.

As teorias da modernização utilizam os padrões de análise de Émile Durkheim e de Max Weber, mas com nova roupagem. De acordo com essas teorias, as sociedades são tradicionais ou modernas conforme as características que adotam. Como desenvolveram determinadas atitudes e comportamentos e não outros, são responsáveis pela própria situação. Para se transformar, passando do estágio atual para o superior, uma sociedade tradicional precisa deixar suas características para incorporar as modernas.

Essas teorias tomam como padrões de sociedades modernas as norte-americanas — do Canadá e dos Estados Unidos — e as européias ocidentais — principalmente a da França, a da Inglaterra e a da Alemanha. De acordo com tais teorias, as sociedades tradicionais (atrasadas e subdesenvolvidas) devem seguir o exemplo e os mesmos passos históricos das sociedades modernas (industrializadas e desenvolvidas).

Vários sociólogos dos Estados Unidos, como Talcott Parsons, David McClelland e Daniel Lerner, e também o argentino Gino Germani, entre outros, utilizaram esquemas muito parecidos para caracterizar cada tipo de sociedade.

Características e diferenças das sociedades	
Tradicionais	**Modernas**
Particularismo	Universalismo
Orientação para a atribuição	Orientação para a realização
Difusão funcional	Especificidade funcional
Pouca motivação para o desempenho	Muita motivação para o desempenho
Nenhuma abertura à experiência	Grande abertura à experiência
Hierarquia profissional	Especialização profissional
Pouca imaginação criadora	Muita imaginação criadora
Pequena mobilidade social	Grande mobilidade social
Resistência às mudanças	Abertura às mudanças

No alto, aragem da terra no Mali; acima, colheita mecanizada de trigo no noroeste dos EUA. Para passar de uma situação para outra, do tradicional para o moderno, basta mudar atitudes e comportamentos?

A mudança social ocorreria quando os indivíduos e os grupos — isto é, as sociedades — deixassem as características tradicionais e passassem a internalizar as modernas. Assim, desde que os valores tradicionais fossem superados, ocorreria a evolução social modernizante.

De acordo com as críticas mais gerais, essas teorias são etnocêntricas, pois a maioria das nações do mundo não seguiu as mesmas trajetórias históricas que as sociedades ocidentais. Ademais, tais teorias definem a trajetória de todas as sociedades como se fosse linear, ou seja, presumem que as sociedades modernas de hoje foram um dia tradicionais e se modernizaram porque mudaram sua mentalidade e sua maneira de ver o mundo. A ênfase é posta na cultura e na visão de mundo das pessoas e dos grupos sociais, os quais, para mudar, precisariam seguir a mesma trajetória que as atuais sociedades modernas.

Além dessas críticas, outras estão contidas nas teorias que vamos analisar em seguida.

Teorias do subdesenvolvimento e da dependência

Após fazer uma análise crítica das teorias da modernização, vários autores, na década de 1960, procuraram explicar a questão da diferença entre os países por um outro ângulo, focalizando a história diferencial de cada sociedade e as relações econômicas e políticas entre os países. A pergunta que se fazia era a mesma proposta pelas teorias anteriores: por que os países da América Latina eram subdesenvolvidos e os da Europa e os Estados Unidos eram desenvolvidos? As respostas, porém, mudaram.

Esses autores partiram de uma visão que foi desenvolvida pela Comissão Econômica para a América Latina (Cepal), da Organização das Nações Unidas (ONU). De acordo com os estudos da Cepal, do ponto de vista econômico, nas relações entre países desenvolvidos e subdesenvolvidos havia uma troca desigual e uma deterioração dos termos de intercâmbio. Historicamente, isso se explicava por uma divisão internacional do trabalho, em que cabia aos países periféricos (dominados) vender aos países centrais (dominantes) produtos primários (agrícolas, basicamente) e matérias-primas (sobretudo minérios) e comprar produtos industrializados. Ao longo dos anos, foi necessário que os países periféricos vendessem mais matérias-primas e agrícolas para pagar a mesma quantidade de produtos industrializados, ou seja, trabalhavam mais e vendiam mais para receber o mesmo e assim enriquecer aqueles que já eram ricos.

Os países centrais e os periféricos tinham um passado diferente. Os países europeus foram as metrópoles no período colonial, ao passo que os da América Latina foram as colônias e, depois da independência, passaram a ser dominados economicamente pela Europa e pelos Estados Unidos. Isso prejudicou a emergência de forças livres para o desenvolvimento autônomo dos países periféricos.

Andrew Gunder Frank, sociólogo alemão, afirmava que na América Latina havia apenas o *desenvolvimento do subdesenvolvimento*, pois os países centrais, além de explorar economicamente os periféricos, dominavam-nos politicamente, impedindo qualquer possibilidade de desenvolvimento autônomo. E essa relação desde o período colonial explicava por que alguns tinham se desenvolvido e outros não.

Um segundo grupo de sociólogos, do qual participaram o brasileiro Fernando Henrique Cardoso e o chileno Enzo Falletto, propôs uma explicação um pouco mais detalhada dessa relação. De acordo com sua análise, após a primeira fase de exploração, que durou até o fim da Segunda Guerra Mundial, iniciou-se um novo movimento que aprofundou a dependência dos países da América Latina. Esta continuou produzindo os mesmos bens primários para exportação, mas a partir da década de 1960 houve uma mudança, principalmente no Brasil, na Argentina, no Chile e no México: a *internacionalização da produção industrial* dos países periféricos. Como isso ocorreu?

A industrialização dependente configurou-se mediante a aliança entre os empresários estrangeiros e nacionais e o Estado nacional. Os produtos industriais que antes vinham dos países desenvolvidos começaram a ser fabricados nos países subdesenvolvidos, porque era mais barato. Além disso, com a produção local, evitava-se o gasto com o transporte. Mas o fundamental era que as matérias-primas estavam próximas, a força de trabalho era mais barata e o Estado dava incentivos fiscais (deixava de cobrar impostos) e construía toda a infra-estrutura necessária para que essas indústrias se instalassem e funcionassem.

Linha de montagem da empresa francesa Renault no Paraná. Produzir localmente é mais lucrativo que exportar produtos industriais para os países periféricos.

Em alguns países onde havia essas condições, as grandes indústrias estrangeiras se instalaram e geraram um processo de industrialização dependente, principalmente, da tecnologia que traziam. Com isso, além de manter a exploração anterior, os países centrais exploravam diretamente a força de trabalho das nações subdesenvolvidas.

Essas teorias procuravam explicar a existência das diferenças entre os países, as possibilidades de mudança de uma situação a outra e as condições possíveis para que isso acontecesse no sistema capitalista, sem necessariamente questioná-lo. No próximo capítulo vamos estudar algumas teorias que propunham alterações profundas partindo da ruptura com o sistema capitalista.

Cenário DA MUDANÇA SOCIAL NOS SÉCULOS XIX E XX

Em 1848, dois jovens, um com 29 e outro com 27 anos, escreveram um pequeno panfleto que se tornou um dos documentos mais lidos e que mais influenciaram os movimentos sociais no mundo. Eles não foram "profetas" ou "visionários", apenas utilizaram a capacidade de pensar seu tempo e fizeram projeções a partir de elementos que já estavam presentes e indicavam as mudanças que viriam. Veja um trecho do que eles escreveram.

"Tudo o que é sólido se desmancha no ar"

A burguesia não pode existir sem revolucionar incessantemente os instrumentos de produção, por conseguinte, as relações de produção e, com isso, todas as relações sociais. [...]

Impelida pela necessidade de mercados sempre novos, a burguesia invade todo o globo terrestre. Necessita estabelecer-se em toda parte, explorar em toda parte, criar vínculos em toda parte.

Pela exploração do mercado mundial, a burguesia imprime um caráter cosmopolita à produção e ao consumo em todos os países. Para desespero dos reacionários, ela roubou da indústria sua base nacional. As velhas indústrias nacionais foram destruídas e continuam a ser destruídas diariamente. São suplantadas por novas indústrias, cuja introdução se torna uma questão vital para todas as nações civilizadas — indústrias que já não empregam matérias-primas nacionais, mas sim matérias-primas vindas das regiões mais distantes, e cujos produtos se consomem não somente no próprio país mas em todas as partes do mundo. [...] No lugar do antigo isolamento de regiões e nações auto-suficientes, desenvolvem-se um intercâmbio universal e uma universal interdependência das nações. E isto se refere tanto à produção material como à produção intelectual. As criações intelectuais de uma nação tornam-se patrimônio comum. A estreiteza e a unilateralidade nacionais tornam-se cada vez mais impossíveis; das numerosas literaturas nacionais e locais nasce uma literatura universal.

MARX, Karl, ENGELS, Friedrich. *Manifesto comunista.* São Paulo: Boitempo, 1998. p. 43.

1. Como foi possível perceber por alguns indícios, há 150 anos, o que aconteceria no mundo globalizado do final do século XX e início do XXI?

2. É possível utilizar o mesmo esquema analítico hoje?

Revolução e transformação social

Capítulo 22

No capítulo anterior, estudamos as teorias que procuraram explicar as mudanças sociais. Neste, vamos tentar entender o processo que foi chamado de revolução e que significou uma mudança profunda nas sociedades em que aconteceu.

Revolução é a transformação radical das estruturas sociais, políticas e econômicas de uma sociedade. Outros tipos de alteração podem ser chamados de reformas sociais ou apenas de mudanças parciais. De acordo com o pensador italiano Umberto Melotti, tanto o reformador quanto o revolucionário almejam mudanças sociais, mas não as mesmas. As mudanças propostas pelos reformadores não se contrapõem aos interesses das classes dominantes, podendo até ser utilizadas para consolidar sua permanência no poder. Já uma revolução se opõe sempre aos interesses das classes dominantes, pois tem por objetivo eliminar a sua hegemonia. Assim, as reformas são realizadas por quem está no poder, enquanto a revolução se processa contra esse poder. Melotti destaca que a reforma procura alterar elementos não essenciais, reparando determinados problemas para garantir a manutenção da situação vigente, enquanto a revolução é um ato de emancipação social, que objetiva destruir o existente para reconstruir a sociedade em novas bases. A história das sociedades é marcada por uma série ininterrupta de reformas e revoluções, mas são estas últimas que assinalam momentos autênticos de busca de uma emancipação efetiva.

Para entender o desenvolvimento e o significado das revoluções, vamos analisar sociologicamente algumas delas.

A Revolução Industrial começou no setor têxtil, na produção da lã e do algodão, com o uso das máquinas de fiar conhecidas como *Spinning Jenny* (1764) e *Spinning Mule* (1789), inventadas, respectivamente, por James Hargreaves e Samuel Crompton. Na imagem abaixo, de 1749, as etapas envolvidas no preparo da matéria-prima para a confecção de lã — da tosquia ao amaciamento dos fios. Nessa época, a produção era feita manualmente, com rocas de baixíssimo rendimento. Na imagem da direita, de 1825, manufatura do algodão com o uso da *Spinning Mule*.

Sobre a revolução

Podemos utilizar o termo *revolução* para nos referir aos grandes processos que alteraram substancialmente a vida da humanidade. São bons exemplos desses processos a *revolução* agrícola, que transformou radicalmente a forma de abastecimento das populações humanas, e a *revolução* industrial, que mudou a forma de produção.

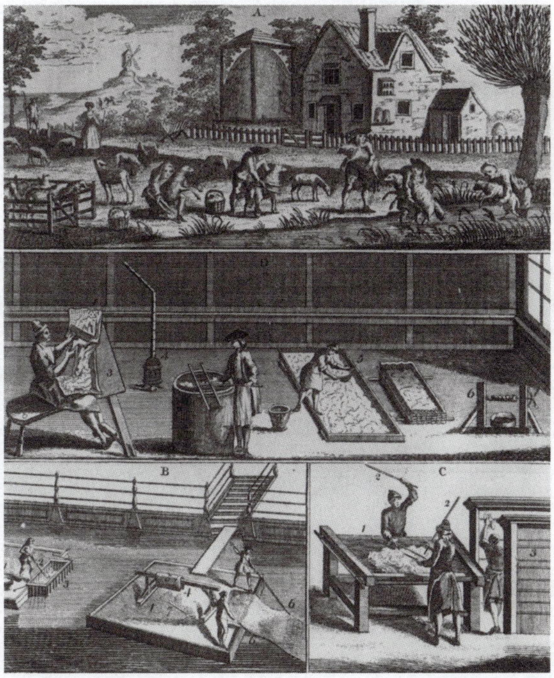

Hoje, estamos participando da terceira grande revolução mundial, baseada na informática, na engenharia genética e na nanotecnologia, pesquisa e produção no nível do átomo, que estão alterando profundamente a maneira de produzir e de viver.

Utilizamos também o termo revolução para designar os processos de mudança de rumo político em uma sociedade ou em várias delas. Nesse ponto há que diferenciar as revoluções que ocorreram no século XVIII e podem ser chamadas de burguesas, porque foram movimentos liderados pela burguesia ascendente, e as que eclodiram no século XX, consideradas populares, porque tiveram uma participação significativa do povo.

nas palavras DE ARENDT

O termo na história

A palavra "revolução" originou-se provavelmente da astronomia a partir da teoria de Copérnico [...]. No seu uso científico o termo reteve o seu significado original latino, designando o movimento rotativo, regular e inexorável dos astros.

[...] No século dezessete encontramos pela primeira vez a utilização política da palavra, mas o conteúdo metafórico ainda estava ligado ao sentido original, o movimento de retornar a um ponto preestabelecido. A palavra foi primeiramente usada na Inglaterra não para designar a assunção de Cromwell ao poder (a primeira ditadura revolucionária), mas ao contrário, depois da queda do déspota por ocasião da restauração da monarquia.

Podemos precisar o exato instante em que a palavra "revolução" foi utilizada no sentido de mudança irresistível e não mais como um movimento recorrente. Foi durante a noite de 14 de julho de 1789 em Paris, quando Luís XVI ouviu de um emissário que a Bastilha havia caído. "É uma revolta", disse o rei. Ao que o mensageiro retrucou: "Não, majestade, é uma revolução".

Nas décadas seguintes conformou-se um quadro de que as revoluções não são feitas de homens isolados, mas resultado de um processo incontrolável do qual os homens são parte. E foi somente na metade do século dezenove que Proudhon cunhou a expressão "revolução permanente" e com ela trouxe o conceito de que não existem revoluções, mas uma só, total e perpétua. Teoricamente, a conseqüência mais ampla da Revolução Francesa foi o nascimento da noção de História e do processo dialético, da filosofia de Hegel. Foi a Revolução Francesa e não a Americana que incendiou o mundo e foi conseqüentemente dela e não do curso dos acontecimentos na América que a presente conotação da palavra ganhou o formato atual. Neste nosso século as ocorrências revolucionárias passaram a ser examinadas dentro dos padrões franceses e em termos de necessidades históricas.

ARENDT, Hannah. *Arendt e as revoluções*. Disponível em: http://almanaque.folha.uol.com.br/filosofiaarendt.htm. Acesso em: 7 maio 2007.

Revoluções clássicas

Quando falamos em revolução sempre nos vêm à mente os três grandes movimentos que ocorreram em países da Europa e nos Estados Unidos: as Revoluções Inglesa, Francesa e Americana.

À esquerda, derrubada do rei Carlos I em 1649 (charge do século XVII). À direita, decapitação de Luís XVI em 1793 (gravura alemã s.d.).

A *Revolução Inglesa* (1642-1660) foi um movimento em que parte dos senhores de terras e comerciantes se insurgiram contra o poder absoluto do rei e de seus associados (principalmente a nobreza e o clero, que nada produziam). Seu objetivo era limitar e condicionar esse poder a determinadas funções, impedindo o controle do comércio e da indústria e a criação de impostos pelo rei sem autorização do Parlamento. Após prolongado conflito civil, as forças políticas que lutavam contra o absolutismo derrubaram a monarquia em 1649 e proclamaram a República. Esse movimento tornou possível a eliminação dos últimos laços que prendiam os ingleses a uma sociedade feudal.

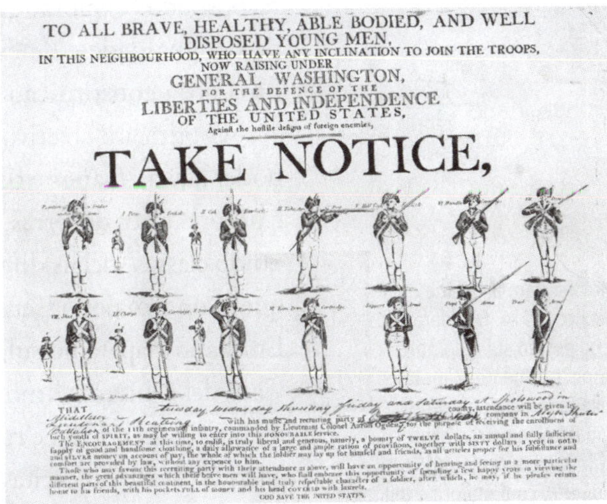

Cartaz de recrutamento para a luta pela independência das colônias inglesas na América do Norte.

A monarquia foi restaurada em 1660, mas o rei e os nobres perderam os poderes anteriores. O Parlamento havia adquirido força política e dividia o poder com a monarquia. Era o grande passo para que o mercantilismo se expandisse e como conseqüência o processo de industrialização, que aconteceria no século seguinte. O fundamental nesse processo foi a implantação de uma série de direitos que hoje são considerados universais. Mas foi um movimento em um único país e alterou substancialmente a situação apenas em uma sociedade. Só posteriormente teve repercussão maior.

A *Revolução Americana* (1776) foi um marco no século XVIII, mas caracterizou-se como luta contra o colonialismo inglês em que não havia a intenção de alterar profundamente as relações sociais, nem de transformar a propriedade, nem tampouco de abolir a escravidão. Foi considerada uma revolução porque teve grande repercussão, principalmente nos países da América Latina, e seu ideário pregava a liberdade, ou seja, o rompimento dos laços coloniais.

Foi a *Revolução Francesa* (1789) que se transformou em referência para todos os movimentos posteriores, pois os envolvidos lutaram não somente contra o poder monárquico na França, mas contra todos os regimes absolutistas e pela eliminação da monarquia, porque essas formas e sistemas de governo significavam opressão à maioria da população. Além disso, foi alterada profundamente a estrutura da propriedade rural, eliminando entraves para o desenvolvimento de uma nova sociedade. Entretanto, o mais importante foi o fato de os revolucionários lutarem em nome dos seres humanos, e não só dos franceses, o que transformou o movimento em paradigma das revoluções posteriores.

Experiências revolucionárias no século XX

No século XX ocorreram muitas experiências revolucionárias. Entretanto, foram poucas as que envolveram os mais explorados e, portanto, a maioria da sociedade. Vamos analisar algumas delas.

Revolução Mexicana. A *Revolução Mexicana* começou em 1910 e foi uma resposta dos explorados no campo e nas cidades a uma situação insustentável de desigualdade e de exploração. Terminou em 1917, com a promulgação de uma nova constituição para o México.

O primeiro objetivo dessa luta era a derrubada de Porfírio Díaz, que estava no poder havia 20 anos e tinha o apoio dos Estados Unidos e de grandes industriais e proprietários de terras, nacionais e estrangeiros. Três grandes grupos, representando classes sociais diferentes, participaram do movimento: o dos camponeses, que eram a maioria (seus líderes mais conhecidos foram Pancho Villa no norte e Emiliano Zapata no sul), o dos trabalhadores urbanos organizados em torno da Casa del Obrero Mundial (COM), de orientação inicialmente anarquista, e o da burguesia urbana e rural, liderada, quando a revolução eclodiu, por Francisco Madero, que não aceitava as ações de Porfírio Díaz e queria sua deposição.

Marcha para a Cidade do México, 1914. Os líderes dos rebeldes do sul e do norte, respectivamente, Zapata e Villa, são vistos no centro: Zapata à esquerda, com chapéu de abas largas, e Villa à direita, com uniforme militar.

Em maio de 1911, depois de vários levantes armados, Porfírio Díaz foi deposto. Assim, o primeiro objetivo foi alcançado, mas, como as três forças revolucionárias tinham interesses e projetos distintos, o processo continuou.

Havia no México uma grande desigualdade social: 1% da população possuía 97% das terras, o que gerava uma situação de exploração e miséria muito grande. Isso levou os camponeses a exigir o fim dessa concentração e uma redistribuição das terras. A burguesia dissidente exigia que fossem definidas regras claras sobre as eleições para que se implantasse uma democracia de tipo liberal. Os trabalhadores urbanos, por sua vez, que não tinham nenhum direito nem liberdade de expressão e reunião, exigiam direitos garantidos pela constituição.

Assim, a burguesia dissidente ora fazia acordos com os trabalhadores e alguns setores camponeses, ora com outros, e procurava sempre se manter ativa no movimento para não perder sua posição no processo revolucionário. Nessas idas e vindas, os camponeses passavam de rebeldes perseguidos a aliados; os trabalhadores, em algumas ocasiões, faziam greves e eram considerados fora-da-lei, mas em outras eram aliados. Enfim a situação era de confusão, e Madero, não conseguindo manter-se como líder, foi preso e assassinado.

Quem tomou o lugar de Madero foi Victoriano Huerta, que era apoiado pelo capital estrangeiro e grandes proprietários de terras, banqueiros, industriais e comerciantes, além do clero e do Exército Federal. Ficaram de fora apenas os camponeses, operários e Venustiano Carranza, governador do estado de Coahuila, os quais, juntos, conseguiram formar um grande exército que lutava para que se mantivesse o poder legítimo e pela queda de Huerta, o que aconteceu em julho de 1914. Mas as divisões continuaram.

Em dezembro de 1914, Villa e Zapata se uniram contra Carranza, pois este não apresentava nenhuma proposta de melhora de vida para os camponeses. Entretanto, Carranza se aproximou dos operários e até os armou (formando os "batalhões vermelhos") para combater Villa e Zapata. Além disso, articulou um novo exército com apoio dos Estados Unidos. Assim, pouco a pouco, foram vencidos os camponeses, e Villa e Zapata perderam toda a capacidade de pressionar o novo governo.

Após derrotar os camponeses e se instalar no poder, Carranza tinha de desarmar os "batalhões vermelhos" formados pelos operários. Isso aconteceu por meio da desmobilização dos batalhões, da prisão dos principais líderes operários e do fechamento da COM, além de um decreto segundo o qual seria punida com a morte qualquer tentativa de greve.

Controlada toda a oposição, Carranza convocou uma nova Constituinte, o que ocorreu sem a presença dos oposicionistas. Mesmo assim houve um pequeno avanço na constituição. A nova carta estabeleceu a separação efetiva da Igreja e do Estado, o casamento passou a ser um ato civil e a educação tornou-se prerrogativa do Estado, cabendo a este a definição e a fiscalização do ensino em todos os níveis. Aos trabalhadores garantiu-se uma série de novos direitos, como jornada máxima de oito horas, regulamentação do trabalho da mulher e de menores, do trabalho noturno, do repouso semanal, das férias e das horas extras. Além disso, foram regulamentados a liberdade de organização sindical e o direito à greve, entre outras coisas. Pode-se dizer que a classe operária foi a que mais se beneficiou desse processo.

Os camponeses tiveram várias reivindicações atendidas, mas todas sob o controle do Estado. As grandes propriedades, principalmente as da Igreja, puderam ser expropriadas e repartidas. Possibilitou-se a manutenção das terras comunais na forma de cooperativa, mas a reforma agrária (divisão dos latifúndios) propriamente dita não foi realizada e a restituição das terras usurpadas não foi efetivada. Assim os camponeses pouco tiveram a comemorar.

Novamente a burguesia industrial, os banqueiros, os grandes comerciantes e proprietários de terras conseguiram, em nome da "revolução mexicana", manter-se no poder.

Uma revolução comunista na Europa. Enquanto os mexicanos conquistavam sua constituição, em 1917, na Rússia, a sociedade fervilhava. A maior parte dos russos vivia em condições precárias e desde 1905 lutava e se preparava para construir uma nova sociedade.

A *Revolução Russa* de 1917 começou com a derrubada do czar, em fevereiro, e culminou em outubro, com a tomada do poder pelos bolcheviques, liderados por Vladimir Ilitch Uliânov, o Lênin, e depois também por Leon Trotski. O movimento teve como base os trabalhadores urbanos e soldados, organizados em *sovietes* — o fato mais inovador dessa revolução —, conselhos populares que expressavam a proposta de uma nova sociedade que fosse democrática e se orientasse pela vontade da maioria.

De fevereiro a outubro de 1917, seguidos levantes populares impulsionaram o processo revolucionário que se desenrolava na Rússia. Na foto, cena da repressão desencadeada pelo Governo Provisório contra milhares de trabalhadores e soldados que se insurgiram em julho, na então capital Petrogrado (atual São Petersburgo).

Após a tomada do poder, com a constituição de uma nova estrutura estatal, os *sovietes* perderam pouco a pouco o poder. O termo, no entanto, ficou gravado no nome da unidade política e nacional formada em conseqüência da revolução: República *Soviética.* Posteriormente foram agregados ao bloco socialista outros países e formou-se a União das Repúblicas Socialistas Soviéticas (URSS).

No início, a nova república socialista precisava resolver vários problemas. Em 1918, já no final da Primeira Guerra, teve de fazer um acordo de não-agressão com a Alemanha. Nesse mesmo período, o Estado enfrentou a oposição de diversos setores, principalmente dos anarquistas, que queriam uma sociedade mais livre. Todos os focos de oposição foram eliminados.

Depois, entre 1919 e 1921, houve a luta contra os países europeus que não aceitavam a revolução (França, Alemanha, Inglaterra e outros). Esses países enviaram tropas para apoiar os "russos brancos", que travavam uma guerra interna contra os "russos vermelhos". Organizado e liderado por Trotski, o Exército Vermelho conseguiu derrotar os contra-revolucionários e expulsar as tropas invasoras.

A situação, que era terrível por causa da Primeira Guerra Mundial, tornou-se ainda pior no período de afirmação da revolução. Mesmo assim, a propriedade privada foi extinta na União Soviética e procurou-se alterar a estrutura estatal e de serviços, como a educação, a saúde, os serviços ferroviários e bancários. A grande dificuldade foi mudar a estrutura da propriedade rural, que ainda era medieval, e a condição dos camponeses, precária em todos os sentidos. Assim, foi necessário primeiro privatizar a terra para depois torná-la coletiva. Isso foi possível pela concentração do poder no Partido Comunista e no Estado.

A partir de 1924, com a morte de Lenin, Josef Stalin assumiu o comando da URSS e aprofundou a concentração do poder no Partido Comunista e no Estado, tornando-os quase a mesma coisa e eliminando a oposição. A partir de então, uma revolução que nascera com o propósito de transformar o sistema anterior e garantir a liberdade para todos gerou uma sociedade que teve parte dos problemas econômicos resolvidos, mas à custa da submissão a um Estado autoritário que oprimiu a maioria das pessoas.

A União Soviética desmoronou na década de 1980 e teve seu fim assinalado pela queda do Muro de Berlim, em 1989. Deixou oficialmente de existir em dezembro de 1991.

Revolução comunista na China. A *Revolução Chinesa* resultou de um longo processo de luta liderado pelo Partido Comunista Chinês (PCC), que foi fundado em 1921 e, a partir de então, agregou política e militarmente os camponeses, que eram a maioria da população chinesa.

Essa luta iniciou-se em meados da década de 1920, primeiramente contra os invasores japoneses e posteriormente também contra os exércitos de Chiang Kai-shek, que era anticomunista e tinha apoio das potências estrangeiras que venceram a Primeira Guerra Mundial.

Tropas de Mao Tse-tung desfilam em Pequim em junho de 1949, em ação de propaganda revolucionária.

Depois de um quarto de século, os camponeses liderados por Mao Tse-tung conseguiram derrotar tanto os exércitos japoneses quanto os comandados por Chiang Kai-shek, que foi obrigado a se refugiar na Ilha de Formosa (Taiwan) e ali ficou até a morte, sempre apoiado pelos Estados Unidos.

Os exércitos vencedores entraram em Pequim em janeiro de 1949 e, em 1º de outubro de 1949, foi proclamada a República Popular da China.

Mao Tse-tung e seus exércitos conseguiram reunificar a China, mas, depois de tanta guerra e violência, a situação do país era lastimável e foi necessário reorganizar a economia e as formas de produção, pois a principal tarefa do governo era alimentar os mais de 500 milhões de habitantes. A indústria era incipiente e quase não existiam trabalhadores urbanos e industriais: havia apenas 3 milhões, ou seja, quase nada diante das necessidades prementes.

A partir de 1950 foi necessário um grande esforço para reorganizar as estruturas agrícolas e produzir alimentos. Isso foi feito por meio da coletivização das terras. Mas a industrialização não foi deixada de lado, nem os esforços educacionais.

Para organizar o Estado, Mao Tse-tung recebeu ajuda da URSS, mas a aliança entre China e União Soviética durou apenas até o início da década de 1960, quando os chineses quiseram ter o seu arsenal nuclear, o que os russos não admitiam. Logo em seguida, houve o rompimento entre as duas grandes nações comunistas do mundo.

Nessa época a China já estava adiantada em seus esforços nucleares e possuía tecnologia e pessoal qualificado para fabricar bombas, o que aconteceu em 1964. A partir de então o país sempre aumentou o seu arsenal atômico. Era mais uma potência militar e atômica no mundo, o que significava um esforço de industrialização muito grande.

A partir da década de 1970, a China procurou organizar sua produção agrícola e industrial e, gradativamente, foi se tornando uma das maiores potências industriais do mundo. Ao entrar no século XXI, caracterizava-se como um Estado centralizador e autoritário, ainda sob o controle do PCC, com uma produção industrial capitalista, na qual estão presentes numerosas empresas ocidentais, com muita exploração da força de trabalho, problemas sérios de desigualdade social e outros tantos ambientais.

Revolução socialista em Cuba. Quase 10 anos depois que a China fez sua revolução comunista, os cubanos viram Fidel Castro subir ao poder pela força da *Revolução Cubana*. Em janeiro de 1959 começava uma nova era em Cuba, uma das ilhas do Caribe, na América Central.

O processo que levou Fidel Castro e seus companheiros ao poder em Cuba, em 1º de janeiro de 1959, iniciou-se anos antes, em 1953, com a tentativa de tomada do quartel de Moncada, por um grupo de estudantes e recém-formados que lutavam contra a ditadura de Fulgencio Batista, que estava no poder havia aproximadamente 20 anos. Fidel Castro foi condenado e preso, mas conseguiu fugir e foi para o México, onde se reuniu com antigos companheiros de luta e conheceu o argentino Ernesto "Che" Guevara, que aderiu ao movimento dos cubanos para derrubar a ditadura de Batista.

Cubanos comemoram a vitória da revolução nas ruas de Havana, em janeiro de 1959.

Esse grupo chegou a Cuba em dezembro de 1956 em um barco, mas a maioria dos 83 homens morreu nos combates iniciais, sobrando apenas 12 guerrilheiros para continuar a luta. Mas já existiam outras pessoas lutando pela revolução nas cidades e também no campo. O grande mérito desse pequeno grupo foi agregar todos na mesma luta e, após três anos, entrar vitorioso em Havana.

A derrocada da ditadura não foi influenciada pelos comunistas que viviam em Cuba, pois eles eram contrários à ação de Fidel Castro e seus companheiros, e somente aderiram à revolta quando perceberam que ela estava vitoriosa.

Tomou o poder, então, Fidel Castro, com a proposta de fazer um governo com apoio popular. Pouco a pouco, por causa das ações do novo governo — como, por exemplo, a reforma agrária prevendo a indenização dos antigos proprietários —, os Estados Unidos viram o novo poder em Cuba com desconfiança e começaram a impor dificuldades ao comércio da ilha. Isso propiciou a aproximação entre Cuba e URSS.

Nessa nova relação comercial, Cuba vendia açúcar para a União Soviética, que lhe fornecia petróleo. As refinarias de petróleo existentes em Cuba, de propriedade estadunidense, se recusavam a processar o produto. O novo governo então as expropiou, o que significou o fim das relações diplomáticas entre Cuba e os Estados Unidos.

A situação entre os dois países, que já estava ruim, piorou quando o governo de John Kennedy, por intermédio da Agência Central de Inteligência (CIA — sigla em inglês), em abril de 1961, apoiou a invasão da ilha por um grupo de exilados cubanos, que pretendiam começar um levante contra o novo governo. Foram derrotados pelo Exército e pela reação popular no local aonde chegaram: a Baía dos Porcos. Logo após, Fidel Castro declarou que Cuba era a mais nova república socialista no mundo. Então, os partidos que o apoiavam foram reunidos no Partido Comunista Cubano, que passou a ser único e tinha o apoio declarado da URSS.

Graças a esse apoio incondicional da URSS, foi possível melhorar significativamente as condições de vida da população da ilha, pois o principal produto de exportação cubana era o açúcar, que era comprado em condições bem favoráveis pelo bloco soviético, e também porque a ilha recebia petróleo por preço mais baixo do que o praticado no mercado mundial. Entretanto, o bloqueio comercial dos Estados Unidos e seus aliados contra Cuba prejudicou as relações da ilha com o resto do mundo.

Enquanto obteve as condições excepcionais de apoio da URSS, Cuba pôde desenvolver um sistema educacional e de saúde igual ao dos melhores países do mundo, além de proporcionar à população uma qualidade de vida invejável. Entretanto, com o fim da URSS, em 1991, as condições de vida em Cuba se tornaram precárias, principalmente em relação aos bens de consumo e de moradia.

Coleta municipal de lixo em Matanzas. A precariedade dos transportes em Cuba é um dos efeitos visíveis do fim da ajuda soviética e do embargo econômico imposto pelos EUA. Segundo números do governo de Fidel Castro, cerca de 65% dos cubanos nasceram sob o bloqueio.

Até hoje, o sistema político é centralizado no Partido Comunista Cubano e na figura emblemática de Fidel Castro. Apesar dos méritos em transformar radicalmente a situação da população em Cuba, falta na ilha a liberdade de expressão e a possibilidade de haver outras formas de organização política que não seja o partido único.

O caso cubano é diferente dos anteriores, pois Cuba é um país pequeno, uma ilha na qual ainda há uma base militar dos Estados Unidos, com pouquíssimos recursos naturais, que ainda sofre um bloqueio comercial por parte dos Estados Unidos e de muitos países europeus. Mesmo assim, continua sua marcha para manter uma sociedade socialista.

Um breve balanço. Como pudemos perceber, uma coisa é o início de uma revolução, com seus propósitos transformadores; outra é a situação pós-revolucionária ou a institucionalização da revolução, em que o momento inicial de tomada do poder e alteração das estruturas econômicas e sociais precisa ser deixado para trás. É necessário então criar novas instituições ou reformular as velhas para que a revolução possa se desenvolver. Com o passar dos anos, a liderança muda e a situação interna e externa se modifica; aparecem interesses novos e são necessárias novas ações, que podem gerar maior emancipação ou não.

Cada processo revolucionário é um campo de contínuas decisões, com várias alternativas para construir aquela sociedade pretendida no início ou outra completamente diferente. Mas cada revolução significa sempre uma experiência de emancipação possível no processo da autonomia desejada.

Os exemplos analisados aqui são de sociedades que alteraram sua estrutura e modo de vida, mas avançaram pouco no processo de liberdade e emancipação. Podemos, então, dizer que não são mais parâmetros para as mudanças que estão ocorrendo nos dias de hoje.

E agora, o que nos espera?

A transformação radical de uma sociedade — revolução — está sempre ligada à superação de um sistema por outro, havendo um movimento popular ou uma classe social oprimida organizada para ir à frente e derrubar o antigo regime.

Na sociedade capitalista, segundo Marx, a classe social oprimida é o proletariado. Depois das muitas revoluções que ocorreram no mundo, há a possibilidade de a classe proletária, ou trabalhadora, organizar-se para derrubar o sistema capitalista? Há condições objetivas (crise do sistema, organização, poder, armas) e subjetivas (consciência social, aliança entre os diversos segmentos dos explorados) para que isso ocorra? Não se pode negar a existência dessas condições, principalmente nos países menores e periféricos do sistema capitalista, mas, nas sociedades integradas ao sistema capitalista e com forte esquema de massificação, torna-se cada dia mais difícil acontecer um movimento revolucionário.

Hoje, em todos os meios de comunicação, ouvimos declarações de que estamos vivendo em uma "nova" sociedade, em uma "era pós-moderna", em uma "sociedade pós-burguesa", em uma "sociedade pós-industrial", etc. Com isso, afirma-se que está se estruturando uma nova organização social, completamente diferente da anterior.

Ora, na sociedade atual estão sendo levadas ao limite as potencialidades da modernidade estabelecida pela Revolução Industrial dos séculos XVIII e XIX, sem modificar suas estruturas de poder e economia, mas, ao mesmo tempo, estão sendo criados e desenvolvidos os germes de sua modificação. Há indícios de que uma transformação está ocorrendo, mas em qual direção? As respostas a essa questão são muito divergentes. Podemos perceber que:

- A idéia de uma revolução violenta, com a tomada do poder do Estado para desenvolver uma nova sociedade, está cada dia mais distante da realidade. É possível uma revolução e a criação de uma nova sociedade por meio da ação consciente dos trabalhadores explorados? Parece difícil, porque a capacidade de cooptação por parte dos poderes vigentes é muito grande. Mas a consciência da desigualdade e do sofrimento que isso acarreta não é apagada ou silenciada, e se manifesta em revoltas pontuais em várias partes do mundo.
- Parece fora de cogitação, também, a idéia de uma mudança significativa mediante ações lentas e graduais por parte das instituições políticas existentes, pois estas estão muito amarradas às estruturas de poder e pouco podem fazer. Quando existe uma possibilidade de mudança, a força da reação normalmente é muito grande e pode aniquilar qualquer tentativa de resistência. Além disso, por causa da crise na democracia representativa, as pessoas já não acreditam que os políticos possam tomar medidas para alterar profundamente a sociedade.

Então não há alternativa? Há uma apatia geral e nada acontece porque pouco se pode fazer para promover mudanças profundas na sociedade em que vivemos?

A idéia de transformação mudou, pois hoje não é possível uma transformação geral e ampla, mas pode haver uma mudança específica das condições de vida dos participantes dos movimentos sociais e de ação prática. Os envolvidos em tais movimentos buscam emancipar-se dos poderes existentes e criar alternativas coletivas concretas, pequenas e parciais à situação vigente.

Cenário DA REVOLUÇÃO

A primeira guerrilha pós-comunista

A rebelião armada indígena iniciada no estado de Chiapas, no México, em 1º de janeiro de 1994, vem criando sérios problemas para a política neoliberal implantada no México a partir do governo Salinas. Entretanto não se trata de um movimento de guerrilhas de orientação marxista, como se poderia supor diante de tantos movimentos guerrilheiros que eclodiram nos últimos anos em diversos países latino-americanos, inclusive, no Brasil na década de 70, no Araguaia.

Na verdade, trata-se de um novo modelo revolucionário desenvolvido a partir do pensamento indígena ancestral oriundo de formas próprias de organização política que poderíamos chamar de "comunismo primitivo".

[...] o levante contou com o apoio das diversas comunidades tzotzil, tzeltal, tojolabal, zoque e chole que participaram ativamente da construção do EZLN, assim como da formação do Comitê Clandestino Revolucionário Indígena (CCRI), a instância superior de todo o processo de organização zapatista. Por isso o EZLN, enquanto exército regular, não dispõe de autonomia decisória, já que todas as decisões militares importantes dependem do CCRI, que por sua vez consulta a comunidade toda vez em que se faz necessário tomar decisões importantes. E tais decisões são exaustivamente discutidas até que se chegue a um consenso, ou a unanimidade, ou não se decidir nada, enfim a democracia absoluta. Por isso proclama-se em todo o México o lema zapatista: "mandar obedecendo".

O que desejam os indígenas de Chiapas? Simplesmente Justiça, Liberdade e Democracia. Na verdade, são povos que desejam autonomia e direitos constitucionais que lhes assegurem a propriedade coletiva das terras indígenas [...].

Querem apenas o direito de cultivar em paz seus roçados de subsistência (*milpas*), e preservar suas tradições culturais ancestrais, suas danças, seus costumes, sua medicina, sua língua, sua religião, enfim, tudo aquilo que os identifica como indígenas [...].

O subcomandante Marcos, líder do Exército Zapatista de Libertação Nacional (EZLN), em encontro com camponeses de Puebla, em fevereiro de 2006.

A partir de 1997, surgiu outra organização, desta vez, em âmbito nacional, a Frente Zapatista de Libertação Nacional (FZLN), o braço civil da luta zapatista, que admite qualquer cidadão mexicano, desde que não seja filiado a nenhum partido político.

[...] não se trata de um movimento separatista e nem mesmo antimexicano. Pelo contrário, os indígenas querem continuar fazendo parte orgulhosamente da nação mexicana. Querem, no entanto, um México efetivamente pluralista, que não se envergonhe de seu passado indígena, e que, ao invés de desindianizar os indígenas, ajude-os a desenvolver plenamente sua cultura, seus costumes e garanta a dignidade, seus direitos civis e sua soberania.

CARRARA, Douglas. A rebelião indígena em Chiapas. *Carta Maior*, São Paulo, 8 nov. 2006.
Disponível em: http://www.cartamaior.com.br/templates/materiaMostrar.cfm?materia_id=12732. Acesso em: 9 maio 2007.

Fundamentados em suas tradições, povos indígenas do México, oprimidos desde o século XVI, se organizaram, questionaram as ações dos governantes e estabeleceram novas formas de luta para fazer valer os seus direitos. As formas de organização e luta que desenvolveram poderiam ser reproduzidas em outros países e regiões da América Latina, como sugeria uma certa visão marxista (através de um partido revolucionário), ou cada caso deve ter suas próprias formas de organização e luta? Quais seriam elas e quais tradições poderiam ser evocadas?

Mudança e transformação social no Brasil

Capítulo 23

Quando se fala sobre mudança social no Brasil, um termo comumente empregado é *modernização*. Esse uso é antigo, porque se considerava que nossa sociedade era de tal forma tradicional que precisava se modernizar para chegar a algum lugar. A pergunta que esteve sempre presente nos escritos de muitos pensadores é: por que o Brasil não muda, ou melhor, por que existe tanta resistência às mudanças no Brasil?

Algumas explicações podem ser encontradas no início da constituição do Brasil como um país independente. Na véspera da independência, o liberal Hipólito da Costa, exilado em Londres, afirmou: "Ninguém deseja mais do que nós as reformas úteis, mas ninguém aborrece mais do que nós que essas reformas sejam feitas pelo povo".

Logo após a independência, outro liberal, Evaristo da Veiga, ao defender a primeira constituição brasileira, disse: "Modifique-se o pacto social, mas conserve-se a essência do sistema adotado. [...] Faça-se tudo quanto é preciso, mas evite-se a revolução".

Fica claro assim por que a independência do Brasil não significou uma revolução: apesar de o país se tornar independente politicamente, continuou na mesma situação. Enquanto em toda a América Latina aconteceram transformações com o processo da independência dos países — que se tornaram repúblicas e extinguiram a escravidão —, o Brasil continuou sendo um Império e manteve a escravidão.

Charge publicada em edição da revista Fon-Fon de 1909. A Monarquia e a República comentam sobre a mudança do regime político. Diz a Monarquia: "Não é por falar mal, mas com franqueza... eu esperava outra coisa". A República responde: "Eu também!"

Além disso, quando analisamos a instalação da República no Brasil, percebemos que houve somente uma mudança nas estruturas políticas e na organização do poder, mas os que dominavam no Império continuaram dominando na República. Não é à toa que o lema da República expresso até hoje na Bandeira Nacional é "Ordem e Progresso", isto é, o progresso é bem-vindo desde que ocorra de acordo com a ordem estabelecida.

Talvez a expressão que melhor sintetize essa visão seja a de Antonio Carlos, que foi governador de Minas Gerais e presidente do Partido Republicano Mineiro (PRM), um pouco antes do movimento de 1930: "Façamos a revolução antes que o povo a faça". Esse tipo de conduta e pensamento parece ser o dominante desde a independência. Quem domina o país faz de tudo para continuar no controle, mesmo havendo mudança. Assim, os termos modernização ou reforma seriam mais apropriados para caracterizar o tipo de mudança que tem ocorrido no Brasil, embora muitos eventos políticos sejam chamados de "revolução".

Duas "revoluções" no Brasil no século XX

No século XX, o Brasil conviveu com muitos movimentos políticos localizados, mas dois foram mais duradouros e tiveram repercussões significativas na vida dos brasileiros: as "revoluções" de 1930 e de 1964.

"Revolução" de 1930. Como já vimos, o movimento cívico-militar, chamado de "revolução" de 1930, que desembocou na tomada do poder por Getúlio Vargas foi apenas uma mudança de grupos na estrutura de poder do Estado brasileiro.

Na década de 1920, os grupos que dominavam a política nacional eram os mesmos desde o Império. A situação alterou-se com uma pequena industrialização nas cidades grandes e com um movimento de trabalhadores significativo, tendo por base as idéias anarquistas. Mas, com a crise internacional de 1929, a situação no Brasil também piorou, pois muitas fábricas fecharam e o café deixou de ser exportado. Houve desemprego no campo e na cidade, além de fome e desamparo do Estado. Foi nesse contexto que se desenvolveu o movimento que alterou os grupos no poder.

Tropas de Minas Gerais no levante de outubro de 1930, que levaria Getúlio Vargas ao poder.

Analistas desse movimento o classificam como uma "revolução pelo alto", ou "revolução passiva", ou "revolução sem revolução". Eles querem dizer que houve uma mudança social, sem a participação popular, feita com base nos interesses das classes dominantes.

Como já vimos, essa "revolução", embora autoritária no encaminhamento das questões sociais e econômicas, procurou desenvolver uma infra-estrutura necessária ao processo de industrialização que se projetava. Apesar de excluir os trabalhadores como força política, implantou a legislação trabalhista que existe até hoje no Brasil. Essa ambigüidade da "revolução" de 1930 a fez um marco nas mudanças sociais no Brasil.

"Revolução" de 1964. A chamada "revolução" de 1964, desencadeada por um golpe liderado pelos militares que derrubou o governo constitucional de João Goulart, foi na verdade uma contra-revolução. Os movimentos sociais (de trabalhadores do campo e da cidade) vinham se organizando gradativamente desde 1960 e estavam conquistando muitos direitos. Isso significava uma mudança importante no Brasil. Não havia a possibilidade de uma revolução que transformasse radicalmente o sistema político e econômico, mas houve um grande avanço na participação dos setores populares na condução dos destinos do país.

Isso não era interessante para os grandes proprietários no campo, nem para os industriais nas cidades, nem para as empresas estrangeiras instaladas no Brasil. Essas forças, então, se organizaram e, com militares conservadores e apoiados por uma parte da classe média, que temia a presença das "classes perigosas" e do "comunismo" na cena política, propiciaram o golpe militar de 1º de abril de 1964.

Os militares reprimiram intensamente todos os movimentos populares e, depois, estabeleceram a censura aos meios de comunicação. Gradativamente retiraram uma série de direitos dos trabalhadores e ampliaram muito a presença do capital estrangeiro no Brasil. No final do período de ditadura militar, a inflação no Brasil era maior do que em 1964 e configurou-se uma desigualdade social nunca vista. Além disso, foi contraída uma dívida externa gigantesca, o que colocava o país nas mãos dos grupos financeiros internacionais.

Entretanto, nesse período ditatorial, o país se modernizou, pois foram ampliadas as bases industriais, que desde a década de 1950 já eram internacionalizadas. Desenvolveu-se uma infra-estrutura na área de energia e transportes e alterou-se profundamente a agricultura nacional, transformando-a em uma atividade capitalista significativa. Com essas medidas, criaram-se as bases para que houvesse a presença capitalista em todos os setores da sociedade, mesmo que isso significasse a marginalização da maior parte da população, tanto econômica quanto política e socialmente.

Repressão e modernização no período da ditadura. À esquerda, tropas militares ocupam as ruas do Rio de Janeiro, em agosto de 1968, e detêem dezenas de pessoas na tentativa de impedir manifestações contra a prisão do líder estudantil Vladimir Palmeira. À direita, militares assistem à primeira viagem do metrô de São Paulo, em setembro de 1972. O próprio presidente, Garratazu Médici, acionou a sirene que autorizava o início da viagem.

Mas a grande mudança ocorreu no modo de vida da população urbana, que teve enorme crescimento. Essa mudança, ocasionada pela produção em massa dos mais diversos artigos industriais, como alimentos, roupas, eletrodomésticos e automóveis, foi coroada pela expansão das comunicações telefônicas, mas principalmente pela presença marcante da televisão, que se expandiu para quase todo o território nacional e, de alguma forma, criou novos comportamentos e valores.

Muitos autores, desde então, caracterizam a mudança social no Brasil como "modernização conservadora", pois ocorre sempre por meio do Estado, ou seja, de cima para baixo e, na maioria dos casos, sob controle deste.

"Modernização conservadora" — por que o Brasil não muda

A idéia de mudança social no Brasil sempre esteve presente nas análises da nossa sociedade, desde o tempo do Império. Além disso, houve múltiplas revoltas contra o poder dominante, mas sempre foram aniquiladas.

Os pensadores Oliveira Vianna, Sérgio Buarque de Holanda, Azevedo Amaral e Nestor Duarte foram os primeiros a analisar a questão da "modernização" no Brasil, no período de 1920 a 1940. Pode-se dizer que para todos eles, de uma forma ou de outra, havia uma ligação entre o passado colonial e a situação daquele momento. O passado colonial deveria ser eliminado para que o Brasil saísse do atraso, pois aparecia como um morto que se fazia presente sempre. Apesar disso, as preocupações giravam em torno do futuro do Brasil e as possibilidades de mudança social.

Divisão política do "trono" presidencial entre as oligarquias de Minas e São Paulo, em charge de 1925: o domínio privado do Estado como empecilho à democracia e à modernização.

Sérgio Buarque de Holanda, em seu livro *Raízes do Brasil* (1936), fez uma crítica às elites anacrônicas brasileiras e procurou discutir a possibilidade da promoção da modernização no contexto de uma organização social nova e numa efetiva democracia.

Em vários escritos, mas principalmente em seu livro *Instituições políticas brasileiras* (1949), Oliveira Vianna atribuiu à estrutura do poder e da sociedade na Primeira República — que estava baseada no latifúndio e no poder local dos coronéis — a razão de nosso atraso. Para a superação dessa situação de atraso, Vianna propunha uma série de reformas e um poder central forte, que faria oposição às oligarquias locais e regionais, além de garantir a unidade e o desenvolvimento nacionais.

Azevedo Amaral, em seu livro *O Estado autoritário e a realidade nacional* (1938), defendeu enfaticamente uma industrialização brasileira que só poderia ser realizada com a presença de um Estado forte e autoritário.

Já Nestor Duarte, em seu livro *A ordem privada e a organização política nacional* (1939), destacou a visão privatista como um dos traços culturais do país. Para ele, o Estado era fraco, apesar de o governo ser forte. O que havia era o domínio privado do Estado, que sempre ficou nas mãos das grandes oligarquias.

Esses quatro autores ressaltaram que, de uma forma ou de outra, nossos problemas estavam num passado colonial, mas principalmente na visão de que sempre havia um empecilho para o desenvolvimento e que era necessário um Estado forte (para Vianna e Amaral) ou uma sociedade democrática (para Holanda e Duarte) que pudesse promover a modernização do país.

Nas décadas posteriores, vários autores estavam preocupados com a questão das mudanças sociais no Brasil. A maioria deles também procurava demonstrar que havia uma vinculação entre o passado colonial brasileiro, principalmente a escravidão, e a situação social que se vivia. Apesar de todas as mudanças ocorridas, esse passado estava presente na estruturação das classes sociais e de um Estado sempre a serviço dos que detinham o poder econômico: além dos grandes proprietários de terras, os industriais nacionais e estrangeiros e o setor financeiro.

Entre esses autores destacamos Florestan Fernandes, um dos maiores sociólogos brasileiros. Ele foi um dos que mantiveram constante preocupação com a mudança social no Brasil. Tal preocupação foi expressa nos livros *Mudanças sociais no Brasil* (1974) e *A revolução burguesa no Brasil* (1975), entre outros.

O golpe militar de 1964 levou Florestan Fernandes a procurar uma explicação sociológica para a sociedade brasileira que fosse além da visão tradicional e conciliadora, cultivada pelos intelectuais vinculados às classes dominantes. Para ele, a sociedade de classes constituída no Brasil pelo capitalismo é incompatível com o que se tem como universal em termos dos direitos humanos, pois resulta numa democracia restrita, no contexto de um Estado autoritário-burguês, no qual as mudanças só ocorrem em atenção aos interesses de uma minoria privilegiada nacional articulada com os interesses estrangeiros. E isso porque o passado escravista está presente nas relações sociais, principalmente nas de trabalho, nas quais o preconceito ainda é muito forte e as pessoas são excluídas por serem pobres, negras ou mulheres.

Para Florestan não haveria a possibilidade de uma revolução no Brasil se esse passado, que envolvia o escravismo e suas conseqüências, não fosse abolido e a visão da política como relação de favor e arte de se manter no poder não fosse substituída por práticas políticas e relações pelo menos democráticas. Para ele, era necessária a adoção de uma democracia de base ampliada que fosse além do voto e permitisse a participação efetiva do povo nos destinos do país.

Já no fim da ditadura militar, perto de 1980, quando as greves e manifestações sociais voltavam à cena, Florestan Fernandes escreveu, em seu livro *Brasil: em compasso de espera*: "O protesto operário está nos tirando do pântano colonial em que o despotismo burguês nos deixou atolados, mesmo nove décadas após a proclamação da República. A história volta a ter, de novo, uma face de esperança, embora tudo ainda seja muito frágil, incerto e obscuro". O sociólogo estava atento ao que acontecia, mas não era um entusiasta, pois sabia que a capacidade dos conservadores era muito grande e a possibilidade de uma democracia no Brasil era frágil e incerta. Mesmo assim, Florestan Fernandes sempre procurou criticar as iniqüidades da sociedade brasileira.

Modernidade sem modernidade no Brasil

[...] Temos vivido, como nação, atormentados pelos "males" modernos e pelos "males" do passado, pelo velho e pelo novo, sem termos podido conhecer uma história de rupturas revolucionárias. Não que não tenhamos nos modernizado e chegado ao desenvolvimento. Fizemos isso de modo expressivo, mas não eliminamos relações, estruturas e procedimentos contrários ao espírito do tempo. Nossa modernização tem sido conservadora, aliás, duplamente conservadora. Em primeiro lugar, porque tem se feito com base na preservação de expressivos elementos do passado, que são assimilados, modernizados e tornados funcionais, alcançando tamanha força de reprodução que conseguem condicionar todo o ritmo e a qualidade mesma da mudança [...]. Trata-se, para ficar num exemplo fácil, do peso paralisante adquirido no curso do nosso capitalismo pelo latifúndio, capaz de resistir por décadas seja ao desenvolvimento nacionalista e popular de Vargas, seja à modernização autoritária do regime de 64. Em segundo lugar, porque tem se feito de modo não-democrático, sem participação popular e sob o comando do Estado, desdobrando-se quase sempre de modo a ser hegemonizada por interesses conservadores. Foi assim que chegamos à época do capitalismo e da indústria e é assim que estamos caminhando para o século XXI.

NOGUEIRA, Marco Aurélio. *As possibilidades da política: idéias para a reforma democrática do Estado*. Rio de Janeiro: Paz e Terra, 1998. p. 266.

Mudanças nos últimos anos

Como vimos até aqui, muitas coisas mudaram no Brasil e muitas outras foram conservadas ou não mudaram de modo significativo. Podemos observar que em alguns lugares o modo de vida assemelha-se ao das sociedades industrializadas de qualquer parte do mundo. Em outros lugares, principalmente nas áreas rurais, vive-se uma realidade de extrema pobreza. Nas grandes cidades as duas situações convivem. Há no mesmo lugar extrema riqueza e extrema pobreza: gente que mora em condomínios fechados luxuosos e gente que vive embaixo de viadutos.

Crescimento econômico e modernização tecnológica assentados em altas taxas de concentração de renda: receita para um cenário de desigualdade social e pobreza.

Politicamente, pode-se dizer que as regras do jogo democrático estão consolidadas, isto é, as eleições são realizadas regularmente e os eleitos são empossados e terminam os mandatos (desde que não sejam julgados e tenham os mandatos extintos, como ocorreu com o ex-presidente Fernando Collor e vários parlamentares). No entanto, persistem ainda velhas práticas, como o clientelismo, o "favor", as decisões judiciais parciais e os conchavos políticos, o que demonstra que o país não mudou tanto.

Economicamente, nos últimos 20 anos, houve uma alteração substancial por causa da ampliação da inserção do Brasil no mundo. Foram necessárias mudanças internas para que o país pudesse se adequar ao novo padrão internacional de relações políticas e econômicas. O processo produtivo industrial foi modificado com a entrada de novas indústrias e a modernização tecnológica, principalmente via automação. Criou-se uma nova maneira de produzir muito com menos trabalhadores. Isso conduziu a uma situação estranha, pois o desenvolvimento não implica aumento de vagas de trabalho.

Houve também uma mudança no consumo e nas relações entre os indivíduos. Para indicarmos apenas uma situação, a utilização dos telefones celulares ocasionou mudanças comportamentais que impressionam — por exemplo, na relação entre os trabalhadores autônomos e seus clientes; nas relações sentimentais, que incluem constantes conversas, mas também vigilância; nas relações trabalhistas, pois o empregado pode ser alcançado em qualquer lugar e hora; na própria sociabilidade, pois as pessoas não conseguem mais viver sem estar conectadas; nas formas de consumo, dada a rápida obsolescência dos aparelhos.

Isso significa que a chamada globalização nos atingiu em cheio. E, como diz Francisco de Oliveira, sociólogo brasileiro, os meninos nas ruas vendendo balas, doces e quinquilharias não são o exemplo do atraso do país, mas a forma terrível como a modernização aqui se implantou.

Cenário DA MUDANÇA SOCIAL NO BRASIL

A revolução das pequenas coisas

O município de Alto Alegre do Pindaré, no sul do Maranhão, tem 24 mil habitantes, espalhados em diversas comunidades. As casas são de taipa, cobertas com ramos de babaçu — boa parte dos homens e das mulheres não sabe ler nem escrever. Ali, inventou-se um novo tipo de biblioteca: a bibliojegue.

Abarrotado de livros, um jegue percorre os povoados e pára debaixo de uma árvore frondosa. As crianças e os adolescentes se aproximam, sentam em roda, pegam um livro e ouvem um contador de histórias.

[...] Responsável pelo projeto, Alda Beraldo, professora de português, conta que uma das maiores emoções de sua vida foi ver mulheres analfabetas com os olhos cheios de lágrimas ao ouvirem, pela primeira vez, uma poesia.

[...]

A bibliojegue faz parte de uma tendência ainda pouco percebida e valorizada no Brasil, mas que integra a revolução das pequenas coisas. É a constelação de engenhosas soluções que, isoladamente, têm baixo impacto, mas juntas seriam capazes de mexer nos indicadores nacionais de educação, saúde, emprego e preservação do ambiente.

A revolução das pequenas coisas engloba um bairro deteriorado no centro do Recife transformado em porto digital, onde se criaram 108 empresas que produzem software; a cidade de Santa Rita de Sapucaí, em Minas, que, a partir de uma escola de ensino médio de eletrônica, montou uma cadeia produtiva em torno das telecomunicações (lá se criou, por exemplo, a urna eleitoral eletrônica) [...]. A Universidade Federal de Santa Catarina orientou pescadores, em Florianópolis, a ganhar dinheiro cultivando ostras. A Universidade de Campinas ensina prefeituras a movimentar seus veículos com o óleo descartado nos restaurantes da cidade.

[...]

Em Belo Horizonte, alunos de escolas municipais são apoiados, em atividades extracurriculares, pelas várias universidades — lá, aliás, monta-se uma articulação que vem permitindo aos estudantes mais pobres dividir seu tempo entre a escola e alguma entidade, garantindo educação em tempo integral.

[...] Em Nova Iguaçu, no Rio, para evitar que jovens fiquem na rua, expostos à violência, lançaram-se torneios de basquete e futebol de madrugada durante os finais de semana. Em Diadema, a violência caiu abruptamente porque a prefeitura comandou uma ação na cidade, envolvendo os diversos níveis de poder.

O que está se inventando, em resumo, é tecnologia social.

É essa tecnologia social que se vê nas 33 escolas com bom desempenho, em lugares de extrema carência, beneficiadas pela inventividade local. Numa delas criou-se a "sacola literária" — os alunos levam livros numa sacola para casa nos finais de semana. São convidados, então, a contar a seus colegas o que leram. Em outras dessas escolas, o professor vai à casa da família cujo filho está faltando às aulas. Na José Negri, em Sertãozinho (interior de SP), aprende-se fração comendo bolo.

DIMENSTEIN, Gilberto. A revolução das pequenas coisas. *Folha de S.Paulo*, 24 dez. 2006. Cotidiano. p. C9.

1. Além das grandes transformações que ocorrem e poderão ocorrer no Brasil, existem pequenas ações que estão mudando a vida de muitas pessoas e comunidades, como as relatadas no texto. Você conhece outras ações desse tipo? Essas ações pontuais podem resolver a situação das pessoas envolvidas ou constituem apenas paliativos, cuja supressão trará de volta a situação anterior?

2. Os membros de uma sociedade devem sempre esperar que o governo resolva seus problemas ou devem agir independentemente dele?

PARA REFLETIR

Nada é impossível de mudar

Desconfiai do mais trivial,
na aparência do singelo.
E examinai, sobretudo,
o que parece habitual.
Suplicamos expressamente:
Nunca digam: Isso é natural!
Pois em tempo de desordem sangrenta,
de confusão organizada,
de arbitrariedade consciente,
de humanidade desumanizada,
nada deve parecer natural.
Nunca digam: Isso é natural!
A fim de que nada passe por ser imutável!

BRECHT, Bertolt. A exceção e a regra. In: RAVAROTO, Neusa Maria. *Analfabetismo Político*. Disponível em: http://www.ybnews.org.br/?system=news&action=read&id=462&eid=231. Acesso em: 5 maio 2007.

Você já percebeu como as pessoas falam "Isso é natural!"? Você acredita que as coisas foram, são e sempre serão assim ou acha que pode juntar-se a outras pessoas para mudar a situação em que vive? Pense nas alternativas para mudar alguma coisa em sua vida, na vida de sua família e também na sua escola ou em outros lugares que freqüenta.

Mudanças radicais imutáveis. À maneira dos... chineses

Olin-Pin, abastado negociante de óleos e arroz, vivia numa imponente mansão em Kin-Tipê. A sua posição social e a sua mansão só não eram perfeitas porque, à direita e à esquerda da propriedade, havia, há algum tempo, dois ferreiros que ferreiravam ininterruptamente, tinindo e retinindo malhos, bigornas e ferraduras.

Olin-Pin, muitas vezes sem dormir, dado o tim-pin-tin, pan-tan-pan a noite inteira, resolveu chamar os dois ferreiros, e ofereceu a eles 1 000 iens de compensação, para que ambos se mudassem com suas ferrarias. Os dois ferreiros acharam tentadora a proposta (um ien, na época, valia mil euros) e prometeram pensar no assunto com todo empenho.

E pensaram. E com tanto empenho que, apenas dois dias depois, prevenidamente acompanhados de oito advogados, compareceram juntos diante de Olin-Pin. E assinaram contrato, cada um prometendo se mudar para outro lugar dentro de 24 horas. Olin-Pin pagou imediatamente os 1 000 iens (que a essa altura já eram 10 000) prometidos a cada um e foi dormir feliz, envolvido em lençóis de seda e adorável silêncio. Mas no dia seguinte acordou sobressaltado, os ouvidos estourando com o mesmo barulho de sempre.

E, quando ia reclamar violenta e legalmente contra a quebra de contrato, verificou que não tinha o que reclamar. Os dois ferreiros tinham cumprido fielmente o que haviam prometido. Ambos tinham se mudado. O ferreiro da direita tinha se mudado pra esquerda e o da esquerda tinha se mudado pra direita.

MORAL: *CUIDADO QUANDO A ESQUERDA E A DIREITA ESTÃO DE ACORDO*

FERNANDES, Millôr. *Mudanças radicais imutáveis. À maneira dos... chineses*. Disponível em: www2.uol.com.br/millor/fabulas/034.htm. Acesso em: 2 abr. 2007.

Você pensa que ainda existem, em termos políticos, direita (que quer manter a situação como está) e esquerda (que quer alterar a situação, de modo a favorecer os que vivem em condições precárias) ou não há muita diferença? Ou, ainda, trata-se apenas de posições que as pessoas podem assumir em um momento e trocar no outro, conforme as vantagens pessoais e políticas oferecidas?

PARA ORGANIZAR O CONHECIMENTO

Hans Gerth e C. Wright Mills, no livro *Caráter e estrutura social*, ao discutirem a idéia de mudança social, formulam seis questões que devem de alguma maneira orientar o nosso pensamento sobre esse tema:

1. O *que* muda? A sociedade como um todo, alguns aspectos dela, apenas algumas instituições?
2. *Como* alguma coisa muda? De forma violenta e radical, ou lentamente, por pequenas alterações sucessivas, ou por pequenas alterações e saltos qualitativos mais amplos?
3. Qual a *direção* da mudança? A alteração modifica algo visando a um processo de maior liberdade ou de maior repressão? É um movimento em direção a caminhos novos ou regressão a formas anteriores?
4. Qual o *ritmo* da mudança? A mudança é lenta e pouco perceptível, ou rápida e ocasionada, por exemplo, por uma guerra, em que são destruídas muitas coisas, ou rápida e ocasionada por transformações tecnológicas, como a informática, por exemplo?
5. *Por que* ocorreu tal mudança? Quais são as causas da mudança? Há uma causa apenas ou um conjunto delas?
6. Quais são os *fatores objetivos* e *subjetivos* que concorrem para a mudança?

Fatores *objetivos* são, por exemplo, a propriedade da terra, a estrutura da industrialização, a estrutura de poder e o processo de exploração em determinada sociedade; fatores *subjetivos* são, por exemplo, a questão individual (liderança), os valores contestados, as idéias presentes no processo de mudança.

Essas seis questões podem ajudá-lo a entender qualquer processo de mudança social, seja apenas uma alteração no comportamento, seja a transformação de uma sociedade. Escolha uma situação de mudança e procure fazer esse exercício mental e responder às questões orientadoras.

LIVROS RECOMENDADOS

As revoluções burguesas, de Paulo Miceli. Atual.
Por que a Revolução Francesa é considerada o modelo clássico de revolução democrático-burguesa? Por que a Revolução Inglesa, após atingir um ponto máximo de radicalismo, recuou e não avançou mais? O autor analisa a ascensão burguesa e seu significado para as sociedades contemporâneas, estabelecendo a relação histórica entre revolução burguesa e revolução socialista.

O que é revolução, de Florestan Fernandes. Brasiliense.
O autor procura discutir a revolução e a contra-revolução como realidades históricas e examina os aspectos que favorecem e fortalecem uma revolução. Analisando o conceito marxista de revolução, evidencia as diferentes características de uma revolução burguesa e de uma revolução proletária.

SUGESTÃO DE FILMES

Quando explode a vingança (Itália, 1971). Direção: Sergio Leone. Elenco: Rod Steiger, James Coburn e Romolo Valli.

Esse filme relata como um bandido que desrespeitava qualquer ideal humano e um irlandês fugitivo, militante do Exército Republicano Irlandês (IRA), se encontram em 1913 em plena Revolução Mexicana. É um filme divertido e cheio de emoções, que discute o significado da revolução para esses e outros personagens que normalmente eram apenas usados como massa de manobra.

Reds (EUA, 1981). Direção: Warren Beatty. Elenco: Warren Beatty, Diane Keaton e Jack Nicholson.

O filme é baseado na vida de John Reed, um jornalista estadunidense que escreveu o livro *Os dez dias que abalaram o mundo*, em que narrou os primeiros dias da Revolução Russa. Ele era um socialista convicto e já havia feito a cobertura da Revolução Mexicana. O filme, que ganhou vários Oscars, mostra John Reed como um militante incansável procurando conhecer as revoluções de seu tempo, como jornalista e socialista, e lutando pelo movimento socialista em seu país.

Revolução (EUA, 1985). Direção: Hugh Hudson. Elenco: Al Pacino, Donald Sutherland e Nastassja Kinski.

Al Pacino faz o papel de um cidadão do século XVII no meio da Guerra da Independência dos Estados Unidos (1775-1783). Enquanto ninguém é convocado para a guerra, ele e o filho se mantêm longe e alheios ao conflito. Mas um dia o filho é convocado e tudo muda, pois o pai pretende seguir o filho onde ele estiver. De maneira bastante simples, o filme mostra como um movimento revolucionário atinge as pessoas de modos distintos.

Apêndice

História da Sociologia: pressupostos, origem e desenvolvimento

Para compreender como a Sociologia nasceu e se desenvolveu devemos analisar as transformações que ocorreram a partir do século XIV, quando se iniciou uma grande transformação: a passagem da *sociedade feudal* para a *sociedade capitalista*, ou a passagem da *sociedade medieval* para a *sociedade moderna*. Para isso, vamos fazer uma pequena viagem histórica.

Em cada sociedade, em todos os tempos, os seres humanos elaboraram explicações próprias para as situações que viviam. Eram explicações religiosas, místicas, culturais, étnicas, etc. No século XIX, a busca de um outro tipo de explicação para os fenômenos da sociedade — a explicação científica — deu origem à Sociologia. Por que essa "nova ciência" teria surgido justamente nesse momento? Qual é o ponto de vista da Sociologia como ciência da sociedade?

Como se pode observar no desenvolvimento dos temas deste livro, pensar do ponto de vista das ciências sociais ou sociologicamente é analisar historicamente — e não como um objeto estático — a sociedade em que vivemos. Para demonstrar como o pensamento social organizou-se historicamente e como a Sociologia estruturou o saber sobre a sociedade humana, analisamos neste anexo certos autores que se sobressaíram entre outros tantos no processo de desenvolvimento da disciplina.

Procuramos demonstrar que, para entender as idéias de um autor e de determinada época, é fundamental contextualizá-las historicamente. Podemos dizer que os indivíduos e grupos concebem a sociedade em que vivem por meio de categorias do pensamento que emergem das tradições, do universo religioso, das raízes filosóficas e do conhecimento científico. Assim, vamos, a seguir, contextualizar o surgimento da Sociologia.

As transformações no ocidente e as novas formas de pensar a sociedade

A Sociologia, no contexto do conhecimento científico, surgiu como um corpo de idéias a respeito do processo de constituição, consolidação e desenvolvimento da sociedade moderna. Ela é fruto da Revolução Industrial e é denominada "ciência da crise", porque procurou dar respostas às questões sociais impostas por essa revolução que, num primeiro momento, alterou a sociedade européia e, depois, o mundo todo.

A Sociologia como "ciência da sociedade" não surgiu de repente, ou da reflexão de algum autor iluminado; ela é fruto de todo um conhecimento sobre a natureza e a sociedade que se desenvolveu a partir do século XV, quando ocorreram transformações significativas que tiveram como resultado a desagregação da sociedade feudal e a constituição da sociedade capitalista. Essas transformações — a expansão marítima, o comércio ultramarino, a formação dos Estados nacionais, a Reforma Protestante e o desenvolvimento científico e tecnológico — estão vinculadas umas às outras e não podem ser entendidas de forma isolada. Elas são o pano de fundo que permite entender melhor um movimento intelectual de grande envergadura que alterou profundamente as formas de explicar a natureza e a sociedade desde então.

No alto, em representação do século XVI, a rainha da Inglaterra Elizabeth I desfila em carruagem. Acima, paisagem industrial retratada por Tarsila do Amaral no quadro *La gare*, de 1925. No reinado de Elizabeth (1558-1603), o grande impulso dado ao comércio marítimo favoreceu a acumulação do capital e o fortalecimento da burguesia. Começavam assim a ser criadas algumas das condições que desencadeariam o processo conhecido como Revolução Industrial, iniciado na Inglaterra, no século XVIII, e depois estendido ao mundo.

A expansão marítima européia teve um papel importante nesse processo, pois, com a circunavegação da África e o descobrimento da rota para as Índias e para a América, a concepção de mundo dos povos europeus foi consideravelmente ampliada. A definição de um mundo territorialmente muito mais amplo, com diferentes povos e culturas, exigiu a reformulação do modo de ver e de pensar dos europeus.

Ao mesmo tempo em que se conheciam novos povos e novas culturas, instalavam-se colônias na África, na Ásia e na América, ocorrendo com isso a expansão do comércio de mercadorias (sedas, especiarias e produtos tropicais, como açúcar, milho, tabaco e café) entre as metrópoles e as colônias, bem como entre os países europeus. Nascia então a possibilidade de um mercado muito mais amplo e com características mundiais.

A exploração de metais preciosos, principalmente na América, e o tráfico de escravos para suprir a mão-de-obra nas colônias deram grande impulso ao comércio, que não mais ficou restrito aos mercadores das cidades-repúblicas (Veneza, Florença ou Flandres), passando também para as mãos de grandes comerciantes e de soberanos dos importantes Estados nacionais em formação na Europa.

Toda essa expansão territorial e comercial acelerou o desenvolvimento da economia monetária, com a acumulação de capitais pela burguesia comercial, que, mais tarde, teve uma importância decisiva na gestação do processo de industrialização da Europa.

As mudanças que se operavam nas formas de produzir a riqueza só poderiam funcionar se ocorressem modificações na organização política. Assim, pouco a pouco, desenvolveu-se uma estrutura estatal que tinha por base a *centralização da justiça*, com um novo sistema jurídico baseado no Direito romano. Houve também a *centralização das forças armadas*, com a formação de um exército permanente, e a *centralização administrativa*, com um aparato burocrático ordenado hierarquicamente e com um sistema de cobrança de impostos que permitiu a arrecadação constante para manter todo esse aparato jurídico-burocrático-militar sob um único comando. Nasceu, dessa forma, o Estado moderno, que favoreceu a expansão das atividades vinculadas ao desenvolvimento da produção têxtil, à mineração e à siderurgia, bem como ao comércio interno e externo.

No século XVI, desenvolveu-se outro movimento, o da Reforma Protestante. Esse movimento, que entrou em conflito com a autoridade papal e a estrutura da Igreja, valorizava o indivíduo e permitia a livre leitura das Escrituras Sagradas; provocava, dessa forma, o confronto com o monopólio do clero na interpretação baseada na fé e nos dogmas. Muitos passaram, então, em vários lugares do mundo ocidental, não só a interpretar as Escrituras Sagradas, como também a se relacionar com Deus diretamente, sem a intermediação dos ministros da Igreja.

Se nascia uma nova maneira de se relacionar com as coisas sagradas, concebia-se também outra forma de analisar o universo. A *razão* passava a ser soberana e era entendida como elemento essencial para se conhecer o mundo; isto é, os homens deviam ser livres para julgar, avaliar, pensar e emitir opiniões, sem se submeter a nenhuma autoridade transcendente ou divina, que tinha na Igreja a sua maior defensora e guardiã.

Do século XV ao XVII, o *conhecimento racional* do universo e da vida em sociedade tornou-se uma regra seguida por alguns pensadores; foi uma mudança lenta, sempre enfrentando embates contra o dogmatismo e a autoridade da Igreja, a exemplo do Concílio de Trento e dos processos da Inquisição, que procuraram impedir toda e qualquer manifestação que pudesse pôr em dúvida a autoridade eclesiástica, seja no campo da fé, seja no das explicações que se propunham para a sociedade e a natureza.

Essa nova forma de conhecer a natureza e a sociedade, em que a experimentação e a observação eram fundamentais, era representada pelo pensamento e pelas obras de diversos autores; entre eles, Nicolau Maquiavel (1469-1527), Nicolau Copérnico (1473-1543), Galileu Galilei (1564-1642), Thomas Hobbes (1588-1679), Francis Bacon (1561-1626) e René Descartes (1596-1650). Além desses pensadores, dois outros fizeram a intermediação entre esses conhecimentos e os que se desenvolveram no século seguinte: John Locke (1632-1704) e Isaac Newton (1642-1727). Ao passo que o primeiro propunha novos princípios para a compreensão da razão humana, o segundo estabelecia um novo fundamento para o estudo da natureza.

A hegemonia burguesa

Na maioria dos países europeus no final do século XVIII, a burguesia comercial, formada basicamente por comerciantes e banqueiros, tornou-se uma classe com muito poder, na maior parte das vezes, por causa das ligações econômicas que mantinha com os monarcas. Essa classe, além de sustentar o comércio entre os países europeus, estendia seus tentáculos a todos os pontos do globo, comprando e vendendo mercadorias, tornando o mundo cada dia mais europeizado.

O capital mercantil se estendia também a outro ramo de atividade: gradativamente se organizava a produção manufatureira. A compra de matérias-primas e a organização da produção por meio do trabalho domiciliar ou do trabalho em oficinas levavam ao desenvolvimento de um novo processo produtivo em contraposição ao processo artesanal e das corporações de ofício.

Ao se desenvolver a manufatura, os organizadores da produção passaram a se interessar cada vez mais pelo aperfeiçoamento das técnicas de produção, visando produzir mais com menos gente, aumentando significativamente os lucros. Para tanto, procuraram investir nos "inventos", isto é, financiar a criação de máquinas que pudessem ter aplicação no processo produtivo. Foram criadas, nesse contexto, as máquinas de descaroçar e de tecer algodão, e se iniciou a aplicação industrial da máquina a vapor e de outros tantos inventos destinados a aumentar a produtividade do trabalho. Desenvolveu-se então o fenômeno que veio a ser chamado de *maquinofatura*. O trabalho que os homens realizavam com as mãos ou com ferramentas passou, a partir de então, a ser feito por meio de máquinas, elevando muito o volume da produção de mercadorias.

A presença da máquina a vapor, que podia mover outras tantas máquinas, incentivou o surgimento da indústria construtora de máquinas, que, por sua vez, incentivou toda a indústria voltada para a produção de ferro e, posteriormente, de aço. É interessante lembrar que já no final do século XVIII produziam-se ferro e aço com a utilização do carvão mineral.

Nesse contexto de profundas alterações no processo produtivo, cada vez mais o trabalho mecânico convivia com o trabalho artesanal. A maquinofatura se completava com o trabalho assalariado, incluindo a utilização, numa escala crescente, da mão-de-obra feminina e da infantil.

Ao mesmo tempo, longe da Europa, intensificava-se a exploração do ouro no Brasil, da prata no México e do algodão na América e na Índia. Todas essas atividades eram desenvolvidas com a utilização do trabalho escravo ou servil. Esses elementos, conjugados, asseguravam as bases do processo de acumulação necessário para a expansão da indústria na Europa.

Todas essas mudanças, somadas à herança cultural e intelectual do século XVII, definiram o século XVIII como um período explosivo. Se no século anterior a Revolução Inglesa determinou novas formas de organização política, foi no XVIII que a Revolução Americana e a Revolução Francesa alteraram o quadro político e social do ocidente, servindo de exemplo e parâmetro para as revoluções posteriores.

Na tela *A liberdade guiando o povo* (1830), o pintor Eugène Delacroix representou a liberdade como uma mulher que conduz o povo à luta em defesa da República, simbolizada pela bandeira tricolor. O regime republicano foi estabelecido na França em 1792, em meio ao processo revolucionário que levou a burguesia ao poder.

As transformações na esfera da produção, a emergência de novas formas de organização política e a exigência da representação popular deram características muito específicas a esse século. Pensadores como Montesquieu (1689-1755), David Hume (1711-1776), Jean-Jaques Rousseau (1712-1778), Adam Smith (1723-1790) e Immanuel Kant (1724-1804), entre outros, refletiram sobre a realidade, na tentativa de explicá-la.

A consolidação da sociedade capitalista e o surgimento de uma "ciência da sociedade"

No século XIX, outras transformações ocorreram, como a emergência de novas fontes energéticas (eletricidade e petróleo) e de novos ramos industriais (indústria pesada, ferrovias), além da alteração profunda nos processos produtivos, com a introdução de novas máquinas e equipamentos.

No início desse século, depois de 300 anos de exploração colonialista por parte das nações européias, iniciou-se, principalmente na América Latina, um processo intenso de luta pela independência. Foi um reflexo do que ocorreu na França e nos Estados Unidos.

É no século XIX, já com a consolidação do sistema capitalista na Europa, que se encontra a herança intelectual mais próxima da Sociologia como ciência particular. No início desse século, o pensamento de Adam Smith, Saint-Simon (1760-1825), Georg Wilheim Friedrich Hegel (1770-1830), David Ricardo (1772-1823) e Charles Darwin (1809-1882), entre outros, foi a fonte para Aléxis de Tocqueville (1805-1859), Auguste Comte (1798-1857), Karl Marx (1818-1883) e Herbert Spencer (1820-1903) desenvolverem suas reflexões sobre a sociedade de seu tempo.

Agora vamos analisar alguns dos autores que lançaram as bases de uma "ciência da sociedade" no século XIX.

Saint-Simon e a nova ciência "da sociedade"

Saint-Simon, em retrato feito em 1880, 55 anos após sua morte. Proposta do pensador para a reorganização da sociedade européia: cientistas no lugar dos clérigos e cidadãos produtivos no lugar dos nobres e dos burocratas.

Claude-Henri de Rouvroy — Conde de Saint-Simon —, apesar de ser da nobreza, avaliava que o Antigo Regime estava corrompido e não podia durar muito mais. Durante a Revolução Francesa, renunciou ao título de conde e adotou o nome plebeu Claude Henri Bonhomme.

Saint-Simon via a história como uma sucessão de épocas críticas (momentos de crise) e épocas orgânicas (assentadas em crenças e valores bem estabelecidos). Defendia a idéia de que o apogeu de um sistema coincidia com o início de sua decadência e apontava três épocas orgânicas na história ocidental: a Antiguidade greco-romana, seguida pela época crítica das invasões bárbaras; a Idade Média, seguida pela época crítica do Renascimento até a Revolução Francesa, e a era industrial, que já se podia vislumbrar.

Saint-Simon detectava a existência de duas grandes classes em sua época e na sociedade francesa em particular: a dos ociosos (a realeza, a aristocracia e o clero, os militares e a burocracia que administrava a estrutura dos que nada produziam) e a dos produtores ou industriais (cientistas, engenheiros, médicos, banqueiros, comerciantes, industriais, artesãos, lavradores, trabalhadores braçais, enfim, todos os cidadãos úteis para o desenvolvimento da França).

Para que a sociedade pós-revolucionária na França se firmasse seria necessário que a ciência tomasse o lugar da autoridade da Igreja, formando-se assim uma nova elite, agora científica. A ciência deveria substituir a religião como força de coesão. Os cientistas substituiriam os clérigos e os industriais, os senhores feudais. A aliança dos cientistas com os industriais conformaria a nova classe dirigente. Mas deveriam estar na direção apenas os mais capazes em cada campo. E seriam chamados por saber mais da sociedade: os cientistas porque a estudavam e os industriais porque, pela prática, sabiam o que funcionava melhor.

Desde 1803 Saint-Simon escreveu uma série de livros em que professava sua confiança no futuro da ciência e buscava uma lei que guiasse a investigação dos fenômenos sociais, tal como a lei gravitacional de Newton em relação aos fenômenos naturais. A nova ciência teria como principal tarefa descobrir as leis do desenvolvimento social, pois elas poderiam indicar para a sociedade o caminho do progresso continuado.

Entre seus escritos, destacam-se: *Reorganização da sociedade européia* (com Agustín Thierry, 1814), *A indústria ou discussões políticas, morais e filosóficas no interesse de todos os homens livres e trabalhadores úteis e independentes* (1816-1817), *O organizador* (1819), *O sistema industrial* (1821-1823), *O catecismo dos industriais* (1822-1824) e *Novo cristianismo* (1824).

Auguste Comte e o positivismo

A obra de Auguste Comte está permeada pelos acontecimentos que marcaram a França pós-revolucionária. Ele defendeu em parte o espírito de 1789 e criticou a restauração da monarquia, preocupando-se fundamentalmente em como organizar a nova sociedade, que, no seu entender, estava em ebulição e em total caos. Para Comte, a desordem e a anarquia imperavam por causa da confusão de princípios (teológicos e metafísicos) que não podiam mais se adequar à sociedade industrial em expansão. Era, portanto, necessário superar esse estado de coisas, usando a razão como fundamento da nova sociedade industrial.

Auguste Comte, em representação do século XIX. Para a superação da anarquia reinante na nova sociedade industrial, a filosofia positiva defendia a subordinação do progresso à ordem.

Auguste Comte, assim, propôs uma completa mudança da sociedade, mediante uma reforma intelectual plena do ser humano. A "filosofia positiva" ou "positivismo" foi o conjunto de postulados para modificar, por meio dos novos métodos das ciências daquela época, a forma de pensamento das pessoas. Conseqüentemente, haveria uma reforma das instituições. A Sociologia, ou a "física social", ao estudar a sociedade pela análise de seus processos e estruturas, proporia uma reforma prática das instituições.

A Sociologia representava, para Comte, o coroamento da evolução do conhecimento. Segundo ele, havia uma progressão entre as sete grandes ciências (Matemática, Astronomia, Física, Química, Biologia, Moral e Sociologia), sendo a Sociologia e a Biologia as mais complexas e concretas. A Sociologia, como as ciências naturais, deveria sempre procurar a reconciliação entre os aspectos estáticos e os dinâmicos do mundo ou, na sociedade humana, entre a ordem e o progresso, de modo que este deveria estar subordinado àquela. Ou seja, de acordo com Comte, o progresso deveria ser o alvo a se atingir, mas sempre sob o manto da ordem, para que não ocorressem distúrbios e abalos no sistema.

A ciência deveria ser um instrumento para a análise da sociedade a fim de torná-la melhor. O lema era: "Conhecer para prever, prever para prover", ou seja, o conhecimento deveria existir para fazer previsões e também para dar a solução dos possíveis problemas.

A influência de Comte no desenvolvimento da Sociologia foi marcante, sobretudo na escola francesa, por intermédio de Émile Durkheim e de seus contemporâneos e seguidores. Seu pensamento esteve presente em muitas tentativas de criar tipologias para explicar a sociedade. Entre suas principais obras, podemos destacar: *Sistema de política positiva* (1824), *Curso de filosofia positiva* (1830-1842), *Discurso sobre o espírito positivo* (1844) e *Catecismo positivista* (1852).

Karl Marx e a crítica à economia política

Para situar a obra de Karl Marx, é necessário considerar o que estava acontecendo em meados do século XIX. Com as transformações que ocorreram no mundo ocidental, principalmente nas esferas da produção industrial, houve um crescimento expressivo do número de trabalhadores industriais urbanos, com uma conseqüência evidente: a precariedade da vida dos operários nas cidades. As condições de trabalho no interior das fábricas, que empregavam e superexploravam homens, mulheres e crianças, eram péssimas; a alimentação era deficiente; os ambientes externos eram insalubres; as moradias eram precárias. Essa situação gerou a organização dos trabalhadores em associações, sindicatos e movimentos que visavam à transformação das condições de vida. Houve, então, o desenvolvimento de um pensamento explicativo das condições sociais, políticas e econômicas para definir as possibilidades de intervenção nessa realidade.

Muitos pensadores procuraram desde o início do século XIX discutir a sociedade que estava emergindo e destacar as questões sociais de uma perspectiva socialista. Na Inglaterra podem ser citados, entre outros: William Godwin (1756-1836), Thomas Spence (1750-1814), Thomas Paine (1737-1809), Robert Owen (1771-1858) e Thomas Hodgkin (1787-1869). Na França, Étienne Cabet (1788-1856), Flora Tristan (1803-1844), Charles Fourier (1772-1837) e Pierre-Joseph Proudhon (1809-1865).

Levando em conta esses pensadores, debatendo com alguns que foram seus contemporâneos e até os criticando, Marx incorporou a tradição da economia clássica inglesa, representada principalmente em Adam Smith e David Ricardo, e a filosofia alemã de Hegel, sempre com um viés analítico e crítico.

Assim, a tradição socialista, nascida da luta dos trabalhadores muitos anos antes e em situações diferentes, tem como expressão intelectual o pensamento de Karl Marx, que, entre outros, procurou estudar criticamente a sociedade capitalista com base em seus princípios constitutivos e em seu desenvolvimento, tendo como objetivo dotar a classe trabalhadora de uma análise política da sociedade de seu tempo.

Não havia, para Marx, nenhuma preocupação em definir uma ciência específica para estudar a sociedade (como a Sociologia, para Comte) e em situar seu trabalho em algum campo científico particular. Talvez fosse a História a ciência que mais se aproximasse das preocupações dele por abarcar as múltiplas dimensões da sociedade. Esta, para ele, deve ser analisada na sua totalidade, não havendo uma separação rígida entre os aspectos sociais, econômicos, políticos, ideológicos, religiosos, etc.

Para entender o fundamental do pensamento de Marx é necessário fazer a conexão entre os interesses da classe trabalhadora e suas aspirações e as idéias revolucionárias que estavam presentes no século XIX, na Europa. Para ele, o conhecimento científico da realidade só tem sentido quando visa à transformação da realidade, não havendo separação entre teoria e prática, pois a "verdade histórica" não é algo abstrato e que se define teoricamente; sua verificação está na prática.

Marx escreveu muito e, em várias ocasiões, teve Friedrich Engels como companheiro. Apesar de haver algumas diferenças em seus escritos, os elementos essenciais do pensamento desses autores podem ser situados, de modo extremamente resumido, nas seguintes questões, todas abordadas nos capítulos deste livro: historicidade das ações humanas — crítica ao idealismo alemão; divisão social do trabalho e o surgimento das classes sociais; luta de classes; fetichismo da mercadoria e o processo de alienação; crítica à economia política e ao capitalismo; transformação social e revolução; utopia — sociedade comunista.

A obra desses dois autores é muito vasta, mas podem ser destacados alguns livros e escritos: *A situação da classe trabalhadora na Inglaterra* (Friedrich Engels, 1845), *A sagrada família* (Karl Marx e Friedrich Engels, 1844), *Manuscritos econômico-filosóficos* (Karl Marx, 1844), *A miséria da filosofia* (Karl Marx, 1847), *A ideologia alemã* (Karl Marx e Friedrich Engels, 1847), *O manifesto comunista* (Karl Marx e Friedrich Engels, 1848), *O 18 brumário de Luís Bonaparte* (Karl Marx, 1852), *Contribuição à crítica da economia política* (Karl Marx, 1857) e *O capital* (Karl Marx, 1867).

A obra de Marx e Engels não ficou vinculada estritamente aos movimentos sociais dos trabalhadores. Pouco a pouco ela foi introduzida nas universidades como parte do estudo em diferentes áreas do conhecimento. Filosofia, Sociologia, Economia, História, entre outras disciplinas, foram influenciadas por eles. Na Sociologia, como afirma Irving Zeitlin, em seu livro *Ideologia e teoria sociológica*, tanto Max Weber quanto Émile Durkheim fizeram em suas obras um debate com o fantasma de Karl Marx.

Capa da edição brasileira de 2005 do *Manifesto comunista*, com caricatura de Marx e Engels assinada por Maringoni. Lançado inicialmente em 1848, com o título *Manifesto do partido comunista*, o livro é considerado um dos tratados políticos com maior influência na sociedade de seu tempo, difundindo uma concepção de história que teria presença marcante nas universidades e no desenvolvimento do pensamento sociológico.

Pelas análises da sociedade capitalista de seu tempo e pela repercussão que teve em todo o mundo, principalmente no século XX, nos movimentos sociais e nas universidades, Marx pode ser considerado um dos clássicos da Sociologia. E por isso seu pensamento está presente na maioria do temas sociológicos analisados neste livro.

Com base na obra de Marx e Engels, muitos autores desenvolveram seus trabalhos em vários campos do conhecimento. Entre eles podemos citar Vladimir Lenin (1870-1924), Leon Trotski (1879-1940), Rosa Luxemburgo (1871-1919) e Antonio Gramsci (1891-1937), que participaram como intelectuais e atuantes diretos e tiveram significativa influência no movimento operário contemporâneo. No interior das universidades, muitos pensadores foram influenciados pelo pensamento de Marx e Engels. Entre eles podemos citar Georgy Lukács (1885-1971), Theodor Adorno (1903-1969), Walter Benjamin (1892-1940), Henri Lefebvre (1901-1991), Lucien Goldman (1913-1969), Louis Althusser (1918-1990) e Nicos Poulantzas (1936-1979).

A consolidação e o desenvolvimento da Sociologia

A Sociologia propriamente dita nasceu da reflexão de alguns pensadores que procuraram analisar e discutir a sociedade de seu tempo. A partir do último quartel do século XIX, a Sociologia como saber acadêmico, isto é, universitário, desenvolveu-se especialmente em três países: França, Alemanha e Estados Unidos. Em outros lugares também se desenvolveu um saber sociológico, mas não tão vigoroso. O Brasil foi altamente influenciado pelos pensadores desses três países.

A Sociologia na França

Entre os pensadores que contribuíram para o desenvolvimento da Sociologia na França, destacam-se Fréderic Le Play (1806-1882), Gabriel Tarde (1843-1904) e René Worms (1869-1926). O mais importante, porém, foi Émile Durkheim, que procurou sistematicamente definir o caráter científico da Sociologia e constituiu a corrente teórica e metodológica que se tornaria hegemônica.

Durkheim, o principal expoente da Sociologia na França, e uma das suas principais obras, *Da divisão do trabalho social.*

Durkheim desenvolveu sua obra num período de grande crise na França. A derrota na guerra franco-prussiana e o aniquilamento da Comuna de Paris (1870-1871) deixaram marcas profundas na sociedade francesa, exigindo uma reformulação de toda a sua estrutura. A miséria e o desemprego estavam lado a lado com uma grande expansão industrial, ocasionando o fortalecimento das associações e organizações dos trabalhadores, bem como a eclosão de greves e o aguçamento das lutas sociais, campo muito propício ao desenvolvimento das teorias socialistas.

Entretanto, essa época foi também de grande euforia, pois novos fatos propiciaram um progresso significativo na esfera da produção, principalmente as inovações tecnológicas: desenvolveu-se a indústria do aço e duas novas fontes de energia passaram a ser utilizadas, a eletricidade e o petróleo. Apareceram também invenções que transformaram o ambiente social: o telégrafo, o avião, o submarino, o cinema, o automóvel. As inovações e os problemas da sociedade capitalista estavam presentes no dia-a-dia dos franceses. Durkheim procurou estudar essa diversidade de situações.

A principal preocupação de Durkheim, já presente em Saint-Simon, mas muito mais específica, foi dar um estatuto científico à Sociologia. Para isso envidou seus maiores esforços. Formulou alguns parâmetros lógicos importantes:

- Os fatos sociais só podem ser explicados por outro fato social.
- Os fatos sociais devem ser analisados como se fossem coisas, isto é, na sua materialidade.
- É necessário abandonar os preconceitos ao analisar os fatos sociais.

Partindo da afirmação de que a raiz de todos os males da sociedade de seu tempo era uma certa fragilidade da moral (idéias, normas e valores), a preocupação de Émile Durkheim foi com a ordem social, tendo como fonte o pensamento de Saint-Simon e o de Auguste Comte, mais daquele do que deste. Procurou resolver isso propondo a formulação de novas idéias morais capazes de guiar a conduta dos indivíduos. A ciência, especialmente por meio da Sociologia, com suas investigações, poderia indicar os caminhos e as soluções, pois os valores morais constituíam uns dos elementos mais eficazes para neutralizar as crises econômicas e políticas. Com base nesses valores seria possível criar relações estáveis entre os homens.

Assim o elemento fundamental para Durkheim é a *integração social*, que aparece em sua obra por meio do conceito de solidariedade, que permite a articulação funcional de todos os elementos da realidade social.

Outra preocupação de Durkheim foi com o processo educacional e a maneira como a Sociologia poderia servir para que a educação francesa se desvencilhasse das amarras religiosas existentes em seu tempo. Os esforços para conferir um estatuto científico à Sociologia e as primeiras análises propriamente sociológicas do processo educativo caminharam juntos. Essas análises estavam relacionadas com a possibilidade de se instituir uma educação de cunho laico e republicano, em contraposição à presença religiosa e monarquista no sistema de ensino francês.

A Sociologia como disciplina foi inicialmente ministrada nos cursos secundários e só depois nos universitários. Esteve vinculada à perspectiva de transformação da educação francesa e à nova moral burguesa. Durkheim preocupou-se tanto com a questão educacional que esta foi uma constante em sua vida acadêmica; ele refletiu não só sobre a história da organização educacional francesa, como também sobre os conteúdos que estavam sendo ministrados. Além disso, sempre prezou muito sua condição de professor.

Após a morte de Durkheim, continuaram seu trabalho na França, principalmente, seu sobrinho Marcel Mauss (1872-1950) e Maurice Halbwachs (1877-1945). Mas foi após a Segunda Guerra Mundial que a Sociologia na França desenvolveu-se de maneira extraordinária, tomando as mais variadas tendências. Entre os sociólogos franceses, podem ser citados: Georges Gurvitch (1894-1965), Georges Friedmann (1902-1977), Raymond Aron (1905-1983), Roger Bastide (1898-1974), Henri Lefébvre, o franco-romeno Lucien Goldman, Jean Duvignaud (1921), Michel Crozier (1922), Alain Touraine (1925), Pierre Bourdieu (1930-2000), Raymond Boudon (1934) e Michel Mafesoli (1945).

Em seu famoso trabalho *A ética protestante e o espírito do capitalismo*, Max Weber relaciona elementos da doutrina protestante, como a valorização da vida terrena e a predestinação, às condições que propiciaram a emergência e a consolidação do capitalismo.

A Sociologia na Alemanha

Na Alemanha, a Sociologia teve um componente diferencial da desenvolvida na França. Ela foi profundamente influenciada pela discussão filosófica, histórica e metodológica. Seu representante mais expressivo foi Max Weber (1864-1920). Entretanto, outros pensadores deram contribuição significativa para a formação da Sociologia nesse país. Entre eles, contemporâneos de Max Weber, podemos destacar Georg Simmel, Ferdinand Tönnies, Werner Sombart (1863-1941) e Alfred Weber (1868-1958), irmão de Max.

A obra desses autores liga-se fortemente à história da Alemanha de seu tempo, ou seja, à unificação alemã, ao processo de industrialização tardia, ao acordo entre a burguesia industrial e os grandes proprietários de terra, à formação de uma burocracia estatal. Todos esses fatores deram à Alemanha uma configuração singular no contexto europeu.

Pode-se afirmar que a vida de Max Weber foi totalmente dedicada aos estudos, à pesquisa e à participação ativa na política alemã de seu tempo, principalmente mediante suas intervenções em conferências, seus artigos para jornais e revistas e seus escritos publicados em vida e postumamente.

O indivíduo é o núcleo da análise histórico-comparativa de Max Weber, porque é o único que pode definir intenções e finalidades para seus atos. Desse modo, o ponto de partida da Sociologia weberiana é a compreensão da ação dos indivíduos, atuando e vivendo situações sociais com determinadas motivações e intenções.

A Sociologia é uma ciência que interpreta a ação social para explicá-la causalmente em seus desenvolvimentos e efeitos. São as relações sociais que dão sentido a expressões como Estado ou família. Assim, Max Weber não conseguia ver a sociedade como um bloco, uma estrutura única, mas como uma teia de relações.

A obra de Max Weber é vasta e percorre os caminhos variados da História, do Direito, da Economia e da Sociologia, passando pelas questões religiosas, pelos processos burocráticos, pela análise da cidade e da música, e pela discussão metodológica das ciências humanas e dos conceitos sociológicos. Entre seus escritos podemos destacar os que foram publicados enquanto ele estava vivo e outros de maior volume após sua morte: *A ética protestante e o espírito do capitalismo* (1904-1905), *Ciência e política: duas vocações* (1917-1919), *Economia e sociedade: fundamentos da sociologia compreensiva* (1922), *Ensaios reunidos de sociologia das religiões*, *Ética econômica das religiões mundiais*, *História geral da economia* (1923).

Outros sociólogos mantiveram-se em atividade na Alemanha, após a Primeira Guerra Mundial, entre eles, Ferdinand Tönnies, Leopold Von Wiese (1876-1968), continuador dos trabalhos de Simmel na linha da Sociologia formal, Hans Freyer (1887-1968) e Franz Oppenheimer (1864-1943), que criou a primeira cátedra de Sociologia no país, em 1919, em Frankfurt. Karl Mannheim (1893-1947), sociólogo germano-húngaro, dedicou-se à Sociologia do Conhecimento.

De cima para baixo, Adorno, Horkheimer e Marcuse, fotografados respectivamente em 1953, 1960 e 1968.

A Escola de Frankfurt. Logo após a morte de Max Weber abriu-se um novo horizonte para a Sociologia alemã, com a criação do Instituto de Pesquisa Social vinculado à Universidade de Frankfurt, que ficou conhecido como Escola de Frankfurt. Em 1923, um grupo de intelectuais — entre eles, Friedrich Pollock (1894-1970), Leo Lowenthal (1900-1993), Karl August Wittfogel (1896-1988) e Max Horkheimer (1895-1973) — desenvolveu uma análise da sociedade de seu tempo com base em orientações filosóficas de Kant, Hegel e Nietzsche e em visões sociológicas de Karl Marx e de Max Weber, além do pensamento de Sigmund Freud. Aqueles intelectuais tinham em mente desenvolver uma teoria crítica da sociedade capitalista e procuraram dar explicações para os fenômenos mais variados, que iam da personalidade autoritária à indústria cultural. Mantiveram a crítica ao positivismo e ao pragmatismo, procurando demonstrar a necessidade de refletir sobre o que aconteceu com a sociedade que permitiu a emergência do nazismo e sobre o significado disso, que culminou com uma crítica à razão instrumental e às formas de controle sobre a sociedade.

Além dos citados, são representantes dessa corrente de pensamento Theodor Adorno, Walter Benjamin, Erich Fromm (1900-1980) e Herbert Marcuse (1898-1979), entre outros, com suas ênfases e questionamentos diversos e mutantes.

A Sociologia nos Estados Unidos da América

O desenvolvimento da Sociologia nos Estados Unidos ocorreu quase simultaneamente ao desenvolvimento dessa ciência na França e na Alemanha, e resultou numa produção que tem grande influência no mundo todo.

Pode-se atribuir duas características gerais à Sociologia estadunidense: a manifestação de pouco interesse, em seu período inicial, pelas grandes discussões teóricas, priorizando-se a busca de soluções para os problemas existentes na sociedade pela pesquisa aplicada, e a presença nas atividades universitárias do financiamento privado (Fundação Rockefeller, Comitês e Associações normalmente religiosas) paralelamente ao do Estado.

No contexto em que a Sociologia começou a se desenvolver, na última parte do século XIX, os Estados Unidos estavam em franco desenvolvimento industrial, com um crescimento econômico e urbano significativo. Nesse período houve um forte movimento imigratório, principalmente, de populações européias. Assim, as principais cidades passaram a ser espaços de conflito e de muitas preocupações. Temas como imigração, comportamentos desviantes, aculturação ou conflitos étnicos e políticas públicas tiveram presença importante na Sociologia desenvolvida inicialmente nesse país.

Em 1892, a Universidade de Chicago foi fundada graças a financiamento privado (Fundação Rockefeller), e nela o primeiro departamento de Sociologia, sob a direção de Albion Small (1854-1926), determinou os passos iniciais dessa ciência nos Estados Unidos. Small foi fundamentalmente um grande professor e organizador.

A Universidade de Chicago, no início de seus trabalhos sociológicos, deu primazia à pesquisa de campo, isto é, à pesquisa empírica, procurando conhecer, pela observação direta, a dinâmica das relações sociais. Desenvolveu uma forte tendência pragmatista e microssociológica que viria a ser conhecida como a Escola de Chicago, tendo como um dos expoentes William F. Ogburn (1886-1959), que criou instrumentos estatísticos com finalidade prática.

Vários autores participaram desse movimento. Entre os mais conhecidos podemos citar William I. Thomas (1863-1947) e Florian Znaniecki (1882-1958), que desenvolveram uma pesquisa e a publicaram com o nome *O camponês polonês na Europa e nos Estados Unidos*, de 1918 a 1921.

Na segunda metade do século XIX e início do século XX, os pioneiros da Sociologia nos Estados Unidos preocupavam-se particularmente com os problemas gerados pela industrialização e o crescimento das cidades, que atraíam não só migrantes internos, mas também um grande número de imigrantes europeus. No alto, chegada de família européia aos Estados Unidos; abaixo, fábrica de aço em Pittsburg.

Outros autores desenvolveram pesquisas sobre temas que evidenciavam a preocupação com os problemas existentes em Chicago e nas grandes cidades dos Estados Unidos (desorganização urbana, marginalidade social, alcoolismo, drogas, segregação racial e delinqüência), estabelecendo uma relação entre a pesquisa sociológica e a intervenção dos organismos públicos. Alguns deles demonstravam preocupação com o que chamavam de ecologia humana em oposição à ecologia animal e vegetal.

Na Universidade de Harvard também existia essa preocupação. Um de seus expoentes foi Elton Mayo (1880-1949), australiano de nascimento, que desenvolveu a Sociologia Industrial tendo como ponto de partida uma grande pesquisa, realizada entre 1927 e 1932, com os operários da Western Electric. Mayo procurou entender a influência das relações sociais na produtividade dos trabalhadores. Seu livro mais conhecido é *The human problems of an industrial civilization* (Os problemas humanos de uma civilização industrial), escrito em 1933.

Na Universidade de Columbia, em Nova York, Franklin Giddings (1855-1931), por meio das pesquisas de comunidade (*community social surveys*), seguiu o que se fazia em Chicago, pois a situação urbana dos dois lugares era muito parecida. Posteriormente, essa tendência foi desenvolvida por Paul Lazarsfeld (1901-1976), sociólogo alemão que imigrou para os Estados Unidos e desenvolveu metodologias quantitativas para analisar o comportamento dos habitantes do país, mediante o estudo dos meios de comunicação de massa, das escolhas eleitorais, das atitudes políticas e dos padrões de consumo.

Preocupação teórica. A Sociologia na Universidade de Harvard, em Boston, desde o início, foi marcada pela preocupação teórica. O organizador e primeiro catedrático do departamento de Sociologia dessa universidade foi Pitirim Sorokin (1889-1968), imigrante russo que chegou aos Estados Unidos em 1923, permanecendo na chefia do departamento até 1944. Suas principais obras foram: *The sociology of revolution* (A sociologia da revolução, 1925), *Social mobility* (Mobilidade social, 1927), *Social and cultural dynamics* (Dinâmicas cultural e social, 1937-1941) e *Society, culture and personality* (Sociedade, cultura e personalidade, 1947).

Em 1944, Talcott Parsons (1902-1979) substituiu Sorokin em Harvard e procurou dar um novo encaminhamento, mais teórico, para a Sociologia estadunidense. Parsons voltou-se para a Sociologia européia, e buscou em Max Weber, Vilfredo Pareto, Émile Durkheim e no economista inglês Alfred Marshall inspiração para produzir sua obra teórica, que dominaria a Sociologia estadunidense.

Sua obra pode ser resumida em seus dois livros mais expressivos: *The structure of social action* (A estrutura da ação social, 1937) e *The social system* (O sistema social, 1951). Nelas, Parsons desenvolveu sua grande teoria da ação social, contribuindo para o fortalecimento da teoria da escolha racional e da articulação de sistemas em termos amplos, em que as unidades se relacionam e interagem, formando um sistema social que se mantém e se desenvolve no tempo.

Robert K. Merton (1910-2003), aluno de Parsons na Universidade de Columbia, procurou integrar teoria à prática sociológica. Estudou o comportamento desviante e os processos de adaptação social tendo por base suas pesquisas qualitativas e quantitativas das profissões em ambiente de solidariedade e de conflito. Publicou vários livros, mas os dois mais importantes são *Sociologia: teoria e estrutura* (1949) e *A sociologia da ciência* (1973). Teve seu nome vinculado à proposta de criação de *teorias de alcance médio.* Dizia ele que os sociólogos deveriam deixar de lado as grandes teorias e criar outras de menor alcance, pois assim seriam muito mais úteis para a sociedade. As teorias de médio alcance estariam situadas entre as hipóteses de trabalho rotineiras na pesquisa e as amplas especulações que abarcariam um sistema conceitual dominante. Essas teorias mediariam as abstrações, generalizações e fundamentos empíricos da pesquisa.

Interacionismo. A outra vertente da Sociologia nos Estados Unidos é representada por Charles H. Cooley (1864-1929), que escreveu *The human nature and the social order* (A natureza humana e a ordem social, 1902), *Social organization* (Organização social, 1909) e *Social Process* (Processo social, 1918). Cooley preocupava-se com os vínculos entre indivíduo e sociedade, destacando a liberdade individual, a ordem social negociada e a mudança social. Para ele, não há prevalência do indivíduo nem do grupo na análise sociológica; há sempre um processo relacional entre ambos. A distinção e complementaridade entre os grupos primários e secundários é a marca que distingue sua contribuição com ênfase nas relações afetivas.

George H. Mead (1863-1932) foi seu companheiro de trabalho. Mead não publicou nada em vida. Artigos reunidos depois de sua morte no livro *Mind, self and society* (Mente, personalidade e sociedade, 1934) foram sua grande contribuição. Ele afirmava a necessidade da reflexão sobre a responsabilidade individual no contexto de uma coletividade que era sempre gerada por indivíduos orientados para os outros, mas também para si próprios.

Ambos podem ser citados como os pioneiros da abordagem interacionista dos fenômenos sociais, a qual alcançou seu ápice com o canadense Erving Goffman (1922-1982), que se tornou um autor conhecido no mundo todo por meio de seus livros: *A representação do eu na vida cotidiana* (1959), *Manicômios, prisões e conventos* (1961) e *Estigma: notas sobre a manipulação de identidade deteriorada* (1963).

Visão crítica e militante. A Sociologia crítica produzida nos Estados Unidos, cuja presença no Brasil foi marcante, tem em Charles Wright Mills (1916-1962) seu representante mais expressivo. Influenciado por Karl Marx e Max Weber, Mills procurou conciliar o conceito de classe social com o de *status*, visando esclarecer processos e mecanismos dos conflitos e das mudanças sociais. Em suas pesquisas, esforçou-se para explicar a complexidade de estruturas de poder, particularmente das elites, e seu papel na mudança social, fugindo da idéia de revolução como única via para a transformação social. Mas Mills se tornou um autor maldito nos Estados Unidos, porque atacou a Sociologia empírica de seu país. Em seu livro *A imaginação sociológica* (1959), fez críticas à grande teoria de Parsons, aos empiricistas da Escola de Chicago e ao pensamento burocratizado no interior das universidades.

Wright Mills sempre fez uma apaixonada defesa da ciência social inseparável da vida pessoal do cientista. Segundo ele, a intuição, a imaginação e o comprometimento com o tempo em que se vive são fundamentais para compreender cientificamente o mundo social. Mills procurou incitar os sociólogos de seu tempo e também seus alunos a assumir responsabilidades como agentes sociais ativos, desenvolvendo sua capacidade de criticar a sociedade em que viviam. Suas pesquisas mais importantes podem ser conhecidas nos livros *A nova classe média* (1951) e *A elite do poder* (1956).

Outros sociólogos que buscaram uma postura crítica, continuadores ou não de Wright Mills, foram Irving L. Horowits (1929), Andre Gunder Frank (1929-2005) e Alvin Gouldner (1920-1980).

A Sociologia internacionalizada

Se até os anos 1970 podíamos falar em uma Sociologia por países, após essa década, tendo em vista um processo significativo de circulação de informações pelos mais variados meios de comunicação, pode-se dizer que os principais cientistas sociais se tornaram globalizados e que a literatura sociológica passou a ser universal.

As questões sociais, que até então podiam estar mais localizadas em países ou em blocos de países, tornaram-se mundializadas também, fazendo que houvesse uma preocupação geral com esses novos fenômenos. Vários pensadores passaram a refletir sobre temas chamados de pós-modernos, hipermodernos ou simplesmente contemporâneos que afetam um país, uma região ou o mundo — entre eles, os que comentamos a seguir.

Niklas Luhmann (1927-1998). O sociólogo alemão cursou Direito na Universidade de Freiburg e, depois, estudou em Harvard com Talcott Parsons. Lecionou nas Universidades de Münster, Frankfurt e Bielefeld.

Luhmann desenvolveu uma teoria sistêmica da sociedade, na qual o elemento central é a comunicação. De acordo com essa perspectiva teórica, os sistemas sociais são sistemas de comunicação, e a sociedade é o sistema social mais abrangente.

Entre os muitos livros que publicou, podemos citar: *Legitimação pelo procedimento* (1969), *Sociologia do direito* (1972), *O amor como paixão: para a codificação da intimidade* (1982), *A economia da sociedade* (1988) e sua grande obra, *A sociedade da sociedade* (1997).

Anthony Giddens (1938). O sociólogo britânico foi professor de Sociologia na Universidade de Cambridge. Em 1996, assumiu a reitoria da London School of Economics and Political Science. Seu campo de interesse é amplo, pois discute as teorias sociológicas clássicas e procura reformular a teoria social contemporânea, reexaminando a compreensão do desenvolvimento e da modernidade.

Politicamente, defendeu uma revisão da social-democracia européia e foi um dos formuladores da teoria da terceira via. Seus principais livros são: *Novas regras do método sociológico* (1976), *Capitalismo e moderna teoria social* (1971), *Política, sociologia e teoria social* (1977), *A constituição da sociedade* (1984), *As conseqüências da modernidade* (1990), *Modernidade e identidade pessoal* (1991), *As transformações da intimidade* (1992) e *Modernidade reflexiva* (1994).

Zygmunt Baumann (1925). O sociólogo polonês foi professor na Universidade de Varsóvia de 1954 a 1968. Lecionou em Israel, Canadá, Estados Unidos e Austrália até se fixar na Universidade de Leeds (Inglaterra) em 1971, como professor de Sociologia, onde ficou por 20 anos. Hoje é professor emérito das universidades de Leeds e de Varsóvia. Seu foco de estudo é a sociedade contemporânea em seus múltiplos aspectos, mas principalmente as novas formas de sociabilidade. Seus principais livros são: *Modernidade e holocausto* (1989), *Modernidade e ambivalência* (1991), *Modernidade líquida* (2000), *O mal-estar da pós-modernidade* (2000), *Globalização: as conseqüências humanas* (1998), *Em busca da política* (1999) e *Amor líquido* (2003).

Norbert Elias (1897-1990). O sociólogo alemão fugiu do nazismo em 1933 e se fixou na Inglaterra, onde foi professor da Universidade de Leicester de 1945 a 1962. Posteriormente foi professor visitante em universidades na Alemanha, Holanda e Gana. Desenvolveu uma teoria sociológica em que acentuou os aspectos da formação histórica dos fenômenos sociais; por isso, é conhecido como "o sociólogo das configurações". Seus principais livros são: *O processo civilizador* (1939), *A sociedade dos indivíduos* (1939), *A sociedade de corte* (1969), *Mozart: sociologia de um gênio* (1991) e *Os alemães* (1989).

Immanuel Wallerstein (1930). O intelectual estadunidense é professor de Sociologia, desde 1976, na Universidade do Estado de Nova York, em Binghamton (Estados Unidos). Em 2000, assumiu o cargo de pesquisador sênior na Universidade de Yale.

Wallerstein desenvolveu a teoria do sistema mundial, uma macroteoria político-econômica do desenvolvimento do capitalismo, de acordo com a qual a divisão dos países entre centrais e periféricos é inerente ao sistema mundial capitalista em decorrência da divisão internacional do trabalho. Sua obra fundamental é *O sistema mundial moderno* (1989), publicada originalmente em três volumes. De sua vasta obra destacam-se também os livros: *Após o liberalismo* (1995), *Declínio do poder americano* (2003) e *O fim do mundo, como o concebemos: ciência social para o século XXI* (1999).

Manuel Castells (1942). O sociólogo espanhol desenvolveu seus trabalhos, entre 1967 e 1979, em universidades da França e, nos anos seguintes, em universidades dos Estados Unidos. Em 2001, sem abandonar seu trabalho nos Estados Unidos, tornou-se pesquisador da Universidade Aberta da Catalunha, em Barcelona, Espanha. Como convidado, já esteve presente em muitas universidades no mundo. Desenvolveu importantes estudos sobre a Sociologia Urbana e sobre os movimentos sociais na América Latina, na Europa e nos Estados Unidos. Sua última contribuição foi o desenvolvimento do conceito de "sociedade em rede". Seus principais livros são *A questão urbana* (1972) e a trilogia *A era da informação: economia, sociedade e cultura*, que inclui os títulos *Sociedade em rede* (1996), *O poder da identidade* (1996) e *Fim de milênio* (1998).

A Sociologia no Brasil

Gilberto Freyre (acima) e Fernando de Azevedo (abaixo), precursores do ensino da Sociologia no ensino médio.

Como na França de Émile Durkheim, os primeiros passos da Sociologia no Brasil corresponderam a iniciativas para a inclusão dessa disciplina no ensino médio. A primeira tentativa ocorreu logo após a proclamação da República, com a reforma educacional de 1891, de Benjamin Constant, que defendia o ensino laico em todos os níveis. O ensino médio tinha por objetivo a formação intelectual dos jovens fora do contexto religioso, que era predominante até então. Mas, sem nunca ter sido incluída nos currículos escolares, a Sociologia foi eliminada pela Reforma de Epitácio Pessoa, em 1901.

Em 1925, com a Reforma de Rocha Vaz, que tinha os mesmos objetivos da de Benjamin Constant, o Colégio Pedro II, na cidade do Rio de Janeiro, implantou a Sociologia regularmente no seu currículo. Três anos depois, a disciplina foi introduzida nos estados de São Paulo, Rio de Janeiro e Pernambuco.

Em 1931, outra reforma, a de Francisco Campos, ministro da Educação e Saúde do governo Vargas, introduziu a Sociologia nos cursos preparatórios aos cursos superiores nas faculdades de Direito, Ciências Médicas e Engenharia e Arquitetura, além de mantê-la nos cursos normais (de formação de professores).

Desde 1925, podem-se destacar alguns intelectuais que deram sua contribuição lecionando e escrevendo livros (manuais) de Sociologia para esse nível: Fernando de Azevedo (1894-1974), Gilberto Freyre (1900-1987), Carneiro Leão (1887-1966) e Delgado de Carvalho (1884-1980). Eles tinham como objetivo preparar intelectualmente os jovens das elites dirigentes e elevar o conhecimento daqueles que chegavam às escolas médias. Esses autores, em sua maioria, eram influenciados pela Sociologia estadunidense e francesa, havendo forte presença do positivismo entre eles. Mas esse processo no ensino médio estancou no início da década de 1940, voltando a ter presença somente na década de 1980.

A Sociologia no ensino superior

Enquanto havia esse movimento no ensino médio, eram criados cursos de Ciências Sociais de nível superior. Assim, foi fundada, em 1933, a Escola Livre de Sociologia e Política (ELSP), em São Paulo. O objetivo dela era formar técnicos, assessores e consultores capazes de produzir conhecimento científico sobre a realidade brasileira e, principalmente, de aliar esse conhecimento à tomada de decisões no interior do aparato estatal/governamental federal, estadual e municipal. Posteriormente, com a presença de Donald Pierson, sociólogo estadunidense, deu-se ênfase à pesquisa empírica.

A seguir foram fundadas a Universidade de São Paulo (USP) e a Universidade do Distrito Federal (UDF), respectivamente em 1934 e 1935. Nas faculdades de Filosofia dessas universidades, a preocupação maior era garantir professores para o ensino médio, principalmente para as escolas normais, formadoras de professores para o ensino fundamental. Definia-se, assim, o espaço profissional dos sociólogos: trabalhar nas estruturas governamentais ou lecionar.

Sérgio Buarque de Holanda (no alto) e Caio Prado Júnior (abaixo), estudiosos que contribuíram para a abertura de espaço para a formação de sociólogos nas universidades brasileiras.

Pode-se afirmar que foi entre 1930 e 1940 que a Sociologia colocou seus primeiros alicerces no Brasil, pois procurou definir mais claramente as fronteiras com outras áreas do conhecimento afins, como a Literatura, a História e a Geografia. Além disso, a disciplina se institucionalizou com a criação de espaços em escolas e universidades para a formação de sociólogos. O trabalho desenvolvido por Gilberto Freyre e Fernando Azevedo, já citados, e por Oliveira Vianna (1883-1951), Sérgio Buarque de Holanda (1902-1982) e Caio Prado Júnior (1907-1990), entre outros, foi complementado pela presença de muitos professores estrangeiros que aqui estiveram, entre eles, Donald Pierson (1900-1995), Radcliff Brown (1881-1955), Claude Lévi-Strauss (1908), Georges Gurvitch (1894-1965) e Roger Bastide (1898-1974).

A revista *Sociologia* foi um exemplo da produção sociológica de então. Criada em 1939 e publicada até 1981, em São Paulo, ela constituiu um verdadeiro marco de estudo, pesquisa e divulgação das ciências sociais no Brasil.

A consolidação da Sociologia brasileira

A partir do final da Segunda Guerra Mundial até meados da década de 1960, disseminaram-se as faculdades de Filosofia, Ciências e Letras no Brasil, em universidades ou fora delas, e a Sociologia fez parte do currículo dos cursos de ciências sociais ou apresentou-se como disciplina independente em outros cursos. O objetivo dos cursos de ciências sociais era formar técnicos e professores capazes de produzir uma "solução racional", isto é, baseada na razão e na ciência, para as questões nacionais.

Uma nova geração de cientistas sociais passou a ter presença marcante junto àqueles que, nas décadas anteriores, trabalharam e discutiram o Brasil. Entre eles podemos citar: Egon Schaden (1913-1991), Florestan Fernandes (1920-1995), Antonio Candido (1918), Aziz Simão (1912-1990), Juarez Rubens Brandão Lopes (1925), em São Paulo, e Alberto Guerreiro Ramos (1915-1982), Luiz Aguiar da Costa Pinto (1920-2002) e Hélio Jaguaribe (1923), no Rio de Janeiro. Eles tiveram seguidores em todo o território nacional.

A Sociologia, nesse período, tornou-se disciplina hegemônica no quadro das ciências sociais no Brasil e foi a primeira a formar uma "escola" ou uma "tradição" em São Paulo, tendo em Florestan Fernandes um dos seus principais mentores.

Nessa época ocorreram algumas polêmicas que são importantes para entender o desenvolvimento da Sociologia no Brasil. Florestan Fernandes foi quem polarizou essas polêmicas, primeiro com Gilberto Freyre, sobre a questão do ensaísmo e da escrita sociológica, depois com Luiz Aguiar da Costa Pinto, sobre a questão do método, e a seguir com Guerreiro Ramos, sobre a ação política dos cientistas sociais. Houve também uma grande polêmica entre Guerreiro Ramos e Luiz Aguiar da Costa Pinto sobre a questão racial.

Os estudos sociológicos estavam centrados nas relações raciais, na mobilidade social dos diferentes grupos étnicos estrangeiros existentes no Brasil e também no conhecimento do mundo rural brasileiro. A partir da década de 1950 começaram a aparecer estudos sobre a industrialização no Brasil e suas conseqüências.

Notáveis da fase de consolidação da Sociologia no Brasil: Florestan Fernandes (no alto) e Antonio Candido (abaixo).

Diversificação da disciplina

Se no período anterior as bases da Sociologia estavam dadas, mesmo com a presença de uma ditadura militar no Brasil a partir de 1964, a disciplina começou a expandir-se principalmente nos grandes centros urbanos e passou a relacionar-se com outros campos das ciências humanas. As discussões sobre o processo de industrialização crescente e a chamada "modernização" do Brasil foram o centro das atenções. A discussão sobre o desenvolvimento tinha relação com os estudos dos economistas.

A questão educacional também esteve presente, pois, de alguma forma, todas as questões sociais estavam vinculadas à precariedade da educação nacional. Aqui a relação era com os pedagogos.

Principalmente depois do golpe militar de 1964, foram muito discutidos temas relacionados ao autoritarismo e ao planejamento, fazendo interface com a ciência política.

Outras discussões e polêmicas estavam presentes: trabalho, formação da classe trabalhadora, sindicalismo, urbanização, transformações no campo, marginalidade social, dependência econômica, entre outras. Espelham essas preocupações a grande quantidade de livros publicados e, no interior das universidades, o interesse por disciplinas como Sociologia do desenvolvimento, Sociologia urbana, Sociologia rural, Sociologia industrial e do trabalho, Sociologia do planejamento e Sociologia da educação e da juventude.

A partir da década de 1980, expandiram-se os cursos de pós-graduação (mestrado e doutorado) em Ciências Sociais e em Sociologia em todo o território nacional, elevando o nível, em número e qualidade, das pesquisas e do ensino de Sociologia. A presença da Sociologia no ensino superior e de pós-graduação consolidou-se no Brasil pelas mais variadas abordagens e com uma multiplicidade de temas, surgindo assim muitas "sociologias" especiais: do desenvolvimento, do trabalho, do conhecimento, da arte, da educação, urbana, rural, da saúde, da família, etc.

As preocupações e temáticas anteriores continuam presentes, mas outras passaram a ser foco de interesse de muitos estudiosos, até com a realização de encontros e congressos específicos, como violência, gênero, religião, juventude, comunicação e indústria cultural.

Muitos foram os intelectuais que, em diferentes áreas do pensamento sociológico, desenvolveram pesquisas e ensino. Relacionamos alguns dos que, a partir das décadas de 1960-1970, tiveram suas obras lidas e reconhecidas no Brasil e também no exterior: Octávio Ianni (1926-2004), Fernando Henrique Cardoso (1931), Leôncio Martins Rodrigues (1934), Heleieth Saffioti (1934), Marialice Mencarini Foracchi (1929-1972), Laymert Garcia dos Santos (1948), Francisco de Oliveira (1934), Luiz Eduardo Waldemarin Wanderley (1935), José de Souza Martins (1938), Luiz Werneck Vianna (1938) e Maurício Tragtenberg (1929-1998).

No ensino médio, depois de uma luta de mais de 10 anos, a Sociologia voltou oficialmente aos currículos em todo o país, a partir de 2007, por meio de uma resolução do Conselho Nacional de Educação (Resolução nº 4, publicada em 21 de agosto de 2006).

Octávio Ianni (no alto) e Fernando Henrique Cardoso (na capa do livro *O presidente segundo o sociólogo*, resultante de entrevista dada ao jornalista Roberto Pompeu de Toledo). Os dois sociólogos conviveram por longos anos no Centro Brasileiro de Análise e Planejamento (Cebrap), instituição criada no período militar como um esforço para a preservação do pensamento crítico.

Bibliografia

ADORNO, Theodor W., HORKHEIMER, Max. *Dialética do esclarecimento.* Rio de Janeiro: Zahar, 1985.

________ (Org.). *Temas básicos da Sociologia.* São Paulo: Cultrix, 1978.

________. Teoria da semicultura. *Educação e sociedade,* ano XVII, nº 56, p. 338-441. dez/1996.

AGUIAR, Neuma (Org.). *Gênero e ciências humanas: desafio às ciências humanas desde a perspectiva das mulheres.* Rio de Janeiro: Record/Rosa dos Tempos, 1997.

ALBORNOZ, Suzana. *O que é trabalho.* São Paulo: Brasiliense, 1986.

ALVES, Branca Moreira, PITANGUY, Jacqueline. *O que é feminismo.* São Paulo: Brasiliense, 1982.

AMARAL, Azevedo. *O Estado autoritário e a realidade nacional.* Brasília: UnB, 1981.

ANDRADE, Carlos Drummond de. *O corpo.* Rio de Janeiro: Record, 1985.

ARENDT, Hanna. *A condição humana.* Rio de Janeiro: Forense-Universitária, 1987.

________. *Da revolução.* São Paulo: Ática, 1988.

AVELAR, Lúcia, CINTRA, Antônio Octavio (Orgs.). *Sistema político brasileiro: uma introdução.* São Paulo: Unesp, 2004.

BARREIRA, César (Org.). *A Sociologia no tempo: memória, imaginação e utopia.* São Paulo: Cortez, 2003.

BASTIDE, Roger, FERNANDES, Florestan. *Negros e brancos em São Paulo.* São Paulo: Companhia Editora Nacional, 1971.

BAUMAN, Zygmunt. *Amor líquido: sobre a fragilidade dos laços humanos.* Rio de Janeiro: Zahar, 2004.

________. *Comunidade: a busca por segurança no mundo atual.* Rio de Janeiro: Zahar, 2003.

________. *Globalização: as conseqüências humanas.* Rio de Janeiro: Zahar, 1999.

________. *O mal-estar na pós-modernidade.* Rio de Janeiro: Zahar, 1998.

________. *Modernidade líquida.* Rio de Janeiro: Zahar, 2001.

________. *Vida líquida.* Rio de Janeiro: Zahar, 2007.

________. *Vidas desperdiçadas.* Rio de Janeiro: Zahar, 2005.

BERGER, Peter. *Perspectivas sociológicas: uma visão humanística.* Petrópolis: Vozes, 1986.

BERGER, Peter, LUCKMANN, Thomas. *A construção social da realidade: tratado de Sociologia do conhecimento.* Petrópolis: Vozes, 1983.

BERTELLI, A. et al. (Orgs.). *Estrutura de classes e estratificação social.* Rio de Janeiro: Zahar, 1969.

BIHR, Alain. *Da grande noite à alternativa: o movimento operário europeu em crise.* São Paulo: Boitempo, 1998.

BONNEWITZ, Patrice. *Primeiras lições sobre a Sociologia de Pierre Bourdieu.* Petrópolis: Vozes, 2003.

BOSI, Alfredo. *Dialética da colonização.* São Paulo: Companhia das Letras, 1992.

BOSI, Ecléa (Org.). *A condição operária e outros estudos sobre a opressão.* Rio de Janeiro: Paz e Terra, 1979.

BOURDIEU, Pierre. *Coisas ditas.* São Paulo: Brasiliense, 1990.

________. *Contrafogos: táticas para enfrentar a invasão neoliberal.* Rio de Janeiro: Zahar, 1998.

________. *A dominação masculina.* Rio de Janeiro: Bertrand Brasil, 2002.

________ (Coord.). *A miséria do mundo.* Petrópolis: Vozes, 1997.

________. *Poder simbólico.* Rio de Janeiro: Bertrand Brasil, 2001.

________. *Questões de Sociologia.* Rio de Janeiro: Marco Zero, 1983.

________. *Razões Práticas: sobre a teoria da ação.* Campinas: Papirus, 2003.

________. *Sobre a televisão.* Rio de Janeiro: Zahar, 1997.

BRAVERMAN, Harry. *Trabalho e capital monopolista: a degradação do trabalho no século XX.* Rio de Janeiro: Zahar, 1977.

BUCCI, Eugênio, KEHL, Maria Rita. *Videologias.* São Paulo: Boitempo, 2004.

CANCLINI, Nestor Garcia. *Consumidores e cidadãos: conflitos multiculturais da globalização.* Rio de Janeiro: UFRJ, 2001.

________. *Culturas híbridas: estratégias para entrar e sair da modernidade.* São Paulo: Edusp, 2000.

________. *A globalização imaginada.* São Paulo: Iluminuras, 2003.

CANDIDO, Antonio. *Literatura e sociedade.* São Paulo: Companhia Editora Nacional, 1976.

________. *Os parceiros do Rio Bonito: estudo sobre o caipira paulista e a transformação dos seus meios de vida.* São Paulo: Duas Cidades/Editora 34, 2001.

CARDOSO, Fernando Henrique. *Capitalismo e escravidão no Brasil meridional: o negro na sociedade escravocrata do Rio Grande do Sul.* Rio de Janeiro: Civilização Brasileira, 2003.

________, FALETTO, Enzo. *Dependência e desenvolvimento na América Latina: ensaio de interpretação sociológica.* Rio de Janeiro: Zahar, 1979.

________, IANNI, Octavio (Orgs.). *Homem e sociedade: leituras básicas de Sociologia.* São Paulo: Companhia Editora Nacional, 1972.

CARVALHO, José Murilo de. *Cidadania no Brasil: o longo caminho.* Rio de Janeiro: Civilização Brasileira, 2006.

CARVALHO, Lejeune Mato Grosso de (Org.). *Sociologia e ensino médio em debate: experiências e discussão de Sociologia no ensino médio.* Ijuí: Unijuí, 2004.

CASANOVA, Pablo González. *As novas ciências e as humanidades: da academia à política.* São Paulo: Boitempo, 2006.

CASTEL, Robert. *As metamorfoses da questão social: uma crônica do salário.* Petrópolis: Vozes, 1998.

CASTEL, Robert et al. (Orgs.). *Desigualdade e a questão social.* São Paulo: Educ, 2000.

CASTRO, Ana Maria de, DIAS, Edmundo F. (Orgs.). *Introdução ao pensamento sociológico: Durkheim/Weber/Marx/Parsons.* Rio de Janeiro: Centauro, 2001.

CASTRO, Josué de. *Geografia da fome.* Rio de Janeiro: Gryphus, 1992.

________. *Geopolítica da fome.* Rio de Janeiro: Casa do Estudante, 1951.

CHAUÍ, Marilena. *Cultura e democracia: o discurso competente e outras falas.* São Paulo: Cortez, 1989.

________. *O que é ideologia.* São Paulo: Brasiliense, 1980.

CLASTRES, Pierre. *A sociedade contra o Estado.* São Paulo: Cosac & Naify, 2003.

COHN, Gabriel (Org.). *Comunicação e indústria cultural: leituras de análise dos meios de comunicação na sociedade contemporânea e das manifestações de massa nessa sociedade.* São Paulo: Companhia Editora Nacional, 1971.

________ (Org.). *Sociologia: para ler os clássicos.* Rio de Janeiro: Azougue, 2005.

COMTE, Auguste. *Curso de filosofia positiva.* São Paulo: Abril Cultural, 1978.

COSTA, Cristina. *Sociologia: introdução à ciência da sociedade.* São Paulo: Moderna, 1997.

COSTA, Jurandir Freire. *O vestígio e a aura: corpo e consumismo na moral do espetáculo.* Rio de Janeiro: Garamond, 2004.

COSTA, Osmani Ferreira da. *Rádio e política: a aventura eleitoral de radialistas no século XX.* Londrina: Eduel, 2005.

COUTINHO, Carlos Nelson. *Cultura e sociedade no Brasil: ensaios sobre idéias e formas.* Rio de Janeiro: DPA, 2000.

CUCHE, Denys. *A noção de cultura nas ciências sociais.* Bauru: Edusc, 1999.

CUNHA, Newton. *A felicidade imaginada: a negação do trabalho e do lazer.* São Paulo: Brasiliense, 1987.

DECOUFLÉ, André. *Sociologia das revoluções.* São Paulo: Difel, 1970.

DELEUZE, Gilles. *Conversações.* São Paulo: Editora 34, 2004.

DEMARTIS, Lucia. *Compêndio de Sociologia.* Lisboa: Edições 70, 1999.

DIAS, Reinaldo. *Introdução à Sociologia.* São Paulo: Pearson Prentice Hall, 2005.

DOMINGUES, José Maurício. *Sociologia e modernidade: para entender a sociedade contemporânea.* Rio de Janeiro: Civilização Brasileira, 1999.

DOWBOR, Ladislau. *A reprodução social: tecnologia, globalização e governabilidade.* Petrópolis: Vozes, 1998.

DUARTE, Nestor. *A ordem privada e a organização política nacional.* São Paulo: Nacional, 1966.

DUBAR, Claude. *A socialização: construção das identidades sociais e profissionais.* São Paulo: Martins Fontes, 2005.

DURKHEIM, Émile. *Da divisão do trabalho social.* São Paulo: Martins Fontes, 1999.

________. *Educação e Sociologia.* Lisboa: Edições 70, 2001.

________. *Lições de Sociologia.* São Paulo: Martins Fontes, 2002.

________. *As regras do método sociológico.* São Paulo: Martins Fontes, 2003.

________. *El socialismo.* Madrid: Editora Nacional, 1982.

________. *O suicídio: estudo de Sociologia.* São Paulo: Martins Fontes, 2000.

EAGLETON, Terry. *Ideologia.* São Paulo: Boitempo, 1997.

ELIAS, Norbert. *Introdução à Sociologia.* Lisboa: Edições 70, 1999.

________. *Norbert Elias por ele mesmo.* Rio de Janeiro: Zahar, 2001.

________. *O processo civilizador 1: uma história dos costumes.* Rio de Janeiro: Zahar, 1994.

________. *O processo civilizador 2: formação do Estado e civilização.* Rio de Janeiro: Zahar, 1994.

________. *A sociedade dos indivíduos.* Rio de Janeiro: Zahar, 1994.

ENGELS, Friedrich. *A situação da classe trabalhadora em Inglaterra.* Porto: Afrontamento, 1975.

FAORO, Raymundo. *Os donos do poder: formação do patronato político brasileiro.* São Paulo: Globo, 2001.

FERNANDES, Florestan. *Brasil: em compasso de espera.* São Paulo: Hucitec, 1980.

________. *A condição de sociólogo.* São Paulo: Hucitec, 1978.

________. *Educação e sociedade no Brasil.* São Paulo: Dominus/Edusp, 1966.

________. *Elementos de Sociologia teórica.* São Paulo: Companhia Editora Nacional, 1974.

________. *Ensaios de Sociologia geral e aplicada.* São Paulo: Thomson Pioneira, 1971.

________. *Folclore e mudança social na cidade de São Paulo.* São Paulo: Martins Fontes, 2004.

________. *Fundamentos empíricos da explicação da sociedade.* Rio de Janeiro: Livros Técnicos e Científicos, 1978.

________. *Mudanças sociais no Brasil.* São Paulo: Difel, 1979.

________. *A natureza sociológica da Sociologia.* São Paulo: Ática, 1980.

________. *O que é revolução.* São Paulo: Brasiliense, 1984.

________. *A revolução burguesa no Brasil: ensaio de interpretação sociológica.* São Paulo: Globo, 2006.

________. *A Sociologia numa era de revolução social.* Rio de Janeiro: Zahar, 1976.

FERREIRA, Leila da Costa (Org.). *A Sociologia no horizonte do século XXI.* São Paulo: Boitempo, 1997.

FIGUEIRA, Ricardo Rezende. *Pisando fora da própria sombra: a escravidão por dívida no Brasil contemporâneo.* Rio de Janeiro: Civilização Brasileira, 2004.

FORACCHI, Marialice M., MARTINS, José de Souza Martins. *Sociologia e sociedade: leituras de introdução à Sociologia.* Rio de Janeiro: Livros Técnicos e Científicos, 1977.

FORRESTER, Viviane. *O horror econômico.* São Paulo: Unesp, 1997.

FOUCAULT, Michel. *Microfísica do poder.* Rio de Janeiro: Graal, 1986.

FREITAS, Marcos Cezar de (Org.). *A reinvenção do futuro: trabalho, educação e política na globalização do capitalismo.* São Paulo: Cortez, 1996.

GASTALDO, Édison (Org.). *Erving Goffman: desbravador do cotidiano.* Porto Alegre: Tomo Editorial, 2004.

GALLO, Silvio. *Deleuze & a educação.* Belo Horizonte: Autêntica, 2003.

GERAB, William Jorge, ROSSI, Waldemar. *Indústria e trabalho no Brasil: limites e desafios.* São Paulo: Atual, 1998.

GERTH, Hans, MILLS, Charles Wright. *Caráter e estrutura social: a psicologia das instituições sociais.* Rio de Janeiro: Civilização Brasileira, 1973.

GERTZ, René E. (Org.). *Max Weber & Karl Marx.* São Paulo: Hucitec, 1997.

GIDDENS, Anthony. *Política, Sociologia e teoria social: encontros com o pensamento clássico e contemporâneo.* São Paulo: Unesp, 1998.

________. *Sociologia.* Porto Alegre: Artmed, 2005.

GOHN, Maria da Glória. *Teorias dos movimentos sociais: paradigmas clássicos e contemporâneos.* São Paulo: Loyola, 2002.

GUATTARI, Félix, ROLNICK, Suely. *Micropolítica: cartografias do desejo.* Petrópolis: Vozes, 1986.

HARVEY, David. *Condição pós-moderna.* São Paulo: Loyola, 1992.

HIRANO, Sedi. *Castas, estamentos e classes sociais: introdução ao pensamento sociológico de Marx e Weber.* Campinas: Unicamp, 2002.

HOLANDA, Sérgio Buarque de. *Raízes do Brasil.* São Paulo: Cia. das Letras, 1995.

HONNETH, Axel. *Luta por reconhecimento: a gramática moral dos conflitos sociais.* São Paulo: Editora 34, 2003.

HUBERMAN, Leo. *História da riqueza do homem.* Rio de Janeiro: Zahar, 1976.

IANNI, Octávio. *Capitalismo, violência e terrorismo.* Rio de Janeiro: Civilização Brasileira, 1985.

________. *O colapso do populismo no Brasil.* Rio de Janeiro: Civilização Brasileira, 1971.

________. *Dialética e capitalismo.* Petrópolis: Vozes, 1985.

________. *A era do globalismo.* Rio de Janeiro: Civilização Brasileira, 2002.

________. *Estado e capitalismo.* São Paulo: Brasiliense, 1989.

________. *Marx – Sociologia.* São Paulo: Ática, 1980.

________. *As metamorfoses do escravo.* São Paulo: Difel, 1962.

________. *Pensamento social no Brasil.* Bauru: Edusc, 2004.

_______. *Sociologia da Sociologia latino-americana*. Rio de Janeiro: Civilização Brasileira, 1971.

_______. *Sociologia e sociedade no Brasil*. São Paulo: Alfa-Omega, 1975.

JAGGAR, Alison, BORDO, Susan (Orgs.). *Gênero, corpo, conhecimento*. Rio de Janeiro: Record/Rosa dos Tempos, 1997.

KEYNES, John Maynard. *Teoria geral do emprego, do juro e da moeda*. São Paulo: Atlas, 1992.

KONDER, Leandro. *A questão da ideologia*. São Paulo: Companhia das Letras, 2002.

KOWARICK, Lúcio. *Trabalho e vadiagem: a origem do trabalho livre no Brasil*. São Paulo: Brasiliense, 1987.

KRISCHKE, Paulo J. (Org.). *Brasil: do "milagre" à "abertura"*. São Paulo: Cortez, 1982.

LAGO, Benjamin Marcos. *Curso de Sociologia e política*. Petrópolis: Vozes, 1996.

LALLEMENT, Michel. *História das idéias sociológicas: das origens a Max Weber*. Petrópolis: Vozes, 2003.

_______. *História das idéias sociológicas: de Parsons aos contemporâneos*. Petrópolis: Vozes, 2004.

LAPLANTINE, François. *Aprender antropologia*. São Paulo: Brasiliense, 1991.

LEAL, Victor Nunes. *Coronelismo, enxada e voto: o município e o regime representativo no Brasil*. Rio de Janeiro: Nova Fronteira, 1997.

LEFORT, Claude. *A invenção democrática: os limites do totalitarismo*. São Paulo: Brasiliense, 1983.

LEVINE, Donald. *Visões da tradição sociológica*. Rio de Janeiro: Zahar, 1997.

LOUREIRO, Robson, DELLA FONTE, Sandra Soares. *Indústria cultural e educação: em "tempos pós-modernos"*. Campinas: Papirus, 2003.

LUHMANN, Niklas. *O amor como paixão: para a codificação da intimidade*. Rio de Janeiro: Bertrand Brasil, 1991.

MAIO, Marcos Chor, VILLAS BÔAS, Gláucia (Orgs.). *Ideais de modernidade e Sociologia no Brasil: ensaios sobre Luiz de Aguiar Costa Pinto*. Porto Alegre: UFRGS, 1999.

MANNHEIM, Karl. *O homem e a sociedade: estudos sobre a estrutura social moderna*. Rio de Janeiro: Zahar, 1962.

_______. *Ideologia y utopia: introducción a la Sociologia del conocimiento*. Madrid: Aguilar, 1973.

_______. *Liberdade, poder e planificação democrática*. São Paulo: Mestre Jou, 1972.

_______. *Sociologia da cultura*. São Paulo: Perspectiva, 1974.

MARCONDES FILHO, Ciro. *Ideologia: o que todo o cidadão precisa saber sobre*. São Paulo: Global, 1985.

_______. *Quem manipula quem? Poder e massas na indústria da cultura e da comunicação no Brasil*. Petrópolis: Vozes, 1987.

MARCUSE, Herbert. *Razão e revolução*. Rio de Janeiro: Paz e Terra, 1978.

MARINI, Ruy Mauro. *Dialética da dependência*. Petrópolis: Vozes, 2000.

MARSHALL, T. H. *Cidadania, classe social e status*. Rio de Janeiro: Zahar, 1967.

MARTINS, Carlos Benedito. *O que é Sociologia*. São Paulo: Brasiliense, 1987.

MARTINS, José de Souza. *O poder do atraso: ensaios de Sociologia da história lenta*. São Paulo: Hucitec, 1999.

_______. *A sociedade vista do abismo: novos estudos sobre exclusão, pobreza e classes sociais*. Petrópolis: Vozes, 2002.

MARTINS, José de Souza, NOVAES, Sylvia Caiuby, ECKERT, Cornelia (Orgs.). *O imaginário e o poético nas ciências sociais*. Bauru: Edusc, 2005.

MARX, Karl. *O 18 brumário e cartas a Kugelmann*. Rio de Janeiro: Paz e Terra, 1978.

_______. *O capital: crítica da economia política*. São Paulo: Abril Cultural, 1983.

_______. *Manuscritos econômico-filosóficos*. São Paulo: Boitempo, 2004.

MARX, Karl, ENGELS, Friedrich. *A ideologia alemã*. São Paulo: Martins Fontes, 2001.

_______. *Manifesto comunista*. São Paulo: Boitempo, 2002.

_______. *A sagrada família*. São Paulo: Boitempo, 2003.

MÉDA, Dominique. *O trabalho: um valor em vias de extinção*. Lisboa: Fim de Século, 1999.

MEJÍA, Marcos Raúl. *Transformação social*. São Paulo: Cortez, 1996.

MELOTTI, Umberto. *Revolución y sociedad*. Cidade do México: Fondo de Cultura Económica, 1975.

MÉSZAROS, István. *O poder da ideologia*. São Paulo: Boitempo, 2004.

MICELI, Paulo. *O mito do herói nacional*. São Paulo: Contexto, 1989.

_______. *As revoluções burguesas*. São Paulo: Atual, 1994.

MILIBAND, Ralph. *O Estado na sociedade capitalista*. Rio de Janeiro: Zahar, 1972.

MILLS, Charles Wright. *A imaginação sociológica*. Rio de Janeiro: Zahar, 1975.

MORAES, Antonio Carlos Robert. *Meio ambiente e ciências humanas*. São Paulo: Hucitec, 1997.

MORIN, Edgard. *A religação dos saberes: o desafio do século XXI*. Rio de Janeiro: Bertrand Brasil, 2002.

NABUCO, Maria Regina, CARVALHO NETO, Antonio. *Relações de trabalho contemporâneas*. Belo Horizonte: IRT/PUC Minas, 1998.

NOGUEIRA, Marco Aurélio. *As possibilidades da política: idéias para a reforma democrática do Estado*. Rio de Janeiro: Paz e Terra, 1998.

NOVAES, Adauto (Org.). *Tempo e história*. São Paulo: Companhia das Letras, 1992.

OLIVEIRA, Carlos Roberto de. *História do trabalho*. São Paulo: Ática, 1987.

OLIVEIRA, Francisco de. *Crítica à razão dualista: o ornitorrinco*. São Paulo: Boitempo, 2003.

PINSKY, Jaime (Org.). *Modo de produção feudal*. São Paulo: Global, 1982.

PINTO, Luiz de Aguiar Costa. *Sociologia e desenvolvimento: temas e problemas de nosso tempo*. Rio de Janeiro: Civilização Brasileira, 1986.

POCHMANN, Márcio. *A década dos mitos: o novo modelo econômico e a crise do trabalho no Brasil*. São Paulo: Contexto, 2001.

_______ et al. (Orgs.). *Atlas da exclusão no Brasil 3: os ricos no Brasil*. São Paulo: Cortez, 2004.

POLANYI, Karl. *A grande transformação: as origens de nossa época*. Rio de Janeiro: Campus, 2000.

PORTO, Cristina et al. *Trabalho infantil: o difícil sonho de ser criança*. São Paulo: Ática, 2003.

PRANDI, José Reginaldo. *O trabalhador por conta própria sob o capital*. São Paulo: Símbolo, 1978.

QUINTANEIRO, Tânia, BARBOSA, Maria Lígia de O., OLIVEIRA, Maria Gardência de. *Um toque de clássicos: Marx, Durkheim e Weber*. Belo Horizonte: UFMG, 1995.

RAMOS, Sílvia (Org.). *Mídia e racismo*. Rio de Janeiro: Pallas, 2002.

REZENDE, Antônio Paulo. *História do movimento operário no Brasil*. São Paulo: Ática, 1986.

RIBEIRO, Berta G. *O índio na cultura brasileira*. Rio de Janeiro: Unibrade/Unesco, 1987.

RIBEIRO, João Ubaldo. *Política: quem manda, porque manda, como manda*. Rio de Janeiro: Nova Fronteira, 1998.

RIBEIRO, Renato Janine. *O afeto autoritário: televisão, ética e democracia*. Cotia: Ateliê, 2004.

________. *A sociedade contra o social: o alto custo da vida pública no Brasil.* São Paulo: Companhia das Letras, 2000.

Ridenti, Marcelo. *Classes sociais e representação.* São Paulo: Cortez, 1994.

________. *Política pra quê? Atuação partidária no Brasil contemporâneo.* São Paulo: Atual, 1993.

Rocha, Everardo P. Guimarães. *Magia e capitalismo: um estudo antropológico da publicidade.* São Paulo: Brasiliense, 1995.

________. *O que é etnocentrismo.* São Paulo: Brasiliense, 1994.

Rocher, Guy. *Talcott Parsons e a sociologia americana.* Rio de Janeiro: Francisco Alves, 1976

Rodrigues, Alberto Tosi. *Sociologia da educação.* Rio de Janeiro: DPA, 2001.

Rodrigues, José Carlos. *Antropologia e comunicação: princípios radicais.* Rio de Janeiro: Espaço e Tempo, 1989.

Sader, Emir. *Quando novos personagens entraram em cena: experiências e lutas dos trabalhadores da grande São Paulo 1970-1980.* Rio de Janeiro: Paz e Terra, 1988.

Sahlins, Marshall. *Sociedades tribais.* Rio de Janeiro: Zahar, 1974.

Sandroni, Paulo. *O que é mais-valia.* São Paulo: Brasiliense, 1982.

Santaella, Lúcia. *(Arte) & (Cultura): equívocos do elitismo.* São Paulo: Cortez, 1995.

Santos, José Luiz dos. *O que é cultura.* São Paulo: Brasiliense, 1989.

Santos, Wanderley Guilherme dos. *Horizonte do desejo: instabilidade, fracasso coletivo e inércia social.* Rio de Janeiro: FGV, 2006.

Sartori, Giovanni. *Homo videns: televisão e pós-pensamento.* Bauru: Edusc, 2001.

Scalon, Celi (Org.). *Imagens da desigualdade.* Belo Horizonte: UFMG, 2004.

Schwarcz, Lilian. *O espetáculo das raças: cientistas, instituições e pensamento racial no Brasil 1870-1930.* São Paulo: Companhia das Letras, 1993.

Schwarz, Roberto. *Ao vencedor as batatas.* São Paulo: Duas Cidades/ Editora 34, 2000.

Sennett, Richard. *A corrosão do caráter: conseqüências pessoais do trabalho no novo capitalismo.* Rio de Janeiro: Record, 1999.

________. *A cultura do novo capitalismo.* Rio de Janeiro: Record, 2006.

________. *O declínio do homem público: as tiranias da intimidade.* São Paulo: Companhia das Letras, 1988.

Smiers, Joost. *Artes sob pressão: promovendo a diversidade cultural na era da globalização.* São Paulo: Instituto Pensarte/Escrituras, 2006.

Soalheiro, Bárbara. *Como fazíamos sem....* São Paulo: Panda Books, 2006.

Sobral, Fernanda A. da Fonseca, Porto, Maria Stella Grossi (Orgs.). *Contemporaneidade brasileira: dilemas e desafios para a imaginação sociológica.* Santa Cruz do Sul: Edunisc, 2001.

Spindel, Armando. *O que são ditaduras.* São Paulo: Brasiliense, 1981.

Sprandel, Márcia Anita. *A pobreza no paraíso tropical.* Rio de Janeiro: Relume Dumará, 2004.

Strinati, Dominic. *Cultura popular: uma introdução.* São Paulo: Hedra, 1999.

Sztompka, Piotr. *A Sociologia da mudança social.* Rio de Janeiro: Civilização Brasileira, 1998.

Thompson, Edward P. *Costumes em comum: estudos sobre a cultura popular tradicional.* São Paulo: Cia. das Letras, 1998.

Tomazi, Nelson Dacio (Coord.). *Iniciação à Sociologia.* São Paulo: Atual, 2000.

Tragtenberg, Maurício. *Burocracia e ideologia.* São Paulo: Ática, 1992.

________. *Sobre educação, política e sindicalismo.* São Paulo: Unesp, 2004.

Tragtenberg, Maurício, Marrach, Sônia Alem. *Memórias de um autodidata no Brasil.* São Paulo: Escuta, 1999.

Tragtenberg, Maurício et al. *Textos selecionados: Max Weber.* São Paulo: Abril Cultural, 1980.

Tronti, Mário et al. *Processo de trabalho e estratégias de classe.* Rio de Janeiro: Zahar, 1982.

Verissimo, Luiz Fernando. *Histórias brasileiras de verão: as melhores crônicas da vida íntima.* Rio de Janeiro: Objetiva, 1999.

Veyne, Paul (Org.). *História da vida privada: do Império Romano ao ano mil.* São Paulo: Cia. das Letras, 1990.

Viana, Nildo. *Introdução à Sociologia.* Belo Horizonte: Autêntica, 2006.

Vianna, Francisco José de Oliveira. *Instituições políticas brasileiras.* Rio de Janeiro: Record, 1974.

Vita, Álvaro de. *Sociologia da sociedade brasileira.* São Paulo: Ática, 1989.

Wallerstein, Immanuel. *O fim do mundo como o concebemos: ciência social para o século XXI.* Rio de Janeiro: Revan, 2002.

Weber, Max. *Ciência e política: duas vocações.* São Paulo: Cultrix, 1970.

________. *Ensaios de Sociologia.* Rio de Janeiro: Zahar, 1982.

________. *Ética protestante e o "espírito" do capitalismo.* São Paulo: Cia. das Letras, 2004.

Zaluar, Alba, Alvito, Marcos (Orgs.). *Um século de favela.* Rio de Janeiro: FGV, 1998.

Ziegler, Jean. *A fome no mundo explicada a meu filho.* Petrópolis: Vozes, 2002.

Relação de *sites*

http://www.abert.org.br
http://www.cartamaior.com.br
http://www.cefetsp.br
http://www.ces.uc.pt
http://www.correiocidadania.com.br
http://www.consciencia.net
http://diplo.uol.com.br
http://www.dominiopublico.gov.br
http://www.eco21.com.br
http://www.estadao.com.br
http://www.fazendomedia.com
http://www.folha.com.br
http://www.historiasdopoder.com.br
http://humor.uol.com.br
http://www.ibge.gov.br
http://www.imdb.com
http://www.mc.gov.br
http://www.memoriaviva.com.br
http://midiaindependente.org
http://www.millor.com.br
http://www.letras.puc-rio.br
http://www.reporterbrasil.com.br
http://www.revistacult.com.br
http://www.ufba.br
http://www.ultimainstancia.com.br
http://www.wikipedia.org
http://www.ybnews.org.br

Créditos e fontes das imagens

Para as páginas que contêm mais de uma imagem, os créditos estão colocados de cima para baixo e da esquerda para a direita.

p. 6 Sean Adair/Reuters/Corbis; Ricki Rosen/Corbis; Franck Robichon/ Epa/Corbis; David Turnley/Corbis. **p. 7** Laerte. **p. 8** Museu Carnavalet, rep.: Perrot, Michelle. *Mulheres públicas.* São Paulo: Unesp, 1998. p. 69; Rahmat Gul/Epa/Corbis. **p. 9** Revista *Sociologia*. v. 1, n. 1. / Escala. **p. 10** Brasiliense. **p. 12** rep.: Jones, Colin. The Cambridge Illustrated History of France. London: CUP, 1994. p. 145. **p. 13** Niels Andreas/Folha Imagem. **p. 15** Shannon Stapleton/Reuters/Corbis/ Latinstock; Corbis/Latinstock; Bettmann/Corbis/Latinstock. **p. 16** Tako X. **p. 18** Keydisc/Keystone. **p. 19** Kitra Cahana/Flash90/Epa/Corbis/ Latinstock; Photodisc/Getty Images. **p. 23** Biblioteque Nationale, rep.: *Restauration et révolutions (1815/1851)*. Paris: Larousse, 1984. p. 148-9. **p. 26** Sérgio Lima/Folha Imagem. **p. 28** Alex Grimm/Reuters/ Latinstock. **p. 33** Editora Contexto. **p. 34** Lions Gate Entertainment/ California Filmes/Lars Von Trier. **p. 36:** Arvind Garg/Corbis/latinstock; Luiz Carlos Murauskas/Folha Imagem. **p. 37** Anísio Magalhães/ Sambaphoto. **p. 38** rep.: King, Anthony. *Archeology of Roman Empire*. Connecticut: Bison Books, 1982. p. 90. **p. 39** rep.: Burns, Edward M. *História da civilização ocidental*. v. 1. Porto Alegre: Globo, 1979. **p. 40** AKG/Latinstock; The Bridgeman Art Library/Keystone. **p. 41** Chris Hellier/Corbis/Latinstock. **p. 44** American Stock/Archive Photos/Getty Images. **p. 46** Sherwin Crasto/Reuters/Corbis/Latinstock. **p. 48** Hulton-Deutsch/Getty Images; Sandy Felsenthal/Corbis/Latinstock. **p. 50** Images.com/Corbis/Latinstock. **p. 51** Frithjof Hirdes/Zefa/Corbis/ Latinstock. **p. 52** Jean Galvão. **p. 56** rep.: *Nosso século*. São Paulo: Abril, 1985. p. 62; Iconographia. **p. 57** Arquivo Nacional. **p. 58** Evelson de Freitas/Folha Imagem; Flávio Florido/Folha Imagem. **p. 59** Rubens Kiomuro/Carlos Alberto Pereira. **p. 64** Atual; Brasiliense. **p. 65** Ática; Lauro Escorel (foto)/Leon Hirszman (direção)/Gianfrancesco Guarnieri (criação); United Artists/Charles Chaplin. **p. 68** Arne Hodalic/Corbis; Paul A. Souders/Corbis. **p. 69** The Bridgeman Art Library/Keystone/ Other Images. **p. 70** Museu Condé, Chantilly, França, rep: Janson, H. W. *História da Arte*. 5. ed. São Paulo: Martins Fontes, 1992. **p. 73** Michael Yamashita/Corbis; Horace Bristol/Corbis. **p. 74** *Revista A*, edição especial/Abril Imagens. **p. 75** Government Pharmaceutical Organization/ Epa/Corbis; Gideon Mendel/Corbis. **p. 78** Ed Ferreira/AE. **p. 80** Marlene Bergamo/Folha Imagem; Ricciotti Plana/Folha Imagem. **p. 81** Scott Sinklier/Corbis; Alain Nogues/Corbis Sygma. **p. 82** Dung Vo Trung; Romeo Ranoco Reuters/Corbis. **p. 83** Warrick Page/Corbis; Bernd Obermann/Corbis. **p. 84** Ricardo Teles. **p. 85** Iconographia; Moacyr Lopes/Folha Imagem. **p. 86** Nova Fronteira. **p. 87** Storni, rep.: Lemos, Renato (org.). *Uma história do Brasil através da caricatura*. Bom Texto e Letras & Expressões: Rio de Janeiro, 2001. p. 35. **p. 88** Irmo Celso/ Conteúdo Expresso. **p. 89** Reprodução/Governo Federal. **p. 91** Jorge Araújo/Folha Imagem. **p. 92** Fabrizia Granatieri/Folha Imagem. **p. 93** Angeli. **p. 94** Cortez; Imagem Filmes/Fernando Meirelles; Sony Pictures/ Walter Salles. **p. 96** Museu Britânico, Erich Lessing/Album/Latin Stock; Museu do Louvre, Joseph Martin/Akg-images. **p. 97** Hulton Archive/ [illegible]ges. **p. 98** Stapleton Collection/Corbis; Hulton Deustch [illegible] **99** KCNA/Epa/Corbis. **p. 100** Cristina Castelo [illegible] Hulton Deustch Collection/Getty Images. [illegible] **106** The Bridgeman Art [illegible] **p. 109** Fernando [illegible] *Van* [illegible]vio [illegible]14 [illegible]*vés da* [illegible]001. [illegible]lo; [illegible]. Paulo; [illegible]olha [illegible]e S. Paulo; [illegible]nagem; [illegible]. **118** Théo, [illegible]nia; Acervo UH/ [illegible]gem; Folha [illegible]**9** Ziraldo. **p. 120** Eugênio Novaes/Folha Imagem; Lula Marques/Folha Imagem; Márcio Arruda/Folha Imagem; Juca Varella/Folha Imagem; Eduardo Knapp/ Folha Imagem; fundo: Jorge Araújo/Folha Imagem. **p. 121** Claudius; Angeli. **p. 124** Mila Petrillo/Projeto Axé; Iconographia. **p. 125** Reprodução/Revista Época, n. 366, 23 maio 2005. **p. 127** Iconographia. **p. 130** Laerte. **p. 131** Nova Fronteira. **p. 132** Atual; Warner/James McTeigue; Difilm/Glauber Rocha. **p. 134** Topham Picturepoint/TopFoto/ Keystone. **p. 135** Sergent Harry Oakes/AFP; Michèle Bellot/RMN/Other Images. **p. 137** The Bridgeman Art Library/Keystone. **p. 138** Gentilmente cedido por Radar Comunicação; Iugo Koyama/Abril Imagens. **p. 139** André Sarmento/Folha Imagem, Oscar Cabral/Abril Imagens. **p. 141** Maya Vidon/Epa/Corbis/LatinStock. **p. 142** Caio Guatelli/Folha Imagem. **p. 143** Marcelo Min/Fotogarrafa; Sérgio Pedreira/Folha Imagem. **p. 145** Caio Guatelli/Folha Imagem; Jack Guez/ AFP; Private Collection/Archives Charmet/The Bridgeman Art Library/ Keystone. **p. 146** Leo Drummond/Folha Imagem; Robert Visser/AFP. **p. 147** Domingos Peixoto/O Globo. **p. 148** Museu de Londres/HIP/ TopFoto/Keystone. **p. 149** Yuriko Nakao/Reuters/Corbis/LatinStock. **p. 151** J. Carlos, rep.: Lemos, Renato. Op. Cit. p. 48. **p. 153** Iconographia. **p. 154** Roberto Stuckert/Folha; Ubirajara Dettmar/Folha Imagem. **p. 155** Lula Marques/Folha Imagem. **p. 158** Iconographia. **p. 159** Ângelo Agostini/Revista Illustrada; Museu da República. **p. 160-1** CPDOC/FGV. **p. 162** A Notícia de Joinville/AE; Chico Nelson/ Abril Imagens. **p. 163** Jorge Araújo/Folha Imagem. **p. 164** Ayrton Vignola/Folha Imagem. **p. 167** Civilização Brasileira. **p. 168** Braseiliense; Universal/Stanley Kubrick; Versátil Home Vídeo/Renato Bulcão/Toni Venturi. **p. 170** Opção Brasil Imagens; 20th Century Fox/ Ridley Scott. **p. 172** Werner Forman/Corbis/Latinstock **p. 173** Reprodução/Lago, Bia C. do, Lago, Pedro C. do. *Os fotógrafos do império: a fotografia brasileira do século XIX*. Rio de Janeiro: Capivara, 2005. p. 156. **p. 174** JBC. **p. 175** Museu Villa-Lobos; Marcelo Min/ Fotogarrafa. **p. 176** University of Oklahoma Libraries. **p. 178** Dado Galdieri/Folha Imagem; Bruno Miranda/Folha Imagem. **p. 179** Revista Vida Simples, ed. 46, set. 2005/Editora Abril; Marc Vaughn/Masterfile/ Other Images. **p. 180** Nobel. **p. 182** Angeli. **p. 183** Shepard Sherbell/ Corbis/Latinstock. **p. 185** Reprodução/Ediciones del Prado; *Time* Karen Bleier/AFP. **p. 186** Wikipedia. **p. 187** Angela Prada/Folha Imagem. **p. 189** Rugendas, J. M. *O Brasil de Rugendas*. Belo Horizonte/Rio de Janeiro: Itatiaia, 1998. 2ª div., prancha 18; Arquivo/AE. **p. 191** Juca Martins/Olhar Imagem. **p. 192** Abril Imagens. **p. 193** Renata Mello/ Olhar Imagem; Agência O Globo. **p. 194** Sérgio Andrade/Agência O Globo. **p. 195** Street Art Workers (SAW). **p. 197** Laerte. **p. 201** Brasiliense; Warner/Orson Welles; Editora UFRJ; Brasiliense; **p. 204** Alte Pinakothek, Munich; Museu do Vaticano; The Bridgeman Art Library/Keystone. **p. 205** rep.: *La revolution: 1789/1799*. Paris: Larousse, 1984. p.53; Stefano Bianchetti/Corbis. **p. 206** Museu Real de Belas Artes da Bélgica. **p. 208** Karen Kasmauski/Corbis; W. Wayne Lockwood, M. D./Corbis. **p. 209** Jonas Oliveira/Folha Imagem. **p. 211** The Bridgeman Art Library/Keystone; Ann Ronan Picture Library/HIP/ TopFoto/Keystone. **p. 213** The Bridgeman Art Library/Keystone; Bibliothèque Nationale; Bettmann/Corbis. **p. 214** e **216** Hulton Deustch Collection/Getty Images. **p. 217** Baldwin H. Ward/Kathryn C. **p. 218** AFP. **p. 219** Adalberto Roque/AFP. **p. 222** Ronaldo Schemidt/AFP. **p. 223** K. Lixto, rep.: Lemos, Renato. Op. Cit. p. 51. **p. 224** Iconographia. **p. 225** Folha Imagem. **p. 226** Pereira Neto, rep.: Lemos, Renato. Op. Cit. p. 34. **p. 228** Marcelo Min/Fotogarrafa. **p. 232** Atual; Brailiense. **p. 233** United Artists/Sergio Leone; Editora NBO/Hugh Hudson; Paramount Pictures/Warren Beatty. **p. 235** The British Library/Hip/TopFoto/Keystone; Tarsila do Amaral, rep.: *Tarsila do Amaral*. São Paulo: Fundação Finambrás, 1998. p. 91. **p. 237** Museu do Louvre, Paris. **p. 238-9** Akg-Images. **p. 241** Boitempo. **p. 242** Akg-Images; Martins Fontes. **p. 243** Akg-Images; Companhia das Letras. **p. 244** Akg-Images; Corbis (embaixo). **p. 245** Corbis/LatinStock; Hulton Deutsch Collection, rep.: Yapp, Nike. *150 ans de photos de presse*. Paris: Grund, 1995. p. 231. V. 1. **p. 249** Abril Imagens; AE. **p. 250** Abril Imagens; AE; Abril Imagens; Abril Imagens. **p. 251** José Sabino/Folha Imagem; Companhia das Letras.